W9-CTW-756

Gabriele Wohmann
Stolze Zeiten

Gabriele Wohmann

Stolze Zeiten

Erzählungen

claassen

1. Auflage 1981
Alle Rechte dieser Ausgabe by claassen Verlag GmbH, Düsseldorf
Copyright © 1970–1980 by Verlag Eremiten-Presse, Düsseldorf
Alle Rechte der Verbreitung, auch durch Film, Funk und Fernsehen,
fotomechanische Wiedergabe, Tonträger jeder Art, auszugsweisen
Nachdruck oder Einspeicherung und Rückgewinnung in
Datenverarbeitungsanlagen aller Art, sind vorbehalten.
Gesetzt aus der Times
Satz: alfa-satz Triltsch, Düsseldorf
Papier: Papierfabrik Schleipen GmbH, Bad Dürkheim
Druck und Bindearbeiten: Ebner Ulm
Printed in Germany
ISBN 3 546 49834 8

Inhalt

Die Blonde

Für die Leute von Schomberg ist es ein Ereignis geblieben. In der Wirtschaft Zum Grünen Eck erinnern sich noch alle an diesen Tag im Vorherbst. Aus dem Dunst des späten Mittags war die Frau gekommen. Auf einmal hatte sie in der Tür gestanden, violett angezogen, und weiß im Gesicht, unter weißblondem Haar, mit einem verängstigten Ausdruck. Sie war ein wenig mollig, aber fast groß. Schnell trat sie ein und setzte sich an den runden braunen Nebentisch, wo sie noch weißer aussah. Gleich hatte sie mit Schnaps angefangen. Alles ist mittelbraun in der Wirtsstube vom Grünen Eck, Tische, Stühle, Theke, das schwere Bier. An jenem Montag hockte Fleming mit Starkmann und Bauer zusammen. Alle drei im Umkreis gut bekannte Landvermesser. Starkmann hatte die längste Zeit gearbeitet, sein kleiner Fuchskörper würde bald nur noch zum Nichtstun in der Welt sein, zum Schnapstrinken und Herumnörgeln. Bauer ist der Jüngste, weich und schweigsam. Seine Frau erzählt jedem, an ihm sei nichts Besonderes dran. Sie trägt stets einen geschwollenen Kinderbauch durch die Wochen. Soviel weiß man von Bauer: es ist ihm egal, wie eine Frau beschaffen ist, seine eigene Frau ist kalt und schroh, aber er kümmert sich um sie, wie das Schomberger Geburtenregister versichert. Dann bleibt noch Fleming: ein typischer Bürger von Schomberg bis zu diesem Montag am Monatsletzten. Er trank bloß von jeher zuviel und tat sich dann immer groß damit, hellsehen zu können – was viele in Schomberg probierten, nachdem der Großzirkus mit der Olettigruppe gastiert hatte.

Die Blondine trank ihren Schnaps und sagte mit einer unbeherrschten Singstimme: Ich will gleich bezahlen. Als würde sie nur eben diesen einen Schnaps trinken. Sie war blonder und hübscher als alles, was die Landvermesser je gesehen hatten. Ihr Parfüm verdarb ihnen den Biergeschmack. Es war wie ein Unrechtsbeigeschmack beim Trinken. Frau Wolf, die Wirtin, kam aus dem Nebenzimmer, wo sie mit einer Freundin wie immer beim Kaffee saß. Als die Blonde sprach, merkten die Männer auf. Fleming fragte: Von wo kommen Sie denn? Die Frau sah zu den Männern hin, lächelnd, und dann über sie weg. – Von Wegedorf, sagte sie schnell, ich komm' von Wegedorf. Sie rief Frau Wolf zu sich und bestellte einen Doppelten, lässig wie ein Mann.

– Nein, sagte Fleming hart herüber, nie, nie, aus Wegedorf kommen Sie bestimmt nicht. So wie Sie aussehen.

Starkmann und Bauer saßen stumm dabei, Frau Wolf stellte sich nüchtern und neugierig hinter der Theke auf.

– Noch einen Doppelten! Die Blonde trank, ihr Gesicht blieb weiß.

– Doch doch, daher komm' ich, sagte sie zu den Männern.

Starkmann, dem immer klar ist, wann er Schluß machen muß, stemmte seinen Fuchskörper vom Stuhl hoch und sagte: Na, mir reicht's für heute, ich werd' mich davonmachen. Und Bauer stand auch auf, holte seine schwarze Mütze vom Ständer, warf seine Münzen auf die Zinkplatte: klirrend, kurz, ohne Echo. Frau Wolf schloß die Tür hinter den beiden. Sie ging mit ihren harten Schritten nutzlos umher. Fleming rief: He, machen Sie uns ein bißchen Musik, seien Sie nett. Seine Stimme drängte. Bißchen Musik und bißchen Stimmung! Schließlich hab' ich nicht umsonst mein Gehalt in der Tasche!

Ein Marschlied plärrte aus dem Automaten. Die Frau lachte schrill auf, sie saß jetzt noch etwas schräger und lässiger im Stuhl; violett-weiß, kein Wunder, daß Fleming hartnäckig zu ihr hinstarrte, diese Farben! Er kannte nichts, das ihr ähnlich war. Jetzt mußte er was unternehmen. Er trank sein Bierglas leer und goß danach noch den Schnaps in die Kehle.

– Ich sag' Ihnen die Zukunft, rief er. Wenn Sie's vertragen können, sag' ich Ihnen die Wahrheit. Kommen Sie her!

Sie kam gleichgültig, glitt neben ihn hin. Er hielt ihre Hand, starrte in die rosigen Rinnen des muldigen Tellers, fuhr mit seinen groben Fingern rauh darüber weg. Was sollte er anfangen mit dieser Hand.

Später erzählten die Leute, Fleming und die Blondine hätten eine Flasche Korn ausgetrunken, und bei Fleming kam noch das Bier hinzu. Sein Gaumen brannte, und er hielt die weiße, glatte Hand.

– Beim Kreis bin ich angesehen, sagte er, was glauben Sie. Herr Fleming hier, Herr Fleming da, so viel Jahre im Dienst. Er spürte den Drang, sich vor ihr zu rechtfertigen, und fast zum Weinen bewegte ihn sein schmutziges Hemd.

– Meine Frau kann ich nicht aus dem Haus bewegen, sagte er. Geizig, sie hockt hinterm Herd und jammert über alles und gar nichts.

– Ja, sagte sie, erzählen Sie. Sie kicherte und streichelte seine Armbanduhr.

– Sagen Sie selbst – seine rechte Faust schlug hart auf den Tisch –, was soll einer wie ich noch bei der? Mir laufen sie alle nach, beim Kreis, ich brauche jetzt bloß anzurufen und zu sagen: Schickt mir einen Wagen, aber schnell, einen Wagen für Sie und mich, für was weiß ich wie lang, Stunden, Tage, Jahre, was denken Sie. Sie glitt schräger hin auf dem Stuhl und berührte das Holz fast gar nicht. Er sah ihre Knie, rund und hell, er erschrak und legte schnell seine Hand darauf.

– Ich könnte mich waschen und umziehn, sagte er steif. Ich wohne keine vierhundert Meter von hier. Und dann bestell' ich den Wagen, und wir fahren weg.

Sie lachte, ihr Mund lag naß vor ihm, volle gedehnte Lippen. Dann, so erzählten sie sich, erschien nach seinem

Mittagsschlaf der Wirt Wolf persönlich hinter der Bar, mit seinem schwammigen ungesunden Mondkopf, in der prall über den Bauch gezogenen Strickjacke. Vorsichtig trug er ein Glas Kamillentee: einen über den andern Tag spielte er notgedrungen den Abstinenzler – und so einen nüchternen Tag mußten Fleming und die Frau nun ausgerechnet erwischen. Er trat zu den beiden an den Tisch und schlug Flemings Hand vom Knie der Frau weg. Die beiden Schnapsgläser goß er einfach auf den stumpfen Wirtsstubenboden, Zorn auf seinem Schollengesicht – so erzählen es die Männer von der Sägemühle, die beim Schichtwechsel ins Grüne Eck gekommen waren.

– Mach dich weg, sagte Wolf drohend zu der Frau, los, lauf! Da soll Fleming wild geworden sein, aufgesprungen, wobei sein Stuhl hinfiel, er selbst fiel auch.

– Ich sag' Ihnen die Wahrheit, rief er.

Wer weiß, ob er die Frau überhaupt noch erkannte nach seinem Sturz. Sie stand mit Wolf vor ihm, lächelnd, betrunken und freundlich.

– Halt's Maul, sagte Wolf, er trat ein bißchen nach ihm, sei du froh, daß du nicht noch reingezogen wirst, die Grünen sind scharf hinter dieser Dame her.

Der Augenblick, in dem sie verschwand, ist keinem mehr gegenwärtig. Eben standen sie noch hier, pflegt Hannecker zu erzählen, und dabei deutet er mit seiner dicken verbogenen Hand auf eine Stelle ins Leere und verzieht sein dümmliches Gesicht, da unten lag Fleming und kotzte. Richtig komisch, daß ich nicht mitbekommen habe, wie sie wegging. Auch draußen sah man die Frau nicht mehr. Und in der Wirtsstube fing Fleming an zu verstehen, daß er schmutzig am Boden lag und daß die Frau weg war, violett-weiß war verlöscht. Er richtete sich auf und hätte wie ein zorniger Stier den Wirt niedergerammt, wären die Männer von der Sägemühle ihm nicht in die Arme gefallen. Danach versuchte er, draußen sich aufs Rad zu setzen, um ihr nachzufahren – wohin? Aber er

10

brachte nicht einmal im Stehen seinen Körper ins Gleichgewicht, sackte hin, glitt an der Hauswand abwärts, hockte hilflos am Boden im braunen Kies.

Gewiß hat außer Wolf keiner daran geglaubt, daß die Polizei wirklich diese Frau gesucht habe. Wolf aber bleibt bis heute dabei, sie sei diejenige, die in Wegedorf einen Mann erschossen hatte aus Liebe oder Rache oder Eifersucht – die Zeitungen waren damals voll davon –, obwohl sie längst eine andere gefunden haben und alles aufgeklärt ist. Ja, mit seinem Urteil über Flemings Malheur befindet sich Wolf allerdings mit so ziemlich allen in Übereinstimmung. Denn daß es niemand anderes als die Blonde gewesen sein kann, die Fleming an diesem Nachmittag um seine pralle Brieftasche erleichtert hat, ist für jedermann im Grünen Eck klar. Nur Fleming besteht darauf, er müsse sein Geld verloren haben.

Er will niemand mehr die Zukunft vorhersagen. Der Kreis hat ihn aus Gesundheitsrücksichten vorzeitig in den Ruhestand versetzen müssen. Wenn er mit Starkmann und Bauer im Grünen Eck sitzt und sein Quantum getrunken hat, fängt er grundlos zu lachen an. Es passiert ihm, daß er sich plötzlich mit fremden Ohren selber hört.

Vaterporträt

Sie fühlen an meinem Kopf herum, sie lassen ihr Mittagessen kalt werden, es geht um Hinterköpfe. Auch ich habe es lustig gefunden, als wir damit anfingen. Du hast einen musikalischen Hinterkopf, du auch, beinah, und du erst. Aber jetzt sind sie bei mir. Hier, ihr werdet es nicht glauben, bitte fühlt mal: das Kleine, es hat eine Delle. Es hat eine richtige Delle im Kopf. Sie betasten eine Stelle unter meinem Haar. Das ist alles nur Spaß. Hört auf, sie ist schon wieder beleidigt. Sie wäre allerdings groß genug, um vernünftig zu bleiben. Sie spielt sich ganz gern auf, oder nicht? Niemand hat was bös gemeint. Was ist dabei? Ich merke, daß ich viel mehr und von jetzt an laut weinen muß. Der Stuhl fällt hinter mir um, ich hasse alle, ich renne weg. Im Spielzimmer ergebe ich mich meinem Elend, das sie unten vergessen. Das kennt man: sie ist ein bißchen eitel, außerdem trotzig. Sie lächeln, aber es tut ihnen auch leid. Läuft einfach weg, läßt ihr Essen stehen. Der Unfug mit der Delle war vielleicht auch etwas übertrieben. Gib mir mal den Salat. Das nimmt keiner tragisch. Doch: mein Vater. Er interessiert sich nicht einmal mehr dafür, daß jemand sich ungeniert Salat nimmt, seinen Salat, sein Privileg. Er kann seinen Teller nicht mehr anrühren. Er weiß ganz genau über mein Los Bescheid. Ich habe keine Delle im Kopf, aber ich spüre sie jetzt. Mein Vater findet mich oben. Für so nasse chaotische Gesichter wie meines hat er immer ein unbenutztes Taschentuch bei sich. Ich weiß genau, wie das Taschentuch riecht. So riecht es im Schlafzimmerschrank meines Vaters, bei seinen Anzügen und seiner Wäsche, immer noch der gleiche Geruch viele Jahre später, wenn ich dort den Platz der Kirschwasserflasche aufsuche, mein Vater weiß auch jetzt wieder Bescheid, er sagt nichts gegen den Kirschwasserschwund in der Flasche: wir lassen ihn mysteriös. Mein Vater schützt mich mit dem Taschentuch gegen alle Verfechter der Dellentheorie. Mein ganzer Kopf könnte eine Delle sein. Die Spur Äther im Eau de Cologne wirkt mit. Weil mein Vater ebenfalls leidet, weil er wahrscheinlich etwas mehr leidet als ich, kann er mich trösten.

Mein Vater findet jede Kinderverzweiflung erheblich. Weniger sensible Erwachsene sagen: das vergeht, das muß sein, es gehört dazu, so lernt man beizeiten, daß – wir haben damals auch – wie bald ist es vergessen, und dann sind sie von neuem ungezogen: gehen wir endlich über zu wirklichen Problemen. Mein Vater geht nicht mit ihnen über. Er bleibt bei seinem wirklichen Problem. Er kennt sich mit ungezogenen Kindern nicht aus, er kennt keine, er kennt ungezogene Erwachsene. Mein Vater verachtet jenes angeblich harmlose Zugeständnis an die Prügelstrafe, das sich die Erwachsenen gönnen, jenen angeblich vom Kind dringend erwünschten körperlichen Kontakt, *den Klaps die Ohrfeige den Schlag* von erziehungsberechtigter Hand, den die erziehungsberechtigte Hand allein dem Kind zuliebe auszuführen vorgibt. Mein Vater bleibt bei dem plärrenden Kind stehen. Mein Vater geht nicht an dem Kind vorbei, das sich am Strand verirrt hat.

Mein Vater sitzt am Schreibtisch vor vielen aufgeschlagenen Büchern; was er sich merken will und dann auch zitieren kann, unterstreicht er mit Rotstiften, er liest nicht kontinuierlich, sondern wechselt mit den Büchern ab, ich versäume es wieder, genau hinzusehen, leichtsinnig beruhigt: es wird ja so bleiben, ich muß es nur ungefähr wissen. Ich denke, es wird Schopenhauer und Lichtenberg und etwas Theologisches sein, mit dem er sich befaßt, der Westöstliche Diwan, Kierkegaard, ein Verlagsalmanach, Jaspers, das Neue Testament und die Psalmen, die Losungen der Woche: obwohl mein gar nicht orthodoxer Vater sich über die herausgebende Evangelische Brüder-Unität und deren Eifer mokiert, hindert das den Rotstift nicht, heute morgen zum Beispiel Matthäus II, 28 hervorzuheben: *Kommet her zu mir alle, die ihr mühselig und beladen seid; ich will euch erquicken.* Diesen Schreibtisch müßte jemand mal aufräumen, und meine Mutter wartet die nächste Reise meines Vaters ab, um es zu tun. Bei der Rückkehr meines Vaters hat der Schreibtisch kahle Stellen. Mein Vater sagt, daß er nichts findet. Es kommt nicht zu lauten Vorwürfen. Mein Vater spricht nicht laut. Und der Schreibtisch wächst leise wieder zu. Die Buchhandlungen der Stadt und bibliophile Gesellschaften kennen die Schwäche meines Vaters, sie schicken ihm umfangreiche Pakete ins Haus: Neuerscheinungen »zur Ansicht«. Meine Mutter verzweifelt, denn die »Ansicht« wird lebenslänglich. Die Drucksachen stapeln sich, Prospekte, Kataloge. Mein Vater verspricht, zu ordnen, zu sortieren, auszuwählen. Aber heute ist Sonntag, er muß an seine Kinder schreiben. Das Radio begleitet ihn mit Mozart oder Barockmusik. Mein Vater unterbricht seine sanften geduldigen Momentaufnahmen für die entfernten Kinder, die unregelmäßig antworten werden, um einem Vortrag zuzuhören – vielleicht über Melanchthon, über irgendeine neue theologische Auffassung: wieder beschwichtigt mich die Selbsttäuschung, der wir alle in diesem Haus verfallen, das Trugbild von der Unendlichkeit solcher Sonntagvormittage, und ich passe nicht genau genug auf, ich höre den Sprecher nur eine halbe Minute, denn mehr Zeit benötige ich nicht, um mir aus dem Briefmarkenheftchen meines Vaters eine Marke zu leihen: wir beide wissen, daß ich die Marke nicht zurückzugeben brauche, er gibt mir zwei oder auch drei, wenn es praktischer ist, drei abzutrennen. Das große Fenster neben seinem Schreibtisch öffnet mein Vater weit. Läßt die kalte Jahreszeit sein Verlangen nach Außenluft als unsinnig erscheinen, weiß er, daß meine Mutter ärgerlich über ihn seufzen wird, wenn sie eintritt, wenn sie das Mittagessen

14

ankündigt. Aber das ist doch kein Ärger, wir streiten uns doch nicht, wir sind höchstens verschiedener Meinung, und zwar bei unwesentlichen Anlässen.

Am Schreibtisch hat mein Vater nicht nur gelesen und Briefe geschrieben, sondern für vier schulpflichtige Kinder Gesuche, Beschwichtigungen, Entschuldigungen und Interpretationen verfaßt, die den grob einsträngig und meistens inhuman urteilenden Lehrern und Schuldirektoren kompliziertere psychische und sensiblere physische Reaktionen ihrer Schüler – der Söhne und Töchter meines Vaters – erklären sollten. Zahllose Male hat er in langgestreckter Schrift mit dünnen Buchstaben um Versöhnlichkeit gebeten, dabei aber nie aufgehört, auf unserer Seite zu stehen. Wir drei älteren Geschwister haben hundertmal gegen die brutalen Erziehungsgebräuche der nazistischen Pädagogen verteidigt werden müssen. Mein Vater hat den ungleichen Kampf gegen das Parteiregime verloren, das die Schule meines ältesten Bruders, ein humanistisches Gymnasium, beherrschte; es hat ihn vielleicht dann auch befriedigt, daß sein Widerstand zur Vertreibung meines Bruders aus dieser Schule führte. Er hörte nicht auf, meinen Bruder in der Verweigerung des HJ-Dienstes zu unterstützen. Mit meiner Schwester und mir ist er froh gewesen, als ein gelber Zettel uns endlich unehrenhaft vom Dienst in Uniform befreite. Hier war er nicht für Versöhnlichkeit und Anpassung, hier war er es, der an die Haustür kam, wenn eine -schafts- oder -scharführerin dort klingelte, er hat ihren Vorwürfen geantwortet. Sogar diese militanten Nazimädchen müssen eine Art Immunität meines Vaters gespürt haben, seinen Charme, seine Beharrlichkeit darin, uns beizustehen gegen den verordneten Marschschritt. Mein Vater schreibt immer noch Bittschriften und Verständigungsgesuche, jetzt für meinen jüngsten Bruder, den im Individualismus Entschlossensten.

Sie halten meinen Vater für sehr sanft, für weichherzig, sie sind geneigt, sich zu fragen: ist er nicht allzu empfindlich, allzu

zart? Das kann zutreffen, obwohl ich der Sensibilität keine
Grenzen setzen möchte. Die Sensibilität meines Vaters ist so
groß, daß sie sich in Entschlossenheit und Widerstandskraft
verwandelt, wenn wir in ernsten Schwierigkeiten sind. Jemand
von uns ist krank, jemand hat Fieber, es wird ein paar Tage
dauern und ist unangenehm – aber kein Grund zur Besorgnis.
Mein Vater sieht dennoch betrübt aus, er seufzt, er hat kaum
Appetit. Wir weisen ihn zurecht: sei ein bißchen realistisch,
dem Patienten fehlt doch nichts Besonderes. Dann aber
erkrankt einer, und es sieht unheimlich aus: es ist nichts vom
Üblichen, was sowieso in Familien vorkommen muß, es sind
fünf gebrochene Rippen und ein gequetschtes Zwerchfell, ist
eine Gehirnerschütterung, Depression, Gelenkrheumatismus,
eine Operation, eine geöffnete Bauchhöhle, es sind Mittel-
handknochen, auf die ein Schrank gefallen ist. Jetzt muß man
sich an meinen Vater halten. Wer prophezeit hätte, er werde
nun erst recht seufzend in ein untätiges Mitleid ausweichen,
sieht ungläubig seiner Aktivität zu. Mein Vater, der aus
Prinzip keine andere Person zu irgend etwas zwingt, zwingt
mich – sanft, ja, sanft und deshalb wirksam –, eine Erdbeere
nach der andern zu essen: schon fange ich an zu glauben, daß
ich nicht sterben werde. Gegen zu viel Rührung über diese
Erdbeeren mitten im Winter, mit denen mein Vater den
weiten Weg bis zu meinem Krankenlager zurückgelegt hat,
erzählt er mir ein paar Satiren vom Alltag zu Haus und läßt
sich dabei schlecht wegkommen, das heißt der Familie
unterliegen: er hat wieder zu viele Bücher gekauft, die Mutter
hat wieder Quittungen weggeworfen und ist entschuldigt, weil
sie seine Unordnung bekämpfen wollte, denn er hat wieder
nicht den Schreibtisch aufgeräumt, wieder nicht bürokratische
Formulare fürs Finanzamt ausgefüllt – lieber läßt er sich
übervorteilen, ist er nicht unvernünftig? –, wieder nicht
meinem Bruder dies oder jenes verboten, er kann nichts
verbieten, er hat meinen Bruder wieder nicht zu dem und
jenem ermahnt, er bezeichnet sich als Karikatur eines Hera-

16

kles, der sich den 100 Häuptern seiner Hydra erst gar nicht mit dem Schwert nähere... und ich habe die Erdbeeren gegessen, ihm zuliebe.

Mein Vater mischt sich nicht ein, mein Vater fragt uns nicht aus. Wir erzählen die üblichen Lügen, die unsere Schwächen beschönigen, wir sind Kinder. Meine Mutter glaubt uns, aber wenn sie merkt, daß sie sich geirrt hat, findet sie, wir müßten jetzt einmal ein bißchen von dem haben, was andere Eltern systematischer als Erziehung betreiben.

Mein Vater glaubt uns nicht, daß alle in der Klasse Fünfen oder Sechsen geschrieben haben, er schweigt aber. Mein Vater glaubt nicht, daß der Direktor und der Klassenlehrer überhaupt nie eine Sprechstunde abhalten. Es fällt ihm von Jahr zu Jahr schwerer, den unvermeidlichen Ausflüchten sein besseres Wissen entgegenzusetzen. Der Sportunterricht ist wieder ausgefallen? Das kommt mir merkwürdig vor, willst du nicht erzählen – sagt er nicht. Er forscht nicht nach. Seine Résistance, die unermüdlich und effektvoll für uns drei Ältere war, kommt bei dem jüngsten Sohn oft nicht mehr gegen Resignation, Müdigkeit und Fatalismus an.

Mein Vater hat dennoch im Amt bleiben wollen, bis dieser Sohn, mit einem Abitur versehen, die Schule los wäre. Selbständig als Direktor einer Krankenschwesternorganisation – einer Gründung seines Vaters –, mußte er doch mit 70 den Ruhestand beginnen. Was ist das überhaupt für ein Pfarrer? Warum besitzt er eine solch umfangreiche Bibliothek? Für diese Bücherunmengen wird er nie mehr den erforderlichen Raum beanspruchen dürfen, wenn wir ihm schon mit einem Darlehen zum Hausbau entgegenkommen wollen. Dieser Hausbau kann nur sozial, darf aber nicht besser als sozial ausfallen. Was soll ein Pfarrer mit drei verschiedenen Ausgaben des *Ulysses?* Strenggenommen braucht er nur ein paar theologische Standardwerke und gar keinen Joyce. Der schöne, einem Pfarrer unangemessene Besitz meines Vaters – alte Möbel, Teppiche, Porzellan, Zinnsachen, die Bibliothek –, er ist zum Teil wie zu Kriegszeiten »ausgelagert« oder steht zusammengescharrt in einer Notwohnung, deren Enge und Behelfsmäßigkeit beide denunzieren: meinen Vater und sein Eigentum. Mein Vater protestiert nicht gegen die Borniertheit der Behörde, gegen die Sorglosigkeit seines Nachfolgers und gegen dessen Egoismus, der von einer Beschaffenheit ist, die allgemein mit dem Prädikat *gesund* näher bezeichnet und daher auch bejaht wird. Mein Vater, der für uns alle in unseren verschiedenen Schwierigkeiten verändernd eingreifen konnte, kann seine eigenen Belange nicht schützen und sich selbst als Privatperson nicht gegen die Ungerechtigkeit durchsetzen. Er, der dies für andere so oft tat, sieht jetzt, daß es keiner für ihn tut.

Der Abstand, der durch die Zurückhaltung und die Duldsamkeit meines Vaters zwischen ihm und uns entstand, war und ist nie der Indolenz ähnlich. Mein Vater weiß nicht, wieviel einer von uns verdient, es erschiene ihm indiskret, sich danach zu erkundigen, und wenn es sehr wenig wäre und uns nicht genügte, würden wir es ja sagen: immer in der Erwartung seines Beistands. Wir sind eingeladen, und er fragt nicht: bei wem denn? Was er weiß: ob wir uns wohl fühlen, ob wir deprimiert sind, welche Sorgen wir uns machen, welche Sorgen wir uns nicht machen, er weiß sogar, ob wir, in Zürich, Stuttgart, Rom oder sonstwo, gesund sind, zufrieden sind oder ihm verschweigen, daß wir es nicht sind.

Wo finde ich meinen Vater, wenn meine Gedanken die Entfernung zwischen uns überspringen? Immer wieder zum Beispiel am Schreibtisch, vier alte goldene Taschenuhren vor sich, ihr unterschiedliches Ticken animiert ihn; jetzt füllt er kleine linierte Bogen eines Schreibblocks mit seiner hellblauen Schrift: er arbeitet an einem Vortrag, den er halten wird – im Club, bei den Schwestern –, über Lichtenberg, Montaigne, La Rochefoucauld, über Weihnachten. Mein Vater sagt gern, viele andere Berufe hätten ihn auch interessiert. Trotzdem hört er nicht auf, Theologie weiterzustudieren. Mein

18

Vater ist ein Spaziergänger. Was er »ein paar Schritte gehen« nennt, kann zwei bis drei Stunden dauern. Wenn wir ihn dabei begleiten, sind wir am Schluß erschöpfter als er, er fühlt sich erfrischt, aber sein Gesicht ist blaß, und es erinnert mich an sein damals mageres, auch blasses Gesicht: im Krieg und danach, als er und meine Mutter für die übrige Familie hungerten, im Krieg, als nationalsozialistische Stadtverwaltungen ihn und seine evangelische Arbeit in den Krankenhäusern behinderten, diffamierten und in steter Gefahr hielten. Heute unterhält sich mein Vater über Politik so ungern wie ein Engländer. Er vermeidet Streitgespräche mit Leuten, die ihn kennen, wie er jetzt ist: sanft – und die daher meinen: passiv, allzu friedliebend, zu tolerant. Mein Vater, dessen politische Integrität ihm ein Amt bei der Entnazifizierung von Pfarrern einbrachte, ist jetzt manchmal passiv, falls man es so nennen will, daß er zu Rehabilitierungen schweigt, welche die vergeßliche nachfaschistische Epoche den scheinbar unbedeutenderen Nazifunktionären beschert, daß er keine Leserbriefe an die Lokalzeitungen schickt, die emphatische Hommages auf Oberstudiendirektoren in Ruhe veröffentlichen, auf Männer, die vor zwanzig Jahren in SA-Führer-Uniform meinen ältesten Bruder unterrichtet haben und deren korrupte Lebensläufe sich heute im rechtschaffenen, bieder-preußischen Pädagogenkostüm verstecken. Ich glaube, daß es meinem Vater nur aus Überlegenheit gelingt, auf seiner allerdings melancholischen Reserviertheit zu bestehen, und auch, weil er ein Peripathetiker ist: im Gehen gibt er seine genau formulierten, stummen Antworten, auf langen Promenaden erhebt er schweigend Einspruch.

Ich sehe meinen Vater am Mittagessenstisch, und er bringt meine arglose Mutter, die ihm gewiß beinah alles glaubt, in die immer wieder ehrliche Verzweiflung, indem er sagt, er habe überhaupt keinen Appetit.

Es wird gebetet. Komm, Herr Jesus, sei unser Gast. Die Stimme meines Vaters ist fast unhörbar. Wir sind ein bißchen gereizt. Warum gibt er sich keine Mühe? Wenn er so leise, so geschwächt spricht, will er ja wohl auf Appetitlosigkeit hinweisen. Schon aber schmeckt ihm etwas: Hafersuppe. Dann: die Salatschüssel! Er sieht es nicht gern, wenn sie sich allzu weit aus dem Bereich um sein Gedeck entfernt. Du kannst nicht nur von Salat leben, mahnt meine Mutter. Die leichte Diät, die meinem Vater verordnet ist, beachtet er sorgfältig, und jeder am Tisch weiß: Salat, sein Spezialgebiet, gehört außerdem zu den ganz und gar erlaubten Gerichten. Bin ich zu Besuch da, genieße ich mit nicht besonders großem Behagen eine Bevorzugung: viele Male legt mein Vater mir in kleinen Portionen und demonstrativ Salat auf den Teller, während die andern sich längst mit ihrer Dosierung abgefunden haben. Da Respekt bei uns nicht üblich ist, wird davon auch gesprochen. Aber: hattest du nicht gesagt, du hättest gar keinen Appetit, fragt höchstens jemand mit schlechter Laune. Meinem Vater wäre jeden Sonntag gekochtes Ochsenfleisch recht, dazu Meerrettich und viel Salat. Mein Vater trinkt den ganzen Vormittag über Kaffee; in seine kleine Privattasse – er lehnt große Tassen ab – gießt er sich dauernd das nicht starke Getränk, das er in kurzen Schlucken verbraucht. Neben der Tasse und der Thermoskanne mit dem Kaffee sehe ich, wiederum auf dem beanspruchten Schreibtisch, eine Flasche Fachinger und ein schönes Glas mit Fachinger-Wasserbelag, der meine Mutter irritiert. Alle diese Utensilien sind dauernd in Gefahr. Es kommt nicht auffallend selten vor, daß zum Beispiel die Kaffeetasse umkippt, das Getränk sich über Papiere und Schreibunterlagen ergießt, und nie weiß mein Vater, wieso dies passierte. Er liebt es, sich mit dem Helden eines bestimmten Romans zu vergleichen: im ständigen Kampf gegen die »Tücke des Objekts«. Nachmittags trinkt mein Vater Tee, viele kleine Tassen Tee, der stark sein muß und durch dünnes Porzellan schimmert. Beim Tee wünscht er sich eine geduldige teilnehmende Familie. Jedesmal steht ihm meine Mutter zu früh vom Tisch auf, räumt zu früh ab. Sie schafft ihm auch jedes Jahr den Christbaum zu früh aus dem Haus. Geselligkeit innerhalb der engeren Familie hat mein Vater gern, die weitere Verwandtschaft verliert er aus den Augen, und von gesellschaftlichen Unternehmungen hält er ganz wenig. Obwohl zusammen mit den aufgeschlagenen Büchern, mit den antiken Uhren, den Postsachen, Theater- und Konzertprogrammen auch die Einladungen der Kultur-Clique den Schreibtisch meines Vaters zudecken – er wirft nichts weg, stöhnt meine Mutter, nichts wirft er weg, klagt sie und wirft weg –, obwohl er wegen seiner Verbindlichkeit überall sehr gern gesehen ist, beteiligt er sich kaum an den pseudo-ambitionierten Treffen, die sich die immer wieder gleichen Leute geben.

Der Ruhestand hat meinem Vater auch Auto und Chauffeur genommen. Warum war er so untätig und ließ alles auf sich zukommen, warum kann er nicht selbst fahren, warum hat er nicht vorgesorgt? Es gehört wenig Einfallsreichtum dazu, mit Vorwürfen rasch zu urteilen und den Mißstand ganz gerecht bloßzulegen. Ich beteilige mich nicht bei der billigen Kritik an den Versäumnissen meines Vaters, aber es ist bitter, sich an seine besseren Zeiten – und unsere besseren Zeiten, die wir ihm verdankten – zu erinnern. Abgesehen von den jährlichen langen Sommerferien am Meer haben wir meinen Vater auf vielen Dienstreisen begleitet. Er hat uns die Landschaft erklärt und gewußt, daß wir im Fond Unsinn machten und nichts lernen wollten. Wir lebten im Bewußtsein, daß es nicht darauf ankomme, jetzt und jeden Augenblick aufzupassen: wäre es wirklich nötig, etwas zu wissen, könnten wir jederzeit meinen Vater fragen. Es gäbe keine Auskunft, die er uns schuldig bliebe. Wir haben uns in seinen Krankenhäusern ausgekannt, wir saßen dabei, wenn er mit der Oberschwester konferierte. Unterwegs war er dafür, von Zeit zu Zeit anzuhalten, auszusteigen, »ein paar Schritte« zu gehen; dann wartete das Auto, der großzügig behandelte Chauffeur durfte schlafen und kam nach einer Stunde meinem Vater nachgefahren. Halten wir wieder mal an: um »ein Täßchen Kaffee« zu trinken, einen Schluck Fachinger; da oben liegt ein nettes Café, ich lade euch ein, steigt aus. Der zierliche japanische Picknickkorb meines Vaters war wie sein Schreibtisch ein Herd der Unruhe meiner Mutter: was nimmst du nur alles mit, was für eine Unordnung, zwanzig Papierservietten, silberne Löffel, Porzellangeschirr! Plastiksachen wären praktischer. Augenblicke: Ich sehe meinen Vater im Talar, er hält eine Andacht, ich bin froh, denn er spricht rasch, diesmal ohne Resignation, diesmal nicht leise, nicht betrübt: Fürchte dich nicht, denn ich habe dich erlöset, ich habe dich bei der Hand genommen, du bist mein.

Ich sehe meinen Vater lang ausgestreckt unter flacher Decke im Bett, auf dem Nachttisch ticken mindestens zwei Uhren, er liebt alle Uhren, nicht nur die schönen, alten, sogar auch einfache billige Wecker mit großen Ziffern; wir sagen uns gute Nacht, das Radio beschert ihm noch ein Cantabile oder einen Essay, aber obwohl er zuhören will, interessiert es ihn jetzt mehr zu wissen, ob es mir auch gut gehe, ob ich »vergnügt« sei und ob es, falls ich von einer Einladung komme, schön war. Ich sage ja auf alles. Mein Mann steuert noch irgendeinen etwas derben Unfug bei, macht Blödsinn am Fußende des Bettes: mein Vater genießt das sehr, er muß lachen, er läßt die Bettdecke und das Buch auf dem flachen Bauch wackeln. Er hat viel übrig für leicht verwilderte Scherze, die ihm selber nicht einfallen würden.

Mein Vater – ein Freund der Notizkalender, der Brillenetuis: er nimmt mehr als ein Dutzend mit an die See. Im Reisegepäck: der *Faust* in einigen Ausgaben und zwanzig andere Bücher. Sein Hotelzimmer verwandelt sich rasch. Er hängt Kalender auf. Er stellt sich beim Auspacken sofort die Miniatur seines Schreibtischs her, umgibt sich mit den Uhren, den Briefmarken, den aufgeschlagenen Büchern, den vielen verschiedenen Schreibgeräten. Er liebt Sachen aus Leder, Lederwarengeschäfte. Er möchte uns begleiten und beraten,

22

wenn wir einen Koffer, eine Mappe oder sonst etwas aus Leder kaufen müssen – leider kann er zu diesem Zeitpunkt der Familie gegenüber nicht die Notwendigkeit vertreten, einen Lederartikel für sich selbst anzuschaffen. Mein Vater liebt gebrauchte Textilien, langjährige bequeme Hosen aus Flanell. Wir sagen ihm: die sind zu weit, sie sind nicht modern. Wir binden ihm den Schlipsknoten straff, wir nehmen an seinen Hemdkragen Anstoß: sie sind auch zu weit. Wir sagen: der Krawattenstoff ist zerschlissen. Mein Vater hängt an seinen alten Sachen. Froh wäre er über einen Butler, der seinen Kleidungsstücken das Odium des Neuerworbenen abwetzen müßte. Mein Vater, der nicht raucht und nicht trinkt und doch für Raucher und Trinker erlesene Vorräte bereithält: Zigarren und Zigaretten in der Bibliothek; im schwarzen Schrank findet man die Spirituosen, im Keller steht der Weinschrank. Die Bestände reduzieren sich ohne die Mitwirkung meines Vaters. Habe ich denn noch genug, fragt er mich, denn er hat die Anfälligste für zuständig erklärt. Er fragt ohne Mißtrauen, aber ahnungsvoll. Es wird ein bißchen knapp mit dem Mosel, mit dem Whisky, mit dem – mein Vater fragt nicht, wieso, es freut ihn höchstens, sich ein bißchen zu wundern.

Mein Vater liebt Sonnenbäder, liebt Meerbäder, liebt die kleinen Ermahnungen der Familie und seinen kleinen Widerstand, er liebt es, uns in Cafégärten freizuhalten, er sieht gern zu, wenn meiner Mutter Süßigkeiten schmecken, er spielt immer wieder Erstaunen bei der Inspektion eines andern Schein-Verstecks im Haus: die Süßigkeiten an ihrem öffentlichen Geheimplatz im Barockschrank haben sich sehr reduziert. Mein Vater zieht sich im Hochsommer zu warm an, wenn er in die Stadt geht, weil er zum Glück nicht zu den Halbärmel- und Kurze-Hosen-Trägern gehört. Er kauft gern für den Haushalt ein, er kauft gern Fisch, Delikatessen, Antiquitäten, Schmuck – Anschaffungen, die meine Mutter meistens für etwas übertrieben hält. Er kann es nicht leiden, wenn Bäume gefällt werden, wenn jemand ihn zu rasch im

Auto chauffiert. Auf unseren Reisen mit ihm will er uns Sehenswürdigkeiten zeigen, er weist uns auf berühmte Museen hin, wollt ihr aussteigen, fragt er und kennt unsere abschlägige, antigelehrige Antwort. Während unserer Strandspaziergänge rezitiert er Goethe-Verse, und es macht ihm überhaupt nichts aus, daß wir ihn Zeile für Zeile mit Gealber und Verballhornungen stören: wir fühlen uns alle gleichmäßig wohl dabei. Er sagt zum Gärtner manchmal du, zur Oberin auch, er hält sich morgens eine gute Stunde lang im Badezimmer auf, er liebt Badeessenzen, große Vorräte exquisiter Seife und Rasierwasserflaschen, mit jeglicher Technik hat er Schwierigkeiten und gönnt sie sich: gern läßt er sich von der Familie für die zum Teil freiwillige handwerkliche Unbrauchbarkeit tadeln. Er hängt bei jedem Wetter alle Anzüge ins Freie, schwört sonntags und nach dem Abendessen werktags auf den bequemsten und legersten Kleidungsstil, er ist der beste Käufer meiner Bücher, aber nicht aus blinder Vaterliebe; ich muß davor warnen, es sich mit seiner Anhänglichkeit an Goethe zu leicht zu machen, denn das Verständnis meines Vaters reicht viel weiter, erreicht die zeitgenössische Literatur, und könnte man zum Beispiel Beckett in Versen auswendig lernen, würde er am Strand Beckett zitieren. Mein Vater kauft in ungewöhnlich großen Mengen ungewöhnlich viele Sorten Vogelfutter, mein Vater verschenkt gern Blumen, gibt nicht gern ungebrauchte Geldscheine aus, so gern er sonst ausgibt und einlädt, die sauberen Scheine behält er in Reserve; er wird das Meer nicht leid, keinen Sommer, bei keiner Witterung, und ist doch alles andere als ein strammer Germane; er wird die Beobachtung des Wetters nicht leid, die täglichen Gänge in die Stadt, er wird die Buchhandlungen nicht leid, die Bank nicht, er behält Mitgliedschaften in Kunstvereinen und Goethegesellschaften und die Abonnements im Theater und für Kammermusik-Konzertreihen bei, obgleich er in jeder Saison viele Karten verschenkt, er verschenkt gern. Er kann es sich nicht abgewöhnen, uns auch in den banalsten Situationen beizustehen:

wir haben zusammen im Restaurant gegessen – es muß übrigens ein schönes Restaurant sein, nicht nur ein gutes, am besten fühlt mein Vater sich, wenn er den Besitzer oder doch den Geschäftsführer und auch die Bedienung kennt –, wir wollen aufbrechen, wir sind auf der Durchreise, man sucht also, das ist zweckmäßig, die WCs auf. Mein Bruder will nicht; außer meinem Vater insistieren wir alle, mein Vater findet uns taktlos. Wir meinen es doch bloß gut, was denkst du? Wohlmeinen geht meinem Vater nicht über alles, nicht über Diskretion. Sobald Fürsorge sich zur Einmischerei deformiert, lehnt mein Vater sie ab. Aber uns Vernünftige, uns will er nicht allein durchs Restaurant irren lassen, er will uns zeigen, »wo es ist«. Wir wissen es ja, wir haben hier schon oft unsere Reise unterbrochen; er bietet trotzdem seine Begleitung an.

Mein Vater im Ruhestand, mein Vater ohne Auto, mein Vater ohne Reiseziele, er liest jetzt das Kursbuch für mich. Er schreibt mir Abfahrts-, Anschluß- und Ankunftszeiten auf, er vergißt auch die Zugnummern nicht. Er umrahmt den besten seiner Vorschläge mit Rotstift. Wir verabschieden uns für die paar Tage meiner Abwesenheit am Telefon, jedoch wissen wir, daß wir uns ein zweites Mal auf Wiedersehn sagen werden: ich treffe meinen Vater auf dem Perron. Er steckt mir eine Tafel Schokolade in die Tasche – meine Sorte, seine Qualität. Mit mir wartet er, bis mein Zug kommt. Wir gehen auf und ab, mein Vater sorgt für meinen Koffer. Mein Zug hat Verspätung, ich werde nervös: bekomme ich meinen Anschlußzug in Köln? Ich kann gar nichts dagegen tun, daß mein Vater vom Bahnhofsvorsteher Zuversicht für mich beschafft. Mein Vater weiß, an welcher Stelle des Perrons der Waggon zum Stehen kommt, in den ich einsteigen soll. Er steht unter meinem Abteilfenster. Wir werden nicht winken, verabreden wir auch diesmal wieder. Er redet mir zu, vernünftig zu sein, mehr nicht, oder noch: iß auch was. Sei vernünftig: ich weiß, wir wissen, was das einschließt. Warst du auch vernünftig, wird mein Vater mich nachher allerdings bestimmt nicht fragen. Mein Zug gleitet aus dem Bahnhof. Ich habe versprochen, nicht zu winken, aber jetzt winke ich doch. Mein Vater hat versprochen, sich nicht umzudrehen, wenn er zurückgeht in Richtung auf die Bahnhofshalle, aber jetzt dreht er sich doch um, kurz vor der Treppe, er sieht mich winken, er muß lachen, das sehe ich nicht, ich sehe sein riesiges Taschentuch, das immer saubere, für schwierige Augenblicke bereitgehaltene Taschentuch, von dem ich auch jetzt weiß, wie es riecht.

Mein Vater war kein Verbindungsstudent, mein Vater hat sich nicht untergeordnet, mein Vater war kein Soldat, mein Vater läuft nicht mit, mein Vater bemüht sich nicht um öffentliche Geltung, mein Vater setzt sich nicht ins rechte Licht, mein Vater verzichtet darauf, sich feiern zu lassen, mein Vater kennt seine Schwächen, er findet sich mit ihnen ab, mein Vater redet nicht über seine Verdienste, würde er es tun, dann wüßten wir Genaueres über ihn, so aber sagen wir ihm Heroismus nur im Badezimmer nach, weil er nach heißem Bad kalt duscht, und schon diese geringfügige Karikatur des Heroismus trägt ihm bald die Kritik, bald den Spott der Familie ein; mein Vater lebt, das hat sein sanftmütiges Verhalten ihm eingebracht, in einer realistischen Familie, die ihn nicht mit Lorbeeren schmückt – falls ich das nicht jetzt getan habe. Ich habe meine erste »positive« Prosa schreiben müssen. Ich höre damit auf. Ich bin damit nicht fertig. Ich mache damit weiter, an meinen Vater zu denken.

Ich hab' sie in der Hand

Ich füttere sie, aber ich zwinge ihnen nichts auf, was sie nicht leiden können. Ich zwinge sie nur zu ihren Spezialgerichten, und sie können sich vor röchelnder, seufzender Dankbarkeit kaum beruhigen: Aber wie gut du es meinst, aber Liebe! Jetzt noch ein Löffelchen Hirse, komm komm, das schaffst du noch, sogar mit Rosinen! Sie bilden eine keuchende, vom Völlern erschöpfte Gruppe um das leergeschleckte Eßgeschirr, sie haben keine Kraft mehr, die Teller aufzustapeln, auch wissen sie, daß ich es nicht gern sehe, wenn sie sich nach Tisch bewegen. Ich füttere sie in einen sanften Zustand, in dem sie eben noch tuscheln können, mit fast gelähmten Lippen: Wie gut sie ist, wie gut, so was Gutes.

Ich rufe: Täuscht euch nicht, dieser Wind ist gesünder, als ihr meint. Dieser Wind ist jetzt genau das Richtige. Sie tuscheln: Ihr wißt doch, sie muß arbeiten. Sie sind nicht mehr imstande, sich vom Fleck zu rühren. Ich muß sie anfassen, sie hinausschleppen, absetzen, in den Wind stellen: gerade noch, bevor ich sie loslasse, spüre ich, wie die fette müde Haut körnig wird vom Frieren. Sie raunen: Sie braucht jetzt das Haus für sich, sie hat Arbeit, die Liebe. Der Wind tut uns gut, das Frieren tut uns gut.

Ich habe das Haus für meine Vorbereitungen, die dem nächsten Füttern gelten. Nun mische ich ein schweres geschmälztes Zeug: in dieser Schüssel richte ich für die Süßmäuler eine Sache mit Sahne zu, dort auf der Platte werde ich die Fleischscheiben schichten für meine handfesten Esser, und denen, die ich nur mit Garnierungen gefügig machen kann, lege ich Kräuter und Zwiebelkringel auf die Teller. Den Vegetariern werde ich mit einem neuen Gewürz Appetit einreden, und den Schwierigen, dem nur mit Flüssigkeit beizukommen ist, versorge ich seit kurzem siebenmal täglich mit seiner Schokoladenmilch, in die ich zusätzlich Zucker und etwas zerlassene Butter gebe. Ich mache sie fett. Ich scheue keine Mühe, keine Anstrengung ist mir zu groß; auf dem Weg zu meinem Ziel, sie fett zu haben, gehe ich unerschütterlich, gehe ich mit meinen Näpfen und Tiegeln und der kleinen Trillerpfeife, die sie draußen im Sturm schrill ab und zu an mich erinnert, so daß sie ihr Raunen fortsetzen oder neu beginnen: Gute, sieh nur, diese Liebe, sieh nur, der Qualm aus dem Schornstein, sie kocht wieder. Aber ja, ihr könnt euch felsenfest drauf verlassen: immer weiß ich das schlechteste Beste für euch. Euer schlechtmeinender Wohltäter verläßt euch nicht. Was euch am zuverlässigsten ganz und gar nicht gut tut, weiß ich, sowenig das euch helfen wird, auf mich ist Verlaß, verlaßt euch nicht drauf.

Draußen im Sturm stehen sie, sie sind so fett, daß sie sich kaum noch zu ihrem Schutz bewegen können. Beim Versuch, den die Stabileren unternehmen, wenigstens mit den Armen gegen den Rumpf zu schlagen, um die Erstarrung ihrer öligen Zirkulationen zu bekämpfen, entsteht nur ein schlaffes, bald ganz versackendes Wedeln. Jetzt öffne ich mein Beobachterfenster, mit meiner aufmunternden Stimme rufe ich ihnen zu: Trollt doch herum, das tut euch gut, seht ihr nicht, ihr werdet ein bißchen zu fett in der letzten Zeit, hab' ich nicht recht? Ich bin nun so weit mit ihnen, daß ich solche Bemerkungen hin und wieder wagen kann: ich habe sie in der Hand. Sie lächeln mir zu: Trollen! Lustiger Wind, lausiger lustiger Wind, hei! Sie lächeln matt. Sie ducken sich, bringen es träge fertig, die Hände gegeneinander zu reiben, ich sehe die nackte Haut weiß im Gebüsch, das nackte Fleisch ihrer weißen formlosen Hände weiß im dunklen Garten, die Finger passen nicht mehr in die Handschuhe. Auweh, er ist hingefallen, hat

sich im Kies aufgeschurrt, sein Gesicht in den Winter-
disteln. Er ist zu schwach, um aufzustehen, es dauert eine
Weile, bis er, dankbar lächelnd und zu mir herauf nickend,
meinen anspornenden Rufen gehorcht, sich langsam krümmt,
auf die wunden Knie stemmt, den fetten Bauch von
den Schenkeln abstützt und hochkommt; jetzt steht er und
verfügt nicht über genügend Kraft, um sich die Schram-
men abzulecken, die andern trösten ihn mit einschlafenden
Stimmen.

Während in der übermäßig großen Küche alle Töpfe bis
oben hin gefüllt sind, brauche ich nicht zu fürchten, daß meine
Ausgaben in einem unangemessenen Verhältnis zu dem Wert
stünden, den ich eintausche. Genauso geht es mir mit den
Schlafkuren: vornehmlich verschreibe ich sie jenen, die sich
für eine Weile meinen Fütterungen nicht aus Bosheit, sondern
aus physischen Gründen widersetzen. Diese schlafen, schlafen. Manchmal wecke ich sie, empfange ihr Lächeln. Schlaf
weiter, das ist das Beste, weicher, fetter, sanfter Schlaf.
Manchmal auch will es der Zufall, daß einer von selbst
aufwacht, mag sein, daß meine den Schlafsaal abmessenden
Schritte aus Genugtuung zu kräftig wurden; so Selbständige
überweise ich wieder in die Mastgruppe. Mein Wille
geschieht.

Wenn ich es will, werden sie unten im Abendsturm auf mich
aufmerksam, zuerst nur einer der Weißmonde, fettes fahles
Gesicht, heraufblickend, mir zur Schau stellend das Dehnen
seines scheuen dankbaren Lächelns, unter allen Umständen
kann ich das Lächeln erkennen, bei größter Dunkelheit und
bei ungünstigstem Standort, und ich kann die andern erkennen, sich schwerfällig um den ersten scharend, und erkenne
auch die weiße Masse ihrer Gesichtsscheiben, hochgeklappt.
Ah, wie gut sie ist, sie findet noch Zeit, nach uns zu sehen, bei
all der Arbeit in der Küche. Sie denkt an uns, die Unermüd-
liche, sie kann's nicht lassen. Sie schicken einen vor, lassen ihn
mit Armbewegungen bedeuten, ich möge mein Fenster öffnen

für die Frage, die ich kenne: Dürfen wir hinein? Wir frieren so, wir frieren. Gutes!

Nur noch eine Weile, meine Kleinen, seid zufrieden. Sofort sehen sie ein, daß ihnen guttut, was ihnen schadet. Sie nicken zustimmend, wenn ich das segensreiche Programm ihrer Unbilden verlese. Punkt vier: Frieren, frieren, frieren. Punkt neun: Schlafen, schlafen, schlafen. Punkt zwanzig und vierundsiebzig und neunhundert: Essen, essen, essen, fette Wänste fettmachen, lahme Muskeln lähmen, trägen Köpfen weismachen, vormachen, zureden, einreden, einschärfen, ja, aber ja, du Gute, Liebchen, du Liebes, jajaja. In die Hände klatschen, jaja, es geht schwer, es will nicht aufeinander zu und voneinander weg, Linksspeck, Rechtsspeck, schwerer Beifall für mich, groß und erleuchtet hinterm Fenster. Daß sie genau darüber Bescheid wissen, wie warm es bei mir oben ist, steigert ihre Verehrung. Sie schwillt zu etwas an, das man bei diesen Fetten schon als Ekstase bezeichnen darf, und zwar dann, wenn ich sie einlasse. Ihm die Milch, ihr die Schweinenieren, hier für diese da die durchwachsenen Stücke am Rindsbauch, jenem den Honig, dem ich ein wirksames Fett eingerührt habe. Und sieh nur, sind das nicht saftige Pfannkuchen für dich? Für dich diese buttergefüllte Tomate; was für Leckerbissen auf all den schadenbringenden lustigen lausigen Tellern, hei! Wie dick sie sind, wie dick ihr seid, aber es schmeckt doch, nicht wahr? Nur zu, nur zu. Rosinenwurst hier, dort die Sahnesoße. Die bei den Süßigkeiten stellen ein eher pappiges Geräusch mit ihren von Biß zu Biß an Gewissenhaftigkeit einbüßenden Lippen her. Ich kann, wenn ich durch die Reihen gehe, ihrem Auftreiben zusehen. Ich fasse gern die stoßende Last ihrer Bäuche an. Ich fasse gern in die Nischen zwischen Rumpf und Gliedmaßen, dort schwitzen sie schnell.

Schnell vergessen sie die Kälte, schnell den schnellen Wind. Gutmütig sind sie, sie geben acht darauf, daß sie kein Wort verpassen, wenn ich jedem einzelnen sage, wie gut ihm noch ein Tellerchen voll tut und wie gut der Wind tut und wie wenig das Gebüsch kratzt, und der Mond: ich zeige, wie blaß er ist, zum Ängstigen, nicht wahr? Ich aber stehe am Fenster, ich, ja ich: wie lieb ihr mich habt, jeder einzelne hat mich lieb, ich sag's jedem einzelnen: lieb hat er mich, der mich nicht liebhaben kann. Lustiger Wind, hei, lausiger Wind. Ich bin sehr gut, mich mag jeder, meine Freundlichkeit trübt kein Makel.

Hinter meinem hellen hohen Fenster erhebe ich meine beiden Hände und zeige ihnen die blanken Gebilde der Ehren- und Wanderpreise, der Zuschlagsauszeichnungen und der Leistungsprämien, die gutgeputzte Anerkennung meiner Zuchtmühen. Ihre grenzenlose zärtliche Dankbarkeit weint und zittert zu mir herauf, fast vergessen sie das Frieren. Ich zeige ihnen Kunststücke mit den Preisen. Jetzt gelingt mir fast schon eine Art Jonglieren mit drei großen Preisplaketten. Unten im dunklen Gebüsch jauchzen sie tränenüberströmt. Sie jubeln aufjammernd. Einige von ihnen knien, noch können sie die Kniegelenke benutzen und knien für mein Programm, auf dem die Unbenutzbarkeit auch ihrer Kniegelenke steht. Die übrigen werfen langsame fette peinvolle Kußhändchen meinen schnellen, gutgeformten, peinvollen Gönnerhänden zu, die jetzt ein ehrenreiches Medaillon aus getriebenem Silber in die besondere Lage gebracht haben, in der es imstande ist, den Mond zu überrunden. Meine beiden erhobenen Hände sind das Leuchtendste im Fenster, das Schlechteste und das Beste, und erfolgreich scheitern sie beim Versuch, meine fette Schar, meine schutzlosen Schützlinge zu segnen.

Sonntag bei den Kreisands

Wieder einer dieser gemütlichen Sonntage bei den Kreisands. Frau Kreisand sagt: harmonisch. Das Wetter ist ihr nicht unwichtig, sonntags hat sie es gern etwas schummrig. Sie erklärt sich und Artur, ihrem Mann, diese Neigung mit den Pflichtspaziergängen ihrer Kindheit; auf denen bekam sie Nasenbluten oder Magendrücken, oder ein Schäferhund biß sie in weiße Strümpfe, die sie auch nicht mochte. Seitdem mag sie bedeckten Himmel und Regenschauer. Artur Kreisand ist dem Wetter gegenüber gleichgültig, er ist überhaupt ein anderer Typ als seine Frau Milli, die so nicht getauft wurde. Sie heißt Elisabeth, und der Name gefällt ihr auch. Nur Artur sagt seit etwa vier Jahren Milli zu ihr und ist davon nicht abzubringen. Frau Kreisand engagiert sich neuerdings nicht mehr in dieser früher für sie so wichtigen Angelegenheit. Artur hat sie beschämt. Sie solle ihn doch in Ruhe lassen, wenn er sich auch einmal dazu bequeme, sentimental zu sein. Ob sie sich denn nicht mehr daran erinnere: in ihrer ersten Nacht habe er sie, zum Spaß, Milli genannt. Also bitte. Frau Kreisand erinnerte sich zwar überhaupt nicht mehr daran, gab das aber nicht zu. Unangenehme Erinnerungen unterdrückte sie ohnehin, und dies war eine. Sie fand es aber reizend, daß Artur der zärtlichen Stimmung von damals, einigen für ihn gewiß schönen Momenten, so viele Jahre danach wieder Anhänglichkeit bewahren wollte. Darum gewährte sie ihm jetzt den Milli-Tick, dem sie seine liebevolle Rätselhaftigkeit läßt. Sie sagt zu ihrer protestierenden Verwandtschaft, die nicht bereit ist, sich mit dem Namenswechsel abzufinden:

Über Nacht ist er darauf verfallen. Aber ich verrat' euch nicht, wieso. Das ist viel zu privat. – Artur besitzt übrigens keine Verwandtschaft mehr. Elisabeth beneidet ihn darum, denn obwohl alle ihre Familienangehörigen immer für sie und gegen Artur Partei ergreifen, kommt seine Position ihr doch günstiger vor.

Dieser angenehme Sonntag. Nach dem ruhigen Frühstück war Artur auf die hinreißende Idee gekommen, ein bißchen rauszufahren. Elisabeth liebt Autofahren mit Artur. Um so mehr bei ihrem schummrigen Lieblingswetter. Sollte sie ein schlechtes Gewissen haben wegen Elfriede, einer Freundin, die ihren Besuch in Aussicht gestellt hatte, aber bekanntermaßen unzuverlässig war, sie schrieb, »es kann sein, daß ich auf der Durchfahrt von –«. Unsinn, Milli, sagte Artur auf seine nette Art, mit der netten warmen Sonntagsstimme, die er nicht jeden Sonntag verwendet. Wenn sie vorhat zu erscheinen, soll sie definitiv Bescheid geben. Artur mag das Wort definitiv. Laß gut sein, Milli. Artur lächelte. Der Milli-Einfall war genial. Mit jeder Anrede seiner Frau konnte er an Milli Bechstein denken, zahllose gute heimliche Gelegenheiten, jetzt allerdings schon ein bißchen überholt. Und doch war's immer noch fast aufregend. Mach dich fertig, Milli, sagte er zu seiner Frau Elisabeth.

Sie sind dann also im Auto weggefahren. Sie haben seit einem Monat ein neues Auto. Es ist ihr geräumigstes, bisher. Den Eltern von Elisabeth Kreisand wurden bereits gemeinsame Sommerferien versprochen, eine Küstenfahrt mit kleinen Stationen, die belgische Küste hatte es dem Vater von Elisabeth angetan, er war vor fünfundvierzig Jahren dort gewesen und freute sich jetzt darauf, seiner Frau eine bestimmte Pension in De Panne zu zeigen. Sie würden in dem geräumigen Auto der Kreisands längs der ganzen Küste fahren, das Meer immer rechts. So war es geplant, die Mutter von Elisabeth säße rechts, auf der Meerseite, sie hatte noch nie das Meer gesehen, nebenbei. Links ihr Mann, um alte Stätten wiederzuentdecken. Damit rechneten die Eltern von Elisabeth, die neulich mit einer Bekannten in der Schweiz telefoniert hat. Sie fragte an, ob deren Tessiner Häuschen wohl für drei Wochen im Sommer frei wäre und ob Artur und sie es mieten dürften? Das ließ sich gut arrangieren. Elisabeth bat abschließend ihre Bekannte um eine Gefälligkeit: sie möchte doch die Bestätigung dieser telefonischen Vereinbarung als Aufforderung brieflich formulieren. Etwa so: Liebste Kreisands, ihr dürft nicht nein sagen zu unserm ganz himmlischen Vorschlag, für drei Wochen in ein Paradies auf Erden zu übersiedeln, in unser bezauberndes Zweipersonenidyll – etwas in der Richtung. Die Bekannte hat sich gewundert, aber Elisabeths Beteuerungen geglaubt, wegen Artur müsse man sich so anstrengen. Er trenne sich nur überaus ungern von zu Haus und von seiner Arbeit. Hier hat sie allerdings nicht die Wahrheit gesagt. Artur liebt seinen Jahresurlaub über alles, und jeder Feiertag ist ihm hochwillkommen. Er hat auch nichts gegen Betriebsunfälle, ärztliche Atteste, Sonderbeurlaubungen. Die Schwierigkeiten, denen Elisabeth entgegensah, bestanden darin, ihn vom Geplanten abzubringen. Er hat nun einmal gern definitive Sachen. Außerdem ist er gutmütig. Es tat ihm aufrichtig leid, seine Schwiegereltern zu enttäuschen. Aber das Auto würde geschont, und das paßte ihm sehr. Inzwischen denkt er längst mit Genugtuung an die Abänderung und das Tessin. Elisabeths Eltern wurden noch nicht informiert, obwohl der gewünschte Brief vorhanden ist, die Legitimation. Elisabeth weiß auch, daß, je länger sie zögert, der Schlag für die Eltern um so größer wird. Womit rechtfertigt sie sich, wenn sie mit sich allein die Angelegenheit durchnimmt? Das tut sie oft, sie hat absolut kein hartes Herz, Artur sagt manchmal »mir reicht's« und meint damit nichts anderes als Elisabeths Innenleben.

Sie rechtfertigt sich unter anderem mit einem merkwürdigen kleinen Druckgefühl an der linken Hüfte, wenn sie nachfühlt, meint sie, etwas Hartes zu spüren, nicht immer.

Dann hat sie den Fleck entdeckt, an der Innenseite ihres rechten Oberarms. Sie findet, sie brauche Ruhe. Das wäre vielleicht etwas Ernstes. Sie hat in der letzten Zeit auch den Eindruck, als seien ihre Nerven nicht mehr ganz so gut wie früher. Sie besaß also durchaus ein Anrecht darauf, sich das dauernde Geplänkel zwischen ihren Eltern und ihrem Mann zu ersparen. Und von dem allen, was bloß sie betraf, ganz abgesehen: sie zweifelte doch sehr am Nutzen eines Klimawechsels für die alten Leute. Wie zum Beispiel würde das Herz ihrer Mutter mit seinen Schwierigkeiten bei der Sauerstoffzufuhr auf die Meeresluft reagieren, man sprach ja nicht umsonst von Reizklima – und ihrem Vater ersparte sie den Kummer darüber, daß er in der Gegenwart nichts mehr von seiner Vergangenheit wiederfände. Trotzdem wird es Elisabeth diesen Sommer im Tessin nie ganz wohl sein. Die Eltern werden sich die Zeit mit ihrem Sammelsurium von Landkarten und Prospekten belgischer Badeorte vertreiben, Bernhard wird ihnen kleine Stadtpläne malen, denn sie werden Bernhard zu sich einladen, den kleinen Sohn von Elisabeths Schwester Susanne.

Bernhard stand unter dem Vordach der Haustür und winkte den Kreisands nach. Sie fuhren davon. Es regnete, aber unter dem Vordach wurde Bernhard nicht naß. Jetzt ist es Abend, und Elisabeth sieht noch immer die kurze Abschiedsszene. Bernhard darf die letzten vier Tage seiner Osterferien bei den Kreisands, Onkel und Tante, verbringen. Als ob das so reizvoll wäre, dachte Elisabeth, als ihre Schwester Susanne den Vorschlag machte. Wir haben doch keine Kinder, ist das nicht langweilig für ihn? Oh, sagte Susanne, du weißt, er hat es gern mit Erwachsenen zu tun, und ihr habt den schönen Garten und den Teich. Wirklich, er kommt auf seine Kosten bei euch. Daran dachte Elisabeth, als sie mit Artur an diesem netten erquicklichen Sonntag wegfuhr. Artur war nicht unfreundlich zu Kindern, aber auch nicht auf sie versessen. Deshalb hatte sie ihn gar nicht erst gefragt, ob man Bernhard eventuell mitnehmen solle. Bekam ihm das Autofahren überhaupt? Sie verwechselte das allerdings vielleicht. Hermännchen, dem Sohn ihres Bruders Theo, war dem nicht mal in Kreisands Auto schlecht geworden, so daß die Schonbezüge in Gefahr gerieten? Bernhard blieb also zu Haus, es war gut für Kinder, wenn man sie ab und zu ein bißchen zwang, sich allein zu beschäftigen. Immerhin bewiesen sie ihm Vertrauen, indem sie ihn allein bei ihren wertvollen Sachen ließen, auf Sockeln, Kaminvorsprüngen, Fensterbänken steht so manches gute Stück, dessen Wert ein Kind noch gar nicht ermessen kann, und wie leicht ist so was hin, dann unersetzlich. Daher hatte Elisabeth gedacht, es wäre gut, Bernhard irgendwie zu beschäftigen, damit er nicht erst auf dumme Gedanken käme, wie etwa mit der assyrischen Keramik zu spielen oder die Totems zu befingern. Sie hatte auch mal gelesen, das Kind sehne sich nach Verantwortung, Beschäftigungstherapie hieß das Kapitel, an das Elisabeth sich kurz vor der Abfahrt mit Artur gottlob noch erinnerte, so daß sie also Bernhard auftrug, den Gerätekeller sauberzumachen und aufzuräumen. Er ist ja so ein kleiner Ordner und Tüftler, Bernhard.

Es ist Abend. Die Kreisands sitzen gemütlich in ihrem schönen gepflegten Wohnzimmer. Was für ein angenehmer Sonntag. Der Wein, den sie genießen, schmeckt nicht nur gut, er stammt auch aus einer exquisiten Lage und wird ihnen wohl bekommen. Er wurde dem Keller des Schwiegervaters entnommen. Artur selber besitzt nicht die Mittel, sich einen guten Weinkeller anzulegen. Man kann nicht alles haben, zum Beispiel den Kuriositätentick und einen Weinkeller. Dafür, daß sie beide so treu und anhänglich fast jede zweite Woche zu den alten Leutchen hinübergehen – beinah immer mittwochs, seit sie herausgefunden haben, daß es eigentlich immer mittwochs nichts Rechtes im Fernsehen gibt –, für diese anderthalb bis zwei Stunden, Opfer an die Verwandtschaft, entschädigen sie sich mit der kleinen Extravaganz, Wein zu entwenden. Während Elisabeth bei ihren Eltern zu sitzen pflegt bis zum Abschied und Aufbruch, verläßt Artur das Zimmer etwas früher; über sein langes Ausbleiben wundert sich keiner. Wer Artur kennt, kennt auch seine Verdauungsbeschwerden. Abschließend betätigt Artur die Wasserspülung im WC, hat aber nicht dort, sondern im Weinkeller Erfolg gehabt.

Der Regen rauscht aufs Laub, die Kreisands haben ein bißchen geheizt. Bernhard liegt längst im Bett. Er hat den Keller großartig aufgeräumt und sich eine Belohnung wünschen dürfen. Damit hat es etwas Ärger gegeben, leider. Ausgerechnet eine bestimmte Sendung wollte er sehen. Fernsehen ist nichts für Kinder, meinen die Kreisands. Zweitens verdirbt es die Augen, möglicherweise, wenigstens die Augen Bernhards, die ohnehin schon eine Brille brauchen. Willst du noch dickere Gläser, sagte Artur zu ihm, willst du das, hm? Das sieht doch scheußlich aus, hör mal. Elisabeth hat das nicht besonders taktvoll gefunden. Bernhard bekam eine Tafel Schokolade zur Belohnung für den aufgeräumten Keller, die Kreisands hatten vor diesem Viertagebesuch zwei Tafeln Schokolade angeschafft, schließlich rechneten sie mit kleinen Extras. Die zweite Tafel bekäme er, wenn er abgeholt würde, vor den Augen seiner Mutter.

Wieder füllt Artur die Gläser. Elfriede, die Freundin, ist tatsächlich dagewesen, Bernhard hat es berichtet. Dieser Film, auf den er so aus war, würde übrigens erst in einer Dreiviertelstunde beginnen. Jetzt drehen die Kreisands einstweilen den Apparat an. Sie haben alles immer gern so, wie sie es gewöhnt sind. Artur zum Beispiel stößt gern mal ein bißchen auf, es ist auch gut für ihn in Anbetracht der Obstipation. Elisabeth liebt es, die Schuhe auszuziehen, zum Beispiel. Das sind so Kleinigkeiten, zusammengenommen fallen sie ins Gewicht. Sie sind gern so zu zweit, sie haben sich gut aneinander gewöhnt, im Verlauf von immerhin achtzehn Jahren gab es nur zwei schwere Delikte zwischen ihnen, Geschichten wie die mit Milli Bechstein wurden überhaupt nicht laut, wenn sie all

die Geringfügigkeiten mitzählen würden, die geheim geblieben waren, kämen sie allerdings auf eine ansehnlichere
Summe. Äußerst harmonisch, denkt Elisabeth, sie ist mittlerweile ein bißchen betrunken, das wird ihr aber gut bekommen;
seit sie sich über fast nichts mehr aufzuregen hat, bekommt ihr
beinah alles, außerdem wird sie nachher einen Kaffeelöffel
Natron auf ein Glas Milch mit Honig nehmen, ihren Schlaf-
trunk. Sie denkt an die kleine böse Szene im Badezimmer
vorhin, normalerweise ist sie weich, ein Mensch mit Innenleben, aber manchmal verspürt sie eine unabweisbare Lust
zuzuschlagen. Artur, ich werde morgen die Eltern informie-
ren, sagt sie, definitiv. Über was, fragt Artur, der an das
Postamt vier denkt und etwas zerstreut ist, seit ihm einfiel, daß
er morgen dorthin muß. Über unsere veränderten Sommer-
pläne, sagt Elisabeth. Es tut ganz gut, betrübt zu sein, findet sie,
der Wein ist vorzüglich, sie sagt: Die armen kleinen Eltern.
Eigentlich fällt die Sommerferienangelegenheit ja gar nicht ins
Gewicht. Die winzige Wohnung, in die ihre Eltern demnächst
übersiedeln müßten, die ist eine Schande. Artur und Elisabeth
haben zwar Platz für zwei weitere Personen, aber man soll ja
nicht zu eng mit der Verwandtschaft zusammenleben, darüber
sind sie sich einig. Elisabeth trinkt auf Arturs Wohl, stößt mit
ihm an.
Was denkst du, fragt sie, und er antwortet, daß er versuche,
zuzuhören und zuzusehen, es läuft eine Quizsendung, Artur
denkt an das bläuliche Couvert, das er morgen in der
Mittagspause in Empfang nehmen kann, er denkt an das
säuberliche, entlegene Postamt vier, das seine Frau nie sehen
wird, oder –. Elisabeth beschäftigt sich wieder mit der Sache im
Badezimmer mit Bernhard, der es ablehnte, sich auszuziehen,
solang sie drin war, und sie bestand darauf, ihn persönlich zu
waschen, sie zerrte an seinem Gürtel und schlug dann zu; jetzt
hat sie in den Ohren ein Sirren, das kommt aber vom Wein.
Oder ich fahre sie mal hin, ich fahre mal mit meiner Frau am
Postamt vier vorbei, plant Artur, es wäre beinah so, als würde

er ihr seine neue Geliebte selber vorführen. Er gießt Wein nach, sagt Milli zu Elisabeth, aber an die verjährte Milli zu denken fällt ihm jetzt nicht im Traum ein, er sieht sich noch immer am Schalter für postlagernde Briefe, zusammen mit einigen andern trüben Gestalten; er aber hat kein schlechtes Gewissen. Er konstatiert: das ist etwas Schönes an meinem Charakter, ich kann tun, was ich will, ich kriege kein schlechtes Gewissen. Alles kommt mir immer ganz normal vor. Elisabeth steht in diesem Moment auf, und er betrachtet sie gnädig, dank der nachdenklichen Verfassung des Sonntagabends. Bei aller Nachsicht kann er jedoch nicht umhin, sich das Vergnügen einer schöneren Vorstellung zu leisten: Irene-Schatz im schwarzen Unterrock. Wird der Regen stärker? Hört sich fast so an. Was für ein erfreulicher Sonntag. Ich sehe noch mal nach Bernhard, sagt Elisabeth, sie ist erhitzt. Sie wird eine Tablette gegen Bauchweh einnehmen, obwohl sie das Klimakterium hinter sich hat. Sie hängt an dem besonderen Medikament wie an einer Jugenderinnerung. Sie betritt das dunkle Zimmer, in dem Bernhard schläft. Die Kreisands haben mit Absicht in ihrem weitläufigen Haus kein Gästezimmer etabliert. Bernhard muß mit einem durchlöcherten Divan im sogenannten Bügelkeller vorliebnehmen. Kinder mögen so was ja, Provisorien, sie finden es abenteuerlich. Ihrer Schwester Susanne wird Elisabeth berichten: Ich habe immer nachts noch einmal nach ihm gesehen, ein schlafendes Kind ist rührend – etwas in der Art. Sie schaltet die Lampe ein, Arturs alte Bürolampe. Bernhard sieht ohne Brille wie ein alter Zwerg aus. Er hat geweint, um die Nase ist sein blasses Gesicht rötlich.

Artur stellt nicht fest, daß Elisabeth lang wegbleibt, sie verliert also bei der Rückkehr sofort das Gefühl, sich verteidigen zu müssen. Artur ist ganz vertieft in den Film, auf den Bernhard so scharf war. Elisabeth sieht auch zu. Nichts für Kinder. Die Kreisands wissen, daß es Leute gibt, die in derartigen Fragen nachlässig sind. Obwohl kinderlos, lieben sie Diskussionen um Probleme der Kindererziehung und haben da ganz feste Vorstellungen.

Gibt's noch einen Schluck, Artur? Ja, es gibt noch einen. Dann ins Bett. Sie haben beschlossen, den Film nicht mehr bis zum Ende anzusehen, Schlaf ist wichtiger. Zärtlichkeiten und dergleichen sind nicht mehr bei ihnen zu erwarten. Elisabeth hat nie sehr viel davon gehalten und fühlt sich jetzt so ziemlich außer Gefahr. Artur gegenüber hat sie sich aber all die Jahre nichts anmerken lassen, stoisch brachte sie ihre immer selteneren Opfer. Gut: auch das hat man überwunden. Auch für Artur gut, meint Elisabeth, solang er so früh aufstehen muß. Der gute Artur, so sensibel und gar nicht der leidenschaftliche Typ. Er versucht immer noch, sich daran zu erinnern, ob Irene-Schatz eine Blinddarmnarbe hat oder etwa seine Frau. Deutlich sieht er die Narbe, er könnte sie zeichnen, aber auf wessen Bauch?

Das ist jetzt vorbei. Sie haben einen kurzen unangenehmen Sturm hinter sich, die Kreisands, er stand überhaupt nicht auf dem Programm. Artur, der Narbe nachsinnend, vergaß, den Apparat abzuschalten, und starrte weiter hin. Plötzlich wußte Elisabeth vor Unruhe nicht mehr aus noch ein. Sie fand den ganzen harmonischen Sonntag auf einmal gemein und ekelhaft. Sie lief zwischen ihren schönen Sachen auf und ab, im Barockspiegel sah sie ein niederträchtiges Gesicht: ihr eigenes. Die verstoßenen Eltern, die versetzte Freundin, Bernhardchen. Schlimm war daran, daß es dabei bliebe. Sie konnte bloß bereuen, sonst nichts.

Dann aber war ihr, wenigstens für diesen späten Abend, eine Rettung eingefallen. Es bekommt ihr nämlich immer sehr schlecht, wenn sie in einer solchen Gemütsverfassung ins Bett geht. Sie schläft dann nur unruhig und wacht morgens mit Beschwerden auf wie nach einem Gelage. Sie lief, von Artur nicht zurückgehalten, hinunter in den Bügelkeller, diesmal weckte sie ihren Neffen. Sie hat ihn aus dem Bettzeug gezerrt, die Kellertreppe raufgeschubst, unterwegs abgeküßt, dann im

40

Wohnzimmer auf einen Sessel plaziert. Da, mein Liebling, sieh dir deinen Film an, rief sie ihm zu. Aber Bernhard, ohne Brille, hatte keine Lust mehr, und der Film würde auch in einer Viertelstunde aufhören. Kurzum: Bernhard beleidigte Elisabeth, indem er sich schweigend wieder davonmachte.

Artur wirkte zwar noch vergrübelt, aber später im Bett bemühte er sich um Elisabeth. Wie lang hatte er sie nicht mehr in die Arme genommen? In dieser Nacht mutete er sich das zu. Elisabeth ist noch immer sehr gerührt darüber, aber auch nicht weniger schockiert. Falls das der Anfang einer neuen Ära sein sollte, so lehnte sie ihn ab. Wie werde ich Artur wieder los? Darüber brütete sie, während Artur uralte Erinnerungen wieder wahrmachte, wobei er angestrengt überlegte: Wie höre ich auf, so bald ich über die Narbe Bescheid weiß?

Elisabeth liegt jetzt verhältnismäßig ruhig in ihrem Bett. Und schliefe Artur nicht schon, so würde er schmunzeln, noch immer über Elisabeths Beistand. Elisabeth hatte, um sich zu befreien, geflüstert: Bitte sei vorsichtig, Artur, rechts tut's mir manchmal weh, vielleicht der Blinddarm. Wenn ihr was weh tat, dann war das links. Um das zu erörtern, war es aber in dieser Nacht zu spät. Vor dem Einschlafen erinnerte Artur sich jetzt an die hübsche Geografie um die Narbe herum, es wäre gar nicht Irene, ohne Narbe. Es fiel ihm sogar noch ein, daß Milli ebenfalls eine Narbe besessen hatte, aber am Schlüsselbein. So sickerte zu guter Letzt noch das lustige Geheimnis mit dem Milli-Tick in sein müdes Bewußtsein, der nette kleine Betrug. Er trieb einer erfreulichen Nachtruhe entgegen, das stand fest.

Auch Elisabeth wird allmählich immer schläfriger. Viel Einfluß auf ihren jetzt ganz friedlichen Puls hat der Einfall, den Eltern morgen, wenn sie die Sommerferiengeschichte endlich klärt, zum Trost den »Neger« mitzubringen. Der Neger ist eine wertvolle afrikanische Holzplastik, ein Fruchtbarkeitssymbol, die Kreisands konnten ihn äußerst billig von einem befreundeten ruinierten Sammler erwerben. Viel hatten sie sich allerdings nie aus dieser Rarität gemacht, sie war ihnen ein bißchen zu unanständig. Dies Trostgeschenk erschiene als Opfer, während Artur ihr sogar einen Belohnungskuß geben würde, weil sie es endlich aus dem Haus geschafft hatte; unter ihren Bekannten und Freunden gab es nämlich welche, die den Neger manchmal für anzügliche Bemerkungen mißbrauchten.

Wie beruhigend wirkt sich doch immer eine gute Tat aus, wie frei läßt sie atmen. Elisabeth ist sicher, daß sie jetzt auch kein rotes Gesicht mehr hat. Aufseufzend begibt sie sich in ihre Schlaflage. Es ist harmonisch in ihrem Schlafzimmer, zwei Türen weg von Arturs Schlafzimmer: mit den besten Ohren der Welt könnte sie ihn hier nicht schnarchen hören.

42

Es war sehr schön

Wir liefen durch das abgemähte Kornfeld, der Himmel war grau und weiß gescheckt von dicken Wolken, und ich konnte nicht ausdrücken, wie gut es mir tat. Es war mehr, als daß ich es schön fand, aber ich konnte es nicht ausdrücken. Und seine langen Schritte neben mir und dann vor mir, wenn der Pfad durch die Stoppeln eng wurde, und dann wartend auf mich. Die Luft, voll von Rauch, roch nach Wurzeln und altem Kraut, irgendwann roch sie so; als Kind über die Abendfelder kurz vor der Heimkehr, und dann roch sie so oder später oder früher. Es roch so und doch anders genug, ich fühlte, daß es anders genug war und überwältigend genug, und ich konnte es nicht ausdrücken. Meine Sohlen klopften in die Schollen, jaja, und sein Pullover tabak- und schweißbitter, und ich spürte, daß meine Haut brannte von der Luft und von seinen Küssen. Das Licht mehlig hell, und er sah mich an, so lang, ich hätte wegsehen wollen, aber er starrte mich an, bis ich nicht wußte, daß er es tat, und sein Mund auf mir und überall er, ich fühlte, es war er überall auf mir, und ich konnte, wir gingen weiter, konnte kein Wort sagen. Ich konnte nicht sagen: der Himmel ist dick und grau, und fühlte doch, daß er von all den Tränen und Küssen so war, irgendwelchen Tränen, all denen, ich wußte es und konnte es nicht sagen.

Für den Abschied hatten wir den Gang zwischen dem Männer- und dem Frauen-WC im Untergrundbahnhof von Lyndherst, das war ziemlich angenehm, denn hier würde keiner von seinen Bekannten auftauchen. Wohin man sah, die Betrunkenen, die Sonntagnachtmänner in ihren guten

Anzügen mit ausgehöhlten Gesichtern, torkelnden Augen. Und aus dem Frauen-WC trauriger Gesang von Schnapsstimmen. Und ich konnte nicht ausdrücken, was ich empfand, entweder, weil es vielleicht viel zuviel war, oder weil es womöglich gar nichts war. Sein Pullover, mein Mund, beißend, bissiger nasser Kußtag, und die Betrunkenen im graugekachelten Schacht und das Plärren der Frauen. Er sagte: Es war sehr schön. Ich sagte: Ja, sehr schön, wirklich. Ich dachte an den Himmel und an das verblichene Land und an den Biergeschmack, die bunten Teller, über die der Speck glitschte, und dachte an den Brandgeruch, Herbst, und ich spürte den ganzen nutzlosen Atem. Ich hörte den Zug über uns hereindonnern und hörte ihn sagen: Ich hoffe, es war schön für dich. Ich sagte: Ja, wirklich, es war sehr schön für mich. Und ich roch seinen Tabak und sah seine gelbe Oberlippe über mir, und er zog mich an sich, überall sein Pullover, harte warme Runzeln, überall er und unser Abschied, lange bevor ich es hatte ausdrücken können.

Das Begräbnis

Steif und schwarz schritt er voraus mit dem klobigen Gang des Taxifahrers: Wilhelm Gast. Sein Gefolge trottete hinterher; Mottenpulver umlagerte den Duft ihrer prächtigen Sträuße und Kränze. Ein ernster schwarzer Zug, er knirschte würdig über den weißen Friedhofskies, murmelnd.

Es war wie stets bei feierlichen Anlässen der wendige Lux, der ihre Starrheit mit seinen unermüdlichen Lippen löste:

– Könnt' mir gut denken, daß er eure verdammten Begräbnisfratzen nicht gern säh'.

– Halt die Schnauze, brummte Wernigen, des Toten Aushilfsfahrer. Sein dicker Körper war weich unter dem harten Stoff der Trauerkleider.

– Wie's einen treffen kann, so plötzlich, sagte der kleine Peeper. Ein bißchen Schmerz in der Wade, und schon sitzt der Tod drin, der Tod selber hockt drin.

– Und du weißt's nicht, setzte Lux des andern Gedankengang fort, lachst drüber, drückst am Fleisch rum, am Tod persönlich.

Erschüttert gingen sie weiter; es wogten, schwarze Synkopen, ihre Zylinder. Das unfreundliche Dunkelgrün der Buchsbaumhecken begrenzte auf beiden Seiten des Wegs ihre feierlichen Schritte.

– So einer besteht tausend Gefahren, und dann erwischt's ihn plötzlich mit einem kleinen Wehweh im Bein, sagte Peeper. Die Zylinder nickten Zustimmung. Was der im Krieg nicht alles mitgemacht hat, in Afrika und so. Und die Flucht im Schlauchboot von Tunis nach Sizilien.

45

– In unserm Beruf braucht man keinen Krieg, um gefährlich zu leben, rief Lux, den Angeberei, an der er nicht teilhatte, ärgerte.

– Wird verdammt schwer sein für die Frau, sagte Wilhelm Gast, der Anführer.

– Die arme Laura, bestätigte Wernigen familiär. Werd sie bißchen rüberholen zu meiner Alten. Können die Frauen nicht haben, das Alleinsein.

Irgendwo in den Reihen kicherte einer. Gast und Wernigen drehten die Hälse, zeigten ihre drohenden Gesichter denen, die hinter ihnen gingen.

– Weiß nicht, warum die überhaupt mitlaufen, die von den Geldschindertaxen, knurrte Gast.

– Wenn sie stänkern wollen, soll'n sie es in ihren dreckigen Kisten tun, sagte Wernigen.

– Denen ist nichts heilig, eiferte der kleine Peeper heilig. In der Gegend um Lux wurde Gemurmel laut. Seine hohe Stimme wagte sich vor:

– Das wär' sehr verkehrt, mit der Versammlung über Sonntag zu warten. Kein Staat regiert sich ohne Führer.

– He, he, grunzte einer; ein anderer lachte böse.

– In einer Demokratie leben wir, haste wohl vergessen. Mehrere lachten jetzt.

Gast und Wernigen, der sich zu dem andern an die Spitze des Zugs gesellt hatte, drehten sich gleichzeitig um, blieben stehen.

– Schert euch weg, wenn ihr Radau machen wollt.

Gast beabsichtigte, noch mehr zu sagen, aber Lux, sein langer, nach vorn ausgestreckter Arm, kam ihm zuvor:

– Erlaube mal, Gast, die Sache interessiert uns alle. Natürlich bin auch nicht dafür, daß diese Gauner ... Einer hieb zornig gegen seine schmächtigen Schultern, und eine dünne graue Staubwolke, modrig duftend, konnte sich nicht hochheben. Na ja, daß ihr auch gleich losbrüllen müßt, Witze reißen, verteidigte sich Lux. Wo der arme Traugott beerdigt werden soll. Wenn euer Vorsitzender mal dran glauben muß, könnt ihr von uns mehr Anstand erwarten. Feuchtes Mitleid in seinen kleinen Schauspieleraugen.

Der schwarze Trupp stand reglos da; konzentriert lag der aus Tod und Leben gemischte Geruch über ihrem sechsreihigen Körperviereck.

– Und was ist das für 'ne wichtige Sache, fragte Gast mißtrauisch.

Lux schnellte hoch:

– Die Versammlung muß heut' noch stattfinden. Wir brauchen einen, der obenan steht. Einen zufriedenstellenden Ersatz für Traugott. Und zwar schnell. Ihr alle wißt das. Braucht euch nur zu erinnern, wie's war, bevor Traugott wiedergewählt wurde. Als der gute Zelsch das Kommando hatte.

Grinsen, hämisches Scharren der unbiegsamen Sohlen.

– Na na, ließ der angegriffene Zelsch hören, runzelte die Dickhäuterwammen. Grau und schartig, schlaffwulstig wie ein Elefantenhals. Mit euch verdammter Bande war's wahrhaftig kein Vergnügen. Zelsch war bekannt dafür, daß er nicht gern redete. Er ließ sich verspotten, auch beleidigen, schlug nicht zurück; aber sein nasser quellender Blick wirkte gefährlich, undeutbarer Dickhäuterblick. Seid doch ehrlich, Bande, ums Geschäft geht's euch. Mit eurem Vorsitzenden macht ihr ja doch, was ihr wollt. Sein Geschäft wollt ihr. Zelschs Mund sank zurück in die glanzlosen Wammen.

– Beruhigt euch schon, sagte Gast unfreundlich. Er drehte sich um, rief über die Schulter: Wir machen die Versammlung erst übermorgen, damit Schluß. Was soll die arme Laura von uns denken. Und Traugott, wenn er's sähe.

Abergläubische Lider senkten sich. Ehrerbietig schlossen sich unwillige Lippen. Aber da war einer, man konnte an der Stimme nicht erkennen, welcher von ihnen – der Verdacht fiel auf den pietätlosen Schmitt, dem keiner traute mit seinem protzigen Cabriolet, den gutgeschnittenen Anzügen –, einer, der ganz vernehmlich äußerte:

– Wenn der nicht mausetot wär, tät' er sich im Sarg rumdrehn vor Ärger über ein paar gewisse Herrschaften, sogenannte Freunde.

Wernigen kehrte mit unvermuteter Geschmeidigkeit auf dem Absatz um:

– Halt's Maul, wer's auch war! Seine Mundwinkel senkten sich grämlich: Wir befinden uns auf einem Friedhof.

Bezähmt zogen sie weiter: breit, schwarz auf dem hellen Weg zwischen den niedrigen Hecken; unrhythmisch schaukelten die platten Zylinderkolben. Nur in den beiden letzten Reihen endete das Tuscheln nicht, man hörte die Namen von Gast und Wernigen, argwöhnische Bemerkungen:

– Die hatten schon lang nichts anderes mehr im Kopf, als sein Geschäft zu übernehmen.

– Und ob. Drauf gewartet haben sie. Jeden Tag ins Krankenhaus zu schleichen und nachzusehn, ob der arme liebe Traugott noch nicht abzukratzen gedenkt. 'ne Schande, sag ich.

– Die Flasche Starkbier, die Wernigen ihm mitgebracht hat, sicher ist die dran schuld, daß wir jetzt hier gehn. Starkbier bei Diät! Der könnt' heut' noch leben.

– Ganz sicher, heut' und morgen und manches schöne Jährchen noch. Die Ärzte bringen heutzutage ja allerhand fertig.

– Wenn ich mir vorstelle, daß Wernigen ihn umgebracht hat.

– Daß er noch unter uns sein könnte, der arme Kerl. Lust zum Sterben hat er bestimmt noch nicht gehabt.

– Fröhlich und kräftig, wie er war.

– Schufte sind's, dreckige.

Das war nun ganz gewiß Ruhls, des Tankstellenbesitzers, Stimme gewesen.

Der Zug kam ins Stocken. Traugotts schwärzlicher Grabhügel verschlug ihnen die Sprache. Eine schwarze Gruppe umstand schon das aufgewühlte Erdloch. Sanft zupfte der Wind an den seidigen Falten des Talars: der Pfarrer.

48

Bleiches gedunsenes Gesicht mit rotgeweinten Augen, ein schwarzer Mantel mit Taftaufschlägen, den sie vor neun Jahren, beim Tod ihrer Pflegemutter, zum letztenmal aus der Mottenkiste geholt hatte: Frau Traugott Pallische, Autovermietung. Um sie herum, neben und hinter sie gedrückt, ein paar wehleidige Verwandte, trockenäugig. Elsbeth, ihre Schwester, mit einem verrückten Hut auf den eitlen Locken; er hatte sie nie leiden können. Laura knüllte das Taschentuch in ihrer kaltgeschwitzten Faust, drückte es an die beißende Nase: schnupperte seinen ungewohnten Lavendelduft, der für sie mit Traugotts Tod verbunden war. Der Tod roch nach Lavendel. Fremd hatte er ihr den Mann gemacht, fremd allen vertrauten Traugottgerüchen. Traugotts Bier- und Zigarettenatem. Seine Kleider: Tabakdünste nisteten in den Falten und Taschen. Sein unternehmungslustiger Wind- und Benzingeruch. Die Zwiebelgulaschrülpser am Sonntag nach dem Mittagessen. Ergriffen und befriedigt erblickte sie Traugotts Kumpane, sie kannte jeden von ihnen, als Frau des Vorsitzenden der Ortsvereinigung.

Stumm schüttelte Gast ihr die Hand: beladen war sein Blick mit Beileidsworten. Die Hand von Wernigen: sie kannte gut jede Rille, jeden weichen Berg dieser Umschließung, da Wernigen täglich zum Schichtwechsel in ihrer Küche erschienen war. Peepers Hand: knochig und fest; sie mochte ihn nicht. Hände und Beileid, stumm und geschäftsmäßig; sie hatte das Gefühl, als müsse sie Geld bekommen von den Händen oder selbst welches hergeben. Beim Anblick des Pfarrers, als sie sich klarmachte, daß er Traugotts und ihretwegen den Talar angezogen hatte und daß aus dem gleichen Grund seine Lippen sich jetzt bewegten, empfand sie zum erstenmal Genugtuung. Sie sah nun den Kreis sich an einer Stelle schließen, den Kreis, an dessen Ende und Anfang der schwarze Talar wehte. Aber sie konnte den Sarg nicht anblicken.

Nein, das glaubten sie alle dem Pfarrer nicht: daß Traugott glücklich sei, daß man ihn keinesfalls bedauern dürfe. Sie gaben zu, daß er um des leichten und plötzlich eingetretenen Todes willen in gewissem Sinn zu beneiden war – da jeder von ihnen einmal sterben mußte. Aber darum, daß sein Körper jetzt tot war, im engen Sarg lag, anstatt wie die ihren aufrecht zu stehen, im Tag, mit Mägen voller Wünsche, lebendigen regsamen Därmen, darum war er zu beklagen; von irgendwo aus betrachtete er vielleicht sein abgeschnittenes Leben gleich einem Baumstumpf. Mißtrauisch verkniffen sie die Lippen. Sie wußten das besser, denn Traugott war einer von ihnen, hatte nichts zu tun mit dem wortgewandten, seidig umflatterten Mann: der war Kunde, gehörte auf den Rücksitz.

Einen Spaten voll klumpiger Erde warfen Laura, Gast und Wernigen auf den Sargdeckel aus angenehm hellbraunem Holz: dumpfes Gepladder, ein Schluchzen, Lavendel und Feuchtigkeit, Gemurmel der Männer.

Gast und Wernigen flankierten ernst die Frau des Toten. Hinter ihnen formierte sich der schwarze Trupp neu, Sträuße fielen aus zögernden Händen.

– Ich dachte, du kommst ein bißchen mit rüber zu uns, begann Wernigen würdig.

Laura nickte stumm.

– Wirst auch nichts geplant haben mit Traueressen und so. Wernigen versuchte ein Lachen.

– Na na, brummte Gast. Keiner von uns könnt' einen Bissen runterkriegen.

– Ach doch doch, sagte Laura mit schwacher geschäftiger Stimme. Das muß schon sein. Ihr könnt's mir nicht abschlagen.

– Aber ich dächt' mir, ein bißchen Ruhe tät' dir jetzt besser, wandte Wernigen vorsichtig ein.

– Nein nein, das könnt ihr mir nicht abschlagen, leierte Laura, ich hab auch noch 'nen halben Kasten Bier da.

Peeper drängte sich vor, stellte die neugierigen Ohren.

– Schon ihm zuliebe, sagte Laura.

Die Männer überlegten bedächtig.

– Na, wenn du's so willst, sagte Gast schließlich.

– Wenn's ein Freundschaftsdienst ist, verbesserte Wernigen.

– An dir und an ihm, schloß Gast befriedigt.

In den hinteren Reihen beriet man über die Versammlung.

– Die kriegen das besser ohne uns fertig, murrte Zelsch.

– Vielleicht wär' Gast nicht mal der Schlechteste, sagte Schmitt versöhnlich.

Keiner zollte ihm Beifall.

– Wenn's ja nicht Wernigen wär', der sich bei der Frau einschmeichelt, sagte Lux mit neutraler Klangfärbung, sah harmlos vor sich hin.

– Sein Mörder, kicherte Ruhl.

Die anderen machten »tz tz«, kicherten mit.

– Na, was hab' ich gesagt, ums Geschäft geht's euch, ließ Zelsch sich vernehmen.

– Da könnt ihr gar nichts machen, regt euch nur ab. Das war die Stimme von Elsbeth, der Schwägerin. Sie hatte sich mit schnellen Schritten in die letzte Reihe des Zugs eingeordnet. Der sitzt warm bei Laura. Der kriegt den Wagen und die Lizenz, wenn ihr das meint. Da hilft euch nix mehr. Sie lachte leise und lang.

Die Bewegungen der schwarzen Beine und Arme wurden etwas steifer, das Wogen der Zylinder akzentuierter.

– Eine andre Lösung fällt euch wohl nicht ein, wie? rief Elsbeth.

Wenn einer von euch die Sache machen will, braucht er sich ja bloß mit 'ner gewissen Dame gutzustellen. Na?

Mit beifälligem Argwohn streiften ihre Blicke das listige Mädchen, den verrückten Hut auf den gelben Locken. Auch diesmal war es Lux, der am geschwindesten reagierte. Seine eilfertigen Lippen verzogen sich zu einem Lächeln: er war berühmt für seine Geschicklichkeit mit Frauen.

– Ich kapiere, sagte er mit Betonung.

– Müßt' nur einer sein, der was von der Materie versteht. Geschäft ist Geschäft. Die Feder an Elsbeths Hut wippte generös.

– Und da wär' wohl nur ein Junggeselle – so helle, sagte Lux.

Die andern belachten mißgünstig seinen Reim.

Am Friedhofsausgang wartete die schwarzglänzende Kolonne der Taxen. Laura setzte sich neben Gast, und verstimmt landete der schwere Körper des Aushilfsfahrers Wernigen im Polster des Rücksitzes.

Peeper übernahm flink den Pfarrer, er rief durch die klaffende Tür neben dem Fahrersitz:

– Komm' ein paar Minuten später! Er hatte Mühe, den Friedhofsernst auf seinem kleinen Gaunergesicht festzuhalten.

Türen klappten, Zylinder wurden eingetauscht gegen Chauffeursmützen. Motoren sprangen an, die Wagen setzten sich sanft ruckend in Bewegung.

– Na und den Braten, den habt ihr euch ja alle um ihn verdient, sagte Laura zu Gast.

– Werd' Mühe haben, einen Bissen runterzukriegen, sagte Gast, trat hungrig die Kupplung.

Am Halteplatz der Taxen stoppte er und drückte, als er im Rückspiegel die Kette der andern Wagen näher kommen sah, anhaltend die Hupe. Sofort stimmten sie alle ein: ein vieltöniger Ruf, schauerlich ausdruckslos. Vor Dankbarkeit errötete Laura. Der kleine Peeper grinste, als er am Kirchplatz das Signal hörte, sagte zum Pfarrer:

– Das gilt ihm!

– 'ne schöne Geste, wirklich, sagte Laura gerührt.

Gast und Wernigen nickten zufrieden.

Lux nahm die Hand von der Hupe, streifte mit einem Blick den schwarzen Seidenrock Elsbeths.

– Hat er denn in seinem Testament was verlauten lassen? Ich meine über Nachfolger und so.

Elsbeth kratzte mit dem Zeigefingernagel über die Rost-
wunde auf dem Chromlack des Aschenbechers.

– Das eine steht fest: 'ne bessere Kutsche als die hier springt
für den dabei raus, der sich mit einer gewissen Dame gutstellt.
In der Einfahrt von *Pallisches Autovermietung* grüßte die
schwarze Limousine des Toten.

Große Liebe

Jetzt, danach, einen Herbst später, ist Besserwissen billig. Aber es liegt mir nun einmal, und ich spreche mich mitunter grämlich an: Hättest du damals gewußt, wozu es führen würde. Doch auch dann wäre ich mit Alfred zur Tagung gefahren. Keine Vorahnung hätte mich von diesen dreieinhalb Tagen abbringen können, keine Warnung. Ich machte ja dort bloß eine Bekanntschaft, ohne mein Zutun, und sie war mir lästig, gewiß, zunächst. Aber wie hätte ich mich denn vor einem Jahr, in den besten Wochen mit Alfred, fürchten sollen vor Egbert Stiehl? Er war mit seiner Braut gekommen, einem stillen, cremefarbenen Mädchen ungefähr Ende dreißig, das mit einem besonders aufreibenden Beruf – er ist mir entfallen, und ich möchte darauf verzichten, jetzt bei Egbert Stiehl nach- zufragen – Geld für die gemeinsame Zukunft verdiente und sonst nicht viel von sich reden machte. Stiehl hatte sie mitgebracht, obschon man auf diesen Tagungen weder Bräute noch Ehefrauen noch jeglichen Anhang Außenstehender gern sieht. So war die Braut bei dieser Tagung passiv wie ich, während ich es aber war an der Seite einer anerkannten Cliquenberühmtheit und deren Autorität mit genoß, während mir in Alfreds Gesellschaft Sachverständigkeit unterstellt wurde und ich entsprechend zuhörte oder so tat, schlich Stiehls Braut scheu und unerkannt und bloß gelitten im Schatten dieses Schattens und Neulings und Außenseiters: Stiehl war niemandem ein Begriff, und er ließ sich nicht öffentlich hören, hielt auch in internen Diskussionen seinen Mund neben der Narbe und gab nicht auf, beleidigt, aber guter

Dinge auszusehen, vor allem, wenn er Krittauer zulächelte, dem einzigen Tagungsteilnehmer, der ihm bekannt war und dessen mit gemeinsamen Kriegserinnerungen und der Narbe zusammenhängender Loyalität er seine Einladung überhaupt verdankte.

Mir persönlich fiel er nur deshalb rasch auf: bei Lesungen und Aussprachen saß er zu oft neben mir, zutraulich von vorneherein. Und ausschließlich in meiner Nähe wurde seine Schwatzhaftigkeit wirksam; mit erheblicher Ausdauer machte er sich, links oder rechts, aber neben mir, auch bei allen zur Tagung gehörigen Feiern mißliebig. Ich selber hatte vor, mich während keiner einzigen Tagungsminute von Alfred ablenken zu lassen. Nicht nur im Verlauf der Arbeitsstunden, sondern auch abends in einem »Stadtwappen« genannten Lokal achtete ich darauf, daß ich an Alfreds Seite zu sitzen kam. Alfred Hecht übrigens, man kennt ihn auch außerhalb seiner Clique, wo man sich um seine erfinderische Schüchternheit reißt. Ihn aber, der meine Gesellschaft trotz Braut suchte, beachtete niemand, ich erwähnte es bereits. In den Pausen pflegte er außerhalb der Tagungsgruppen und bei der erschöpft lächelnden Braut seine bettelnde Verachtung fortzusetzen, das weiche, aber ehrgeizige, braungebrannte Gesicht vielsagend. Jetzt kann ich ja viel besser beurteilen, was damals in ihm vorgegangen ist. Er hatte nur seine eigenen Verse im Sinn, die jedoch durften hier nicht zur Sprache kommen. Ringsum bekam er, indirekt, nichts als ihre Verspottung zu hören. Er begriff wohl, daß er hier nicht hinpaßte. Ob er aber insgeheim sich eingestand, dies sei einzig und allein sein Malheur, das kann ich bis heute nicht beantworten. Genau weiß ich leider allerdings, daß er nach wie vor seine eigenen Machwerke ernst nimmt. Mit den andern Tagungsteilnehmern war er recht schnell fertig, mir jedenfalls gestand er, sämtliche gelesenen Proben wirkten auf ihn wie Spielereien, so niederdrückend unseriös. Und dann fing er auch schon an, mir und nur mir seine Gedichte aufzusagen, auswendig und bis in frühe,

feuchtkalte Morgenstunden, nun fast fröhlich und unempfind-
lich gegen mein Unbehagen.

Jetzt packt mich doch beinah wieder die Wut. Die Empörung darüber, daß ich mir Stiehls Beschlagnahme gefallen ließ.
Es muß damit zusammenhängen, daß ich nicht nein sagen
kann. Seit meiner Kindheit trage ich die meistens widrigen
Konsequenzen dieser Unfähigkeit. Wenn ich nachträglich
bedenke, daß damals auf der Tagung Hecht und ich zum
erstenmal unser Auftreten in der Öffentlichkeit gewagt haben!
Seit Wochen, was sage ich: seit Monaten war es vorbereitet
und von unserer Spannung darauf fast verunstaltet: dieses
dreieinhalbtägige Zusammensein. Allerdings mußten wir uns
auch damals noch in acht nehmen vor Übertreibungen. Und
so vermute ich, mit Egbert Stiehl links oder rechts von mir und
penetrant fand Hecht unser öffentliches Ansehen zum Schein
gewahrt. Wenn ich richtig unterrichtet worden bin: Hechts
Frau hat dann auch wirklich aufgrund dieser Tagung nichts
Besonderes geargwöhnt. Und währenddessen hatten wir beide
die Köpfe voll der unverfrorensten geheimen Zukunftspläne!
Für mich waren es Tage zwischen zwei Berufen, beinah
möchte ich also sagen, zwischen zwei Lebensabschnitten,
wobei der, dem ich entgegensah, Hecht angehören sollte. Das
ist erst ein Jahr her, ein Jahr! Ich hatte gerade meine
Beschäftigung als Musiklehrerin und Gelegenheitsgeigerin
aufgegeben, sie brachte nichts ein. In weniger als acht Tagen
sollte ich in einer Bibliothek anfangen, womit –? Ich hatte nur
verschwommene Vorstellungen davon, machte aber meine
Angst vor dem Neuen, zu dem Hecht mich übrigens nicht
überredet hat, mit Unternehmungsgeist hinsichtlich Hechts
und meiner Zukunft wett. Wir würden zunächst Geld brauchen. In der Bibliothek sollte ich schon als Anlernling mehr
bekommen, als mir je zuvor die Musik verschafft hatte. Hechts
Familie müßte weiterhin von ihm leben in einer zu kostspieligen Wohnung. Nur noch so viel über meine damalige
Verfassung: meiner Verwandtschaft zum Trotz empfand ich

Vergnügen beim Gedanken, Geige und Schüler loszuwerden, und war demnach aus der Art geschlagen: seit Jahrzehnten ist man bei uns zu Hause, wenigstens mütterlicherseits und sofern man auf sich hält, Musiker schlecht und recht, aus Traditionsbewußtsein und Mangel an Begabung für etwas anderes.

Ich möchte lieber nicht vorgreifen oder abschweifen. Zurück zur Tagung. Egbert Stiehl tat fast unaufhörlich etwas, das er anvertrauen nannte und zäh einsetzte gegen meine matten Versuche, in Alfreds Weichblick Stiehls Gefühlen zu widerstehen. Doch wahrhaftig: er, der immer seltener zwischen Reim und Reim seiner Braut zulächelte, hatte mich erbeutet, und oft blieb von Alfred mir nichts als sein Bierglas und sein untätiges rechtes Bein unterm Tisch. Gereizt, häufig genug, habe ich Stiehl wohl auch hin und wieder aufgefordert, sich an den Lesungen zu beteiligen. Hierauf pflegte er sich der Braut zu erinnern, dies sollte sie beantworten.

– Er liebt die Öffentlichkeit nicht. Die laute Welt. Er fürchtet alles, wie soll ich sagen. Alles Laute, er fürchtet es, ja.

Sie konnte seinen Text, und schnell wußte er selber hierzu noch ein Gedicht, in dem die Welt mehrfach und nachdrücklich mittels entsprechender Adjektive schlecht wegkam, ich erinnere mich vor allen an »schnöde«.

– Sehn Sie? Verstehn Sie jetzt...

Er sah von da an fast noch fröhlicher aus. Mit der einzig gemäßen und gebührenden Betonung beschäftigte er sich, mich und die Narbe weiter mit Rezitation. Gleichwohl wirkte unter fettigbrauner Frisur, mit braunen Augen und einem Feuchtigkeit liebenden Mund sein Gesicht bescheiden. Sein Ausdruck hielt mir vor, nur mir zuliebe geschehe dies alles. So rechnete man mit Sanftheit und hatte sich verrechnet, wenn man ihn unterbrach. Selbst unter den unpersönlichen Einmischungen des Kellners litt Stiehl mit entblößtem Zorn, und es war mir peinlich. Übel reagierte er auf freundlich-gelangweilte Zurufe von Tagungsteilnehmern, die, auf Hinwegen eilig, beim Zurückkehren aber mit träger Geduld, unseren Tisch nah der Tür zu den Toiletten passieren mußten. Ich fahre hiermit nicht fort und deute lediglich dies an: hinterm Bierglas und neben ihm, der mich unverwandt ansah und an sich selber dachte, lernte ich den zuständigen Höllenbereich genau kennen. Ich versuchte mehrfach, und zwar immer dann, wenn Stiehl schlucken oder gründlicher Atem holen mußte – um keine Zeit zu vergeuden, trank er allerdings sozusagen nichts –, meinen andern Nachbarn Hecht einzuschleusen in meine ausweglose Abgeschiedenheit mit Stiehl. Hecht aber, wenn auch von Natur aus gutmütig, war schon leicht betrunken und hatte keinen Blick für meine Not. Allerdings versuchte er eine Weile, Stiehl zuzuhören; der aber hörte auf. Hecht: das bedeutete für ihn bereits Öffentlichkeit, obschon wahrhaftig keine laute: ich kenne bis auf den heutigen Tag niemand Leiseres. Stiehl aber stammelte irritiert, er spreche dies nur für mich, und Hecht sei ihm zu, zu, zu –. Er sagte nicht: zu klug, zu kritisch. Er gab natürlich nicht zu, daß er Heuchler braucht wie mich: lügen fällt mir zu leicht. Er bekannte nicht, daß rechtschaffene Zuhörer ihn verwirren. Statt dessen:

– Immer nur ein Hörer, ein einziger nur, bitte!

Worauf Hecht, mitleidig, aber blind, mich mit Stiehl und Versen allein ließ. Sie reimten sich nicht immer. Er stockte auch manchmal, wußte es nicht mehr so ganz genau, fand dann aber bald Lösungen, die ihn ebenfalls befriedigten. Unentwegt lächelte er verkannt. In vielleicht sogar regelmäßigen Abständen kam links seine Hand, feucht sah sie aus, zum Knoten im Schlips, drückte dran herum; spreizte dann den Zeigefinger ab und drängelte ihn zwischen Kragen und körnige Haut am Kehlkopf. Ich hielt das aus; auch tat von Bier zu Bier er mir mehr und irrtümlicher leid, die Braut desgleichen. An diesem Abend im »Stadtwappen« blieb es bei Gedichten.

Vom nächsten Morgen an hielt Stiehl es für selbstverständlich, daß wir beide während der Lesungen zusammensaßen, in den Pausen nebeneinanderher gingen. In der Öffentlichkeit konnte Hecht mich nicht vor ihm schützen. So wurde ich, tagungsfremd wie die Braut, aber angesehener, das Opfer eines Tagungsfeindes. Unaufhörlich vertraute er mir an, sich selbst und was mich sonst nicht interessierte. Ich mußte erfahren, mit Liebe sei er Lehrer an einer zweiklassigen Volksschule auf dem Land. Sein Lächeln war lieb zu ihm. Er sagte:

– Ein ganz verlorenes Fleckchen Erde und so nah bei –.

Ich lasse ihn das nicht ein zweites Mal aussprechen. Er fing immer wieder davon an, wie dicht sein Dorf gelegen sei an –. Wie unmittelbar und nah, näher gehe es kaum noch –. Er hörte nicht auf mit dieser Grenze, die ihn zu zahlreichen Gedichten ermunterte. Möglicherweise trifft sogar zu, was er mir oft genug beteuerte: ohne diese ihn sehr verletzende Grenze hätte er nie zur Feder gegriffen, und sie sei der wahre Spiritus rector, woran erkennbar wird, wie mannigfach die Verstörungen sind, die angerichtet werden durch jenen in Stiehls Lyrik als nie vernarbendes Wundmal, blutenden Herzschnitt und anderswie apostrophierten Trennungsstreifen. Mit in- und auswendigen Gedichten schloß er übrigens auch am zweiten Nachmittag.

Er hatte zu Beginn der Tagung darauf bestanden, daß wir unsere Adressen austauschten. Beim allgemeinen Verabschieden erinnerte er mich an mein Versprechen, ihn zu besuchen. Die Braut nickte geduldig. Ich stand neben Hecht, der meinen Koffer hielt. Wir hatten nur noch eine halbe Stunde. Hecht sagte irgendwas Freundliches zu der Braut. Ich selber hörte einen Vierzeiler; nah der Feuchtigkeit liebende Mund. Ich sah die Narbe, die vom linken Mundwinkel abwärts Richtung Kinn lief und in kräftig gekörntem Fleisch flach wurde. Sie bewegte sich ruckartig zu den Gedichten. Die Braut sagte zu Hecht, auch in ihrem Büro könne man kein Fenster mehr aufmachen. Etwas über Durchgangsstraßen.

– »Auf Menschen niemals bauen/Dich keinem anvertrauen/Geh Deinen Weg in schwarzer Nacht/Fernab der Welt, die scheinbar lacht…«

Ich weiß genau, daß in diesem Moment meine Aufmerksamkeit gefesselt war an ihn oder an sein Gedicht, zum erstenmal und so gut sie es nur je sein konnte: ich fand es angenehm, daß er im Gegensatz zu meiner Verwandtschaft »scheinbar« richtig gebrauchte. Ich dachte zum erstenmal an meine Rückkehr und an zu Haus, dann an meine neue Stelle. Anlernling in einer Werksbibliothek. Nur noch zwanzig Minuten mit Alfred Hecht. Mir wurde übel. Die Braut klopfte leicht auf die Schulter Stiehls, der dies noch schnell zu Ende bringen mußte:

– »...Hast so Du Dich besonnen/Bist Du der Welt entronnen.«

Er hielt sein affiges gelbes weltliches Köfferchen rechts, drückte links am Schlipsknoten, sah mich an, fühlte sich allein mit mir als Entronnener, schmerzlich angenehm. Inzwischen war Hecht schon so weit, seine merkwürdig amputierten, steifen Verbeugungen in Richtung auf die Braut zu machen. Er verabschiedete sich. Er machte wieder Gebrauch von seiner eigensinnigen, überholten, anrührenden Liebenswürdigkeit.

– Vergessen Sie nicht, nach Kelk zu kommen.

Nun wurde auch Hecht eingeladen, und ich dachte, plötzlich ermutigt, Kelk wäre eine Aussicht, bald wieder mit Hecht zusammenzutreffen. Vom Abteilfenster herunter erfuhren er und ich, daß in Kelk weitere Gedichte warteten, diejenigen, die er noch nicht auswendig könne, und diejenigen, die in der Zwischenzeit entstehen würden. Doch doch, diese paar Tagungstage hätten ihn sehr, sehr angeregt. Mich meinte er und tätschelte die Braut. Ich winkte ihm ausgesprochen herzlich nach: wegen Kelk als Treffpunkt und auch noch wegen »scheinbar«.

Von der minimalen, kolossalen Szene, die dann Hecht und mir blieb auf dem Bahnsteig, weiß ich nichts mehr außer der Demonstration seines Herzklopfens. Kein Wort. Nur immer wieder diese sonderbare Geste. Seine rechte Hand schlupfte

60

am Revers in den Rock und bewegte sich rhythmisch und angeblich so schnell, wie sein Herz klopfte. Zum Abschied haben wir uns keineswegs geküßt. Ein Augenzeuge hätte nichts bemerkt von –. Große Liebe! Steif wie eh und je ging er auf seinen Zug zu, und ich sah ihm nicht nach, sondern drehte mich mit angehaltenem Atem um zu dem Karren mit Zeitungen und Zeitschriften, dann zur Fahrplanwand, dann da und dorthin, überallhin, ich weiß es nicht mehr im einzelnen, und man kennt das ja, und ich halte mich hiermit nicht auf. Nur noch so viel: mich hat den ganzen Tag noch das komische Herzklopfen beschäftigt, seine Hand, sein Revers, sein betroffenes Gesicht, seine eingeschüchterten, aufgebrachten Augen, sanfter besitznehmender zurückschreckender Blick, scheu und definitiv, und immer wieder das unheimliche Herzklopfen, obwohl ich mit der Schwierigkeit fertig werden mußte, wieder zu Haus zu sein.

Immer noch hatte meine Mutter Ischias. Immer noch brachte beim Essen nicht nur sie, sondern auch meine Tante Gabel und Löffel an die Zähne. In meinem Zimmer lagen Formulare, die zu tun hatten mit meiner neuen Stelle. Ein Brief meines Onkels, der in einer Kreisstadt sich als Privatmusiklehrer zur Creme rechnet und ein Streichquartett mit seinem Nachnamen nicht unsterblich machen wird: er konnte nicht umhin, mir auf vier engbeschriebenen Seiten mitzuteilen, wie bitter enttäuscht er sei über die Preisgabe meines künstlerischen Berufs. Zum Höchsten sei ich erkoren worden – als Siebenjährige durch seinen eigenen Ratschluß: er gab mir zum Verwandtschaftspreis Geigenstunden –, nun aber wende ich mich ab vom Edelsten auf dieser Welt, der Musik. Trotzig nahm ich mir vor, seiner Anmaßung Hechts Lyrik entgegenzuhalten. Der einzige Mensch in meiner Verwandtschaft, von dem mein Berufswechsel begrüßt worden wäre, eine amusische Tante, starb vor der Zeit, und sie hätte wohl auch meine recht untergeordnete Tätigkeit nicht voll gebilligt. Ich selber tat es nicht. Bibliothekskeller und Büro, meine neuen Arbeitsbereiche, waren stickig und mir bald verhaßt. Ich lieh aus, sortierte, katalogisierte, hantierte mit Rechnungen und Quittungen, lernte nichts, und nichts wurde mir leichter, die Schwierigkeiten blieben sich gleich, wochenlang, bis zu meinem ersten Urlaub. Mein früherer Verlobter, immer noch hilfsbereit und Arzt, attestierte mir eine Magenkur und Arbeitsunfähigkeit.

Ein Einfall versetzte mich nun in Aufregung. Ich wollte Alfred Hecht anrufen und ihm eine Fahrt nach Kelk vorschlagen. Lang hatte ich nichts gehört von ihm. Ich habe immer schon Angst haben müssen vor seiner Neigung zur Enthaltsamkeit. Zwei Tage umwanderte ich das Telefon. Mitunter war ich bei diesen Bewerbungen ausgerüstet mit Notizzetteln, auf denen stand, was ich sagen wollte. Manchmal nur in Stichworten, dann wieder im vollen Wortlaut und mit vorausberechneter Abgerissenheit, Pausenzeichen, Zeichen für Seufzer, für ein kleines Gelächter. Ich zerriß die Zettel und legte ohne Programm meine Hand auf den Hörer. Ich fing an zu wählen. Aber ich hielt nie durch bis zur letzten Zahl der Ziffergruppe. Telegrafieren wäre leichter. Ich ließ also die Idee mit dem Telefonieren ein für allemal fallen: meine Stimme, wie hätte sie denn sein sollen, sie war zu aufgeregt, sie würde mit keinem Text fertig, sie war zu gut und unwürdig zugleich. Ich habe auch nicht telegrafiert. Diese Feigheit. Ich hatte Angst vor seiner abschlägigen Antwort. Im voraus wußte ich ja, daß ich die vernünftigste Erklärung nicht anerkennen könnte. Es wird vielleicht erstaunen, daß ich trotzdem und ohne Begleitung Zug und Omnibus benutzte Richtung Kelk. Für mich ist das rasch begründet: erstens wollte ich nicht zu Haus bleiben. Zweitens fand ich in Kelk immerhin einen Teilnehmer der Tagung, die ich mit Hecht besucht hatte. In Gedanken an Alfred Hecht fuhr ich nach Kelk, ich betone das. Ich wollte zu jemandem, der von mir dachte: Hechts große Leidenschaft.

Noch ehe zwei volle Monate seit der Tagung verstrichen

waren, tat ich also etwas, das Egbert Stiehl als aufkreuzen bezeichnete. Sich selber nannte er: darüber glücklicher, als ich sagen kann; und er sagte es häufig. Die Einsamkeit auf dem Land, die nahe Grenze, kein Gedankenaustausch, keine Resonanz auf Abend für Abend entstehende Verse – er hatte Gründe noch und noch für sein jetziges Glück. Sonst gab er sich in Kelk bubenhaft, wie er sagte. In der Wohnung über den beiden Volksschulklassen entsprach er in salopper Kleidung und oft Einfälle notierend ganz seinem Wunschbild von sich selber. Übrigens, an das Notieren der Einfälle habe ich mich erst gewöhnen müssen. Seine zudringliche Muse schreckte auch im ungelegenen Moment nicht zurück. So war es beim erstenmal, als Egbert während einer Mahlzeit plötzlich erstarrte, den Bissen in vorgewölbter Backe. Ich dachte, ihm sei schlecht. Doch seine Mutter – auf die ich gleich zu sprechen komme – schien Bescheid zu wissen und kaute ihrerseits nicht weiter. Mir gab sie mit eingeschüchtertem, gleichwohl Glück wiedergebendem Gebärdenspiel zu verstehen, es ihr nachzumachen. Ich schluckte und wartete ab. Egberts Gesicht verfärbte sich, die Narbe aber blieb weiß. Mir selber wurde nun flau. Es war auch so stickig, und ich klebte in meinem weichen noppigen Ehrensessel. Nun schloß Egbert die Augen. Lehnte sich zurück. Die linke Hand, die beim Gedichtaufsagen den Schlipsknoten drückt, kam herauf an die gewohnte Stelle, wo jetzt kein Knoten war, und fingerte unruhig am starken Hals. Er öffnete die Augen nicht, während er aufstand, aber ich beobachtete, daß er blinzelte und schließlich sogar mit halbgeöffnetem Lid mogelte, als er sich hinübertastete zu seinem Schreibtisch, den er mit flachen Händen nach Papier abklopfte. Endlich saß er, hatte Papier und Bleistift und nutzte diese Situation etwa fünf Minuten lang aus. Was er trieb, nannte er kritzeln, obwohl das Ergebnis als ein Musterbeispiel für Schönschrift gelten mußte. Er brachte das Blatt nämlich gleich mit zum Tisch, hielt es Mutter und mir, die wir inzwischen fertiggekaut hatten, stumm hin, und wir mußten nun wieder im Mund behalten, was ihm voreilig zugeführt worden war.

– So, allmählich kehre ich zurück in dieses Leben, sagte Egbert Stiehl. Wenn's auch schwerfällt, wirklich, wirklich.

Aber ihm schmeckte es dann und der Mutter auch. Egberts Mutter war sehr groß und breit nur um die Hüften. Ihr Kopf putenhäutig unter grauem Haar. Gleich auf der Wohnungsschwelle im Dämmer zwischen den beiden Lehrerwohnungen und vor deren gemeinsamem WC, dort im holzigen Volksschulgeruch hatte Egbert Stiehl sie mir präsentiert mit den Worten:

– Nun müssen Sie aber endlich Mutter kennenlernen.

Warum »endlich«? Wer hatte so darauf gewartet, daß dies zustande komme: wir gaben uns die verschiedenen Hände. »Mutter«: Stiehl ließ den Artikel weg. Das war mir nicht recht und nicht geheuer.

Ich drängte mich gleich von Egbert weg und mit »Mutter« in die Küche. Ich redete viel und nutzlos, während sie einsilbig ihre riesigen, schaufelblattartigen Hände rührte. Ich wollte helfen, aber es gab nichts zu tun oder nur für mich nicht. Im voraus lobte ich eifrig ihr Essen unter schwarzen Deckeln. Sie wehrte ab. Von ihrem harten, den großen Mund verzerrenden Dialekt verstand ich kaum ein Wort. Ich hatte hier nichts zu schaffen, wußte nichts mehr zu sagen, schob maisfarbene Schüsseln hin und her und entdeckte dann in der Küchenschranknische messinggerahmt die Braut, ihr nachgiebiges Lächeln.

– Sie ist so nett, sagte ich und hielt der Mutter das Foto hin.

– Jaja, die Lisabeth.

– Kommt sie oft hierher?

– Jaja. Oft.

– Das ist doch schön, ich meine, für Ihren Sohn.

– Jaja.

Sie regte die Handschaufeln, es sah aus, als wären sie nicht

64

leicht zu etwas zu veranlassen, flach, rot, unschlüssig und unvereinbar mit den Armen, Hände für nichts und wieder nichts, aber tätig trotzdem. Und ich verteidigte, merkwürdig beklommen, Braut, Sohn, Mutter und Küche. Es roch nun auch nach der Mahlzeit, die trotz Mutters Gegenmaßnahmen entstand. Sie hob hintereinander die drei Deckel, schob dreimal ihr zwischen kräftigen Knochen freundliches Gesicht durch Dampf und betrachtete ohne Vergnügen, was sie angezettelt hatte, rührte jeweils kurz und hart, wendete ein Kammstück und schloß die Töpfe. Egbert Stiehl erschien, das heißt: sein Kopf schob sich durch den Türspalt. Mit zugespitztem Mund wollte er »den beiden Damen« gegenüber anzüglich sein und kam schließlich vollends herein. Mich sah er an und Lisabeths Bild in meiner Hand. Ernst gab er meiner Beschäftigung mit seiner Braut recht. Er sagte, er fände es schön von uns, daß wir an Lisabeth dachten. Fast sah es so aus, als wollte er mir zum Dank die Hand schütteln.

Ich erinnere mich gut: ich wurde auf einmal steif vor Entsetzen. Was fiel den beiden ein. Was war denn los. Was war vorbereitet mit meiner Hilfe. Ich war gekommen als Alfred Hechts große Liebe, das war meine Rolle. Diese zwei aber rechneten gar nicht damit, daß ich selber Stoff hatte. Für die Mutter hatte ich Kelk bloß als Egberts Bekannte besucht, aus lebhafter Anteilnahme an seinen Gedichten. Also: für ihn war ich hier. Und Egbert vor allem fand das unbezweifelbar. In seinem Leben ist er Leuten, denen er selber hätte zuhören müssen, stets ausgewichen. Heute kann ich mir allerdings meine damalige Empörung nur noch ungenau zurückrufen. Selbstverständlich, ich weiß noch alles. Ich erinnere mich daran. Aber ich bin viel nachsichtiger mit ihnen geworden, wahrscheinlich aus Selbstverteidigung.

In Kelk war es immer windig, regnete aber selten. Auf Spaziergängen mit Egbert Stiehl störte mich bemerkenswerterweise der Wind nicht, obgleich mir klar war, daß er meine Frisur entstellte. Doch in Stiehls Gesellschaft kümmerte mein Äußeres mich nie. Unnötig zu sagen, wie anders das war mit Alfred Hecht – ach ja: Hecht. Und meine feste Absicht, die Sprache auf ihn zu bringen zwischen Wolfsberg und Fuchsenstädter Wald und auf der Monswiese!

– »In unermeßlich ferner Weite/Seh ich das Land im Abendschein/Ein treuer Mensch an meiner Seite/Sag mir, was könnte besser sein?«

Egbert lachte beziehungsreich, als wüßte er was Besseres als seine Braut. Es gab eine Pause. Ich wollte wieder Alfred Hecht ins Spiel bringen.

– Sie hätten auf der Tagung doch lesen sollen. Wer weiß, Alfred Hecht zum Beispiel, er hätte vielleicht Interesse gezeigt.

– Ich mag ganz einfach der Öffentlichkeit nichts ausliefern, es ist mir zu – ja, erschrecken Sie nicht: zu kostbar. Doch. »Was soll mir Ruhm und Lorbeerkranz/Mir, der ich singen muß/Ein Lied von Geburt und Totentanz/Von Elend und Genuß.« Sehen Sie, die dritte Zeile, Hecht oder jeder andere würde sagen, sie holpert, bloß weil sie nicht perfekt ist. Dabei stimmt sie, verstehen Sie mich: sie stimmt einfach. Genau so, wie sie ist.

Ich sammelte Kraft und fragte in sein mit sich beschäftigtes, zu weiches Gesicht:

– Was halten Sie eigentlich von Hechts Lyrik?

– Oh, was ich davon halte? Verstimmt sah er an mir vorbei über den groben Acker. Mir fiel die Ähnlichkeit zwischen ihm und dem Acker auf. Er sagte: Ich bin kein Kritiker. Ich bin ein kleiner bescheidener Dorfpoet, ja!

Jetzt war er wieder ganz vergnügt oder vergnügter als vorher.

Da lag Kelk, hartnäckig wie eine Warze.

Um der Gerechtigkeit willen muß ich zugeben, daß Stiehl mir bisweilen auch recht angenehm war. Allerdings stets nur mehr oder weniger im Vergleich mit der Mutter. War ich mit ihr längere Zeit zusammen – an den Vormittagen im Haushalt, in dem ich mich umsonst zu betätigen versuchte, kam es mir vor, als übertrage sich die grobe Ungeschicklichkeit der riesigen Frau auf mich – und ging es endlich auf den Mittag zu, ersehnte ich schon fast die Abwechslung von Egberts Gesellschaft. Oft führte Egbert mich dann durch sprödes Land zur Grenze. Man konnte ihr auf ungefähr hundert Meter Distanz nahekommen. Ihm bedeutete es viel und Erschütterung. Er starrte von mir weg hinüber in das andere Land, aus dem er stammte und worauf sein Zyklus »Vaterland« sich häufig genug bezog. Dort hinaus und noch weiter weg kochte man nun nicht mehr so wie Mutter. Mir war, wenn auch nicht ganz wohl, sein Schweigen recht. »Heimaterde« hieß jenes Gedicht, das er in einem Wurf niederschrieb am Vorabend meiner Abreise.

Das Erstaunliche ist wahr: zu Haus vermißte ich ihn, Mutter und Kelk, selbst die Grenze, sogar das Rezitieren. Vielleicht wegen der leidigen Arbeit in Bibliothekskeller und Büro, aber nicht nur. Von Hecht sechs Zeilen auf einer Ansichtskarte. Ich war sehr reizbar. Meine Tante kehrte immer noch beinah den ganzen Tag und hielt dabei den Besen verkehrt herum. Immer noch konnte mein kleiner Neffe Messer und Gabel nicht gebrauchen. Meine Mutter ging geduckt und vorwurfsvoll mit Ischias durchs Haus. In der Bibliothek fing ich an, unter rätselhaften Kopfschmerzen zu leiden. Ich schlief schlecht. Ich dachte oft an Kelk und wollte nie. Abends, aber zu müde, schloß ich mich in einer dämmrigen Ecke ab gegen Anwesenheiten: auf der Suche nach dem Bild von Hecht. Verwischt und blaß! Es erschreckte und ärgerte mich. Wieder nahm ich mir vor, mit ihm zu telefonieren, und tat es diesmal mit kaum beachteter Aufregung in der Bibliothek. Wir tauschten Nutzlosigkeiten aus: ob er sich freue und ob das eine Überraschung sei, ja, und er freue sich und es sei eine Überraschung; in Kelk sei ich gewesen, bei Egbert Stiehl, ich hätte ein gutes Werk getan, nicht wahr, Nächstenliebe; er aber wußte gar nicht mehr, wer Stiehl war.

Doch zehn Tage später stand Hecht vor meiner Haustür. Die verstümmelte Verbeugung, steif und überholt. Seine Augen aufsässig und erschrocken. Er hatte mir dies vor Monaten angekündigt, unerwartet zu erscheinen. Ich war genau so entsetzt wie froh – was für ein Wort. Er war bräunlich angezogen wie immer und etwas verlottert. Ich meine: etwas trübe Fingernägel, schuppige Schultern, wenn ich mich recht erinnere, oder nur ungebügelt und verstaubt, ich übertreibe hierin vielleicht, und es ist lang her. Sein Lachen bewegte sein ganzes Gesicht, trieb Aufwand. Seine Frau und die Kinder hätten –. Sie wären alle miteinander –. Keine Ahnung mehr. Ich habe auch alles vergessen, was er mir erzählt hat von dem kleinsten Sohn oder vielleicht von der älteren Tochter oder der ältesten. Ich erzählte von Kelk, ebenso nutzlos. Er konnte nur ein paar Stunden bleiben. Es gelang mir, ihn aus dem Haus zu schaffen, ohne daß er mit irgendeinem Familienmitglied zusammengeriet.

Doch dann kam sein Brief. Hecht plante, noch vor Weihnachten sich von Frau und Kindern zu trennen. Kelk und Stiehl waren vergessen. Wir schrieben uns ja nun regelmäßig, und ich rief auch häufig an, er seltener, weil es für ihn schwierig war, im Büro Anrufe zu empfangen, aber das ging gut, und wir haben auch nie am Telefon irgendwas Heimliches oder besonders Privates zur Sprache gebracht, das lag uns beiden nicht. Selbst unsere Briefe blieben gehemmt und etwas verstockt, ich habe früher ganz andere Briefe geschrieben, aber wen wundert das, Alfred obendrein ist noch ein paar Jahre älter und vorsichtig von Haus aus, wie man sagt. In dieser Zeit machte mir die Bibliothek nicht viel aus. Um Weihnachten herum sollte ich Alfred sehen, hier oder bei ihm. Für nächstes Jahr – dann wäre er schon fertig mit seiner Familie, ich aber noch nicht mit Bibliothek und Büro – stand ein Aufenthalt an der See bereits fest.

Er kam dann noch vor Weihnachten. Sein runzliges Lächeln, nun auch für meine Verwandtschaft. Meiner Mutter war er nicht ganz geheuer: die leise Stimme. Aber nicht nur, weil sie schwerhörig ist, denn Hecht artikuliert genau; nein, es war das Leise selber. Sie hielt ihn wohl auch für träge und für zu sanft, sie ihrerseits findet trotz Ischias nie Ruhe. Doch mutmaße ich hierin lediglich, selbstverständlich hat sie sich mir gegenüber nicht über Alfred geäußert, und ebendas scheint meinen Mutmaßungen recht zu geben. Mir machte es sowieso nichts aus. Hecht blieb zwei Tage. An einen seiner bräunlichen Anzüge gelehnt, habe ich mehr getanzt als sonst im ganzen Jahr, was sage ich: in zehn Jahren. Er ist drauf aus, obwohl es nicht zu ihm paßt. Wir sprachen kaum miteinander. Wenn wir uns auch damals schon gut kannten, hatten wir immer noch Angst voreinander oder sonstwas. Oder nicht voreinander, sondern vor Mitteilungen, denn ich finde mehr und mehr, man kann gar nicht lang genug zögern, ehe man etwas sagt. Wir haben also außer den technischen Kleinigkeiten – wo tanzen wir, was trinken wir, welchen Weg entlang, wie spät, wie früh – nie viel miteinander geredet. Deshalb ist nichts dabei, daß er mir erst auf dem Bahnsteig und kurz vor Abfahrt seines Zugs mitgeteilt hat, seine Frau willige in die Trennung nicht ein und drohe mit – ich habe es vergessen.

Der Zug war überfüllt. Lauter Weihnachtsfahrer. Es war noch viel zu warm meiner Meinung nach für meinen Wintermantel: davon war die Rede. Ich habe dann sicher gesagt, ich fände es schade. Ich habe vielleicht auch gesagt: bedauerlich. Daraufhin hat er mir zugestimmt und war ganz gewiß einverstanden mit der Sprache, die ich für richtig befunden hatte. Schade. Bedauerlich. Oder auch: betrüblich. Wir haben nicht weiter darüber gesprochen. Das hat nichts damit zu tun, wie ihm nach Abfahrt des Zuges vielleicht zumute war und bestimmt mir, allein auf dem Bahnhof, in der Stadt, schließlich zu Haus. Ich weiß noch genau: kaum war ich einigermaßen ungeschoren in mein Zimmer gelangt, das heißt, ich hatte den verkehrt herum geschobenen Besen meiner Tante hinter mir und meines Neffen Wachsversuche, mit denen er mich aufhielt – eine Stadt aus rötlichem Wachs für die Mehlwürmer seiner indischen Drossel –, kaum war ich allein und wollte anfangen, mich mit dem zu beschäftigen, was Alfred eine »nicht so gute Neuigkeit« genannt hatte, da klopfte meine immer eilige Mutter an die Tür. Sie bringt es fertig, anzuklopfen und gleichzeitig zu öffnen, sie war also während des Klopfens bereits im Zimmer, aber nur mit dem Kopf und einem Stück Rumpf und ausgestrecktem rechtem Arm.

– Post! rief sie, warf etwas Gelbes ab und aufs Bett und ließ mich damit allein. Ein gelbes Päckchen für mich; ich aber wollte mir vormachen, daß mich nicht interessierte, was es war und von wem, ich wollte nicht, daß es mich interessierte, in diesem Augenblick, angesichts der betrüblichen, bedauerlichen Ungeheuerlichkeit, mit der ich beschäftigt sein wollte und sein mußte. In meinem Alter macht es doch schon viel mehr aus, wenn eine Möglichkeit sich zerschlägt. Ich durfte das nicht leichtfertig übergehen. Und so war mir auch gar nicht zumute. Aber dann kam mir der Gedanke, das Päckchen könnte von Alfred sein – ein netter Einfall gegen den ersten Schrecken – oder, ich glaubte kaum daran – was für ein Unsinn: ich habe unverzüglich das Päckchen aufgemacht, benommen und auf Ablenkung aus. Die Schrift, gleichmäßig, betulich, Musterbeispiel, ehrgeizig und einfallslos! Der Stempel mit irgendeiner wirkungslosen patriotischen Interjektion von dem der Grenze nahen Postamt. Kelk, die Volksschule, der Dorfpoet. Er sandte mir ein aschgraues Pappbändchen namens »Egbert Stiehl, ›Heimatlos‹, alte und neue Verse eines Weggenossen«. Dies stand schwarz in seinen eigenen Schriftzügen auf der Vorderseite der grämlichen kleinen Broschüre.

Ich schlug sie nicht sofort auf, sondern las zuerst den Brief: drei ordentliche Seiten. Unter den Gedichten fände ich zahlreiche »gute alte Bekannte« wieder. Er habe gerade solche ausgewählt, die mir besonders »gelegen« hätten. Mein Urteil bedeute ihm viel. Und nicht nur das: die Stunden, während der ich ihm und »Mutter« Gesellschaft geleistet hatte, seien von »tiefer Wichtigkeit« gewesen für seine »Arbeit«. Ich würde dies gewiß selbst entdecken auf den Seiten 20 ff. Nun schlug ich den Band auf. Doch vergeblich suchte ich nach anzüglichen Versen und mußte ihm zugestehen, daß er, sollte ihm nach Liebe zumute gewesen sein, sich beherrschen konnte. Mein Einfluß trat aber im Bereich der Form zutage. Von Seite 20 an reimte sich nichts mehr. Lange und kurze Zeilen wechselten ab miteinander. War es das, wofür er sich im Brief entschuldigen wollte mit den Worten, manches sei für meinen Geschmack vielleicht »etwas zu kühn«, ja »artistisch«? Ton und Thema seiner Machwerke hatten sich aber nicht verändert: Weltschmerz und Bezichtigung der Öffentlichkeit. Manch ein Poem der neueren Art endete nun unentschlossen mit drei Pünktchen, die Stiehl sich vielsagend dachte. Ich aber weiß, heute natürlich um vieles genauer, daß er, wenn immer er mit Pünktchen aufhörte, nicht weiterkonnte. Und obschon er langsam und geduldig wirkt, ist er zwar langsam, aber ungeduldig. Ich habe bereits erwähnt, wie es zugeht beim Notieren seiner Einfälle, die er gern Überfälle nennt, und wobei er ziemlich viel von denjenigen Empfindungen verbraucht, die auf einem gewissen andern Gebiet schlecht entbehrt werden können: ich glaube, die Braut hat diese Sparmaßnahme Egberts, der Höheres vorhatte und allein, nie in seinem Sinne gewürdigt.

Im Brief teilte er mir mit beziehungsweise: er vertraute mir an, er habe sich also, siehe Seite 20 ff., auf einen neuen Weg begeben, und er wisse noch nicht, wohin der ihn führe. Beklommen folge er selber nun seinen Inspirationen. Ich, die so Verständnisvolle, werde gewiß nachfühlen, wie sehr er noch im dunkeln tappe – ob ich ihm ein wenig mithelfen wolle bei der Lösung seiner Rätsel.

Ich wollte nicht. Vor Jahren hatte ich eine Freundin, die Briefe wie Egbert, aber in der passenden schlampigen Schrift schrieb, und damals fand ich das schön. Ich ärgerte mich über

Brief und »Heimatlos«; beides schien meinem Kummer um Alfred Hechts nicht so gute Neuigkeit wenig angemessen. Ich versuchte noch am gleichen Abend mehrere Briefanfänge an Alfred. Ich achtete immer darauf, so oder so die Wahrheit leicht zu fälschen. Entweder schwächte ich meine Verzweiflung ab und übertrieb mein Gefaßtsein: wie gut ich fertig würde mit der Aussicht, so weiterzumachen wie bisher, mit den bekannten Schrecken. Oder ich stellte meine unbestreitbare Begabung zur Resignation in den Schatten – denn ich kann mich an nichts erinnern, womit ich mich nicht verhältnismäßig leicht und rasch abgefunden habe. Also gab ich mich einmal als geschlagen und ratlos aus, ein anderes Mal sprach ich ihm Mut zu. Keine Version war durchaus erlogen oder ausgedacht. Das Erfundene war nicht frei erfunden. Warum blieb ich nicht bei der Wahrheit? Ich wollte von Brief zu Brief mich näher an sie heranmachen. Aber meine Sätze entkamen ihr immer wieder. Unwahr sämtliche Zutaten: diese auf Effekt bedachten Worte. War mir denn wichtiger, daß Hecht den Brief für ein Kunststück hielt, als daß er erfuhr, was ich mitteilen wollte? Aber was konnte er denn tun für mich? Warum dann überhaupt ein Wort, wozu, aus dieser Sackgasse?

Als ich schließlich das Briefschreiben sein ließ, tat ich es besonders im Hinblick auf die Hochachtung Hechts. Wo fände er zum zweitenmal eine Frau, die in derartigen Gemütszuständen auskäme ohne Brief, ohne Telefon, ohne Telegramm? Kurzum, ich schrieb Hecht nicht, vielleicht wollte ich mich durch Schweigen unentbehrlich machen. Er sollte sehen, wie schwierig es wäre, über diese Enttäuschung hinweg einen neuen Modus für uns zu finden.

Das Ergebnis war, daß Hecht ebenfalls nichts von sich hören ließ. Unnötig zu sagen, daß es bei mir wieder anfing mit Unschlüssigkeiten vorm Telefon oder abends am Schreibtisch und mit Kopfschmerzen im Bibliothekskeller. Meine Stelle verschlechterte sich auch, ich bekam unzugänglichere Regale,

72

das Wetter wurde kalt und regnerisch, aber das mag ich ja eigentlich. Immer noch neige ich zu Übertreibungen und muß mich darin Egbert Stiehl ähnlich finden: ein überraschender Gedanke. Die Weihnachtszeit war unangenehm wie immer, und wie immer kam jeder nur im mindesten Verwandte wenigstens für ein paar Teestunden, meistens aber für eine Nacht oder zwei, zum Beispiel mein Onkel, der Geiger, und Tante Berta blieb mit meiner Großmutter eine ganze Woche. Dick und streng thronten sie vor ihren alten unbeweglichen Bäuchen. Gebäck von morgens bis abends. Über meinen Berufswechsel wurde nun offiziell gar nicht mehr gesprochen, es war zu peinlich und in ihrer aller Augen ein Abstieg. Ständig wurde nach mir gerufen, unaufhörlich standen Mahlzeiten bevor und wechselten ab mit Musik. Während aber Mahlzeiten und Sonaten kamen und gingen, hielt der Streit an und gab den Weihnachtstagen Profil.

Und doch – die Erleichterung, mit der ich nach den Feiertagen gerechnet hatte, blieb aus. Vielmehr mußte ich feststellen, daß familiäre Widrigkeiten weniger wogen als die schwere Last meiner Arbeit, die ich als unverändert fremd und neu empfand und die außerdem nun, ohne Aussicht auf ihr Ende und ohne den erhofften Ertrag, die Zukunft mit Hecht, kaum noch auszuhalten war. Diese Müdigkeit – aber Müdigkeit ist nicht das Wort. Nach den Feiertagen machte ich mir klar, daß jetzt ein ganzes Jahr ununterbrochener Arbeit vor mir lag, Tag um Tag, langsam und zeitmessend, unterbrochen nur von drei Wochen Ferien. Schon morgens um halb acht beim Arbeitsbeginn war mir an der Seite meiner munteren Chefin Hurter und den Herren Willich und Oster gegenüber etwas schlecht in unserem nicht unfreundlichen Büro gleich am Eingang der Abteilung Propaganda, von der ich noch heute nicht sagen kann, ob sie im fünften oder sechsten Stockwerk liegt. Nach Weihnachten gab es in diesem Büro, in dem ich die einzige Neue war, gegen meine dringenden Hoffnungen keine Veränderung. Regelmäßig brachte der Postbote mir um sieben

Uhr vierzig meinen riesigen Stapel Zeitschriften. Wieder und wieder packte ich aus. Ich stempelte Heft um Heft, suchte in der Kartothek, das Alphabet murmelnd, nach den entsprechenden Karten, trug Nummern, Daten, Seitenzahlen ein. Kannte mich wieder und immer noch nicht aus mit Abkürzungen. FK, zLab, MD, MTV, VF – NL, IIIc. Ließ Zeitschriften zirkulieren, brachte andere in die Buchbinderei.

In der Vervielfältigungsabteilung sah in weißem Kittel ein Mann Alfred Hecht ähnlich. Ich ging gern und ungern dorthin und lernte ihn sogar kennen, weil er meinen früheren Beruf erfahren hatte. Er war Musikdilettant und spielte mit dem Gedanken, ein Trio zu gründen. Ich auch, aber nicht lang. Er sah Hecht nicht ähnlich genug und doch zu ähnlich. Mehr und mehr vergaß ich, wie Alfred wirklich aussah, ich stellte mir nun immer den weichen, vervielfältigenden Herrn Gast vor. Er hatte vorstehendere Zähne als Hecht, hatte aber Hecht überhaupt vorstehende Zähne? Wahr ist, daß ich Gast, der sich dran gewöhnt hatte, mir bei meinen Besuchen einen Keks zu schenken, fortan mied. Schwierig waren auch die Stunden im Ausleihkeller: nie habe ich das Zahlensystem verstanden, ich glaube aber, Fräulein Hurter hat ihrerseits das nie bemerkt, denn in meinem dreisten Halbschlaf bewegte ich mich erstaunlich sicher und machte nicht allzu viele Fehler. Auf dieses mir rätselhafte Geschick meines Trancezustandes muß es wohl zurückgeführt werden, daß sich Ende Januar mein Aufgabengebiet erweiterte. Ich bekam zusätzlich einen Bereich, in dem ich selbständig handeln sollte. Ich bestellte nun, mahnte, kontrollierte Rechnungen, leitete weiter, unterzeichnete mit meinem Namen, der sich unter Zahlenkolonnen, Stempeln und verkürzt auf zwei Buchstaben besser machte als sonst. Ich numerierte, drückte den häßlichen Stempel meiner Firma auf schöne Buchdeckel, hierbei wandte ich sogar etwas Gefühl aufs Bedauern.

Ich bekam nun auch wie meine Chefin einen Bürostuhl mit vier Rollen. Während aber sie, hurtig, wie es ihrem Namen anstand, stets diese Rollen ausnutzte und von Arbeitsbeginn bis Arbeitsschluß möglichst micht mehr aufstand, habe ich mich immer ein wenig geniert vor dieser Fortbewegung, sitzend und zu rasch. Auch brachte ich es nie über mich, es Fräulein Hurter gleichzutun im Herumschleudern unseres drehbaren Telefons in Richtung auf die merkwürdig passiven Herren Willich und Oster. Im Februar steckte ich schon so tief in den Fängen meines neuen Berufs, daß ich mich darauf einließ, zusammen mit zwei Sekretärinnen aus der Übersetzerabteilung auf Abzahlung einen Eisschrank fürs Büro zu erwerben. Ich habe nie fertigbezahlt, allerdings ja auch nie fertigbenutzt. Damals im Februar begann wohl doch meine Anpassung. Zu Hause galt ich als nachteilig verändert, abgestumpft, aber das wunderte keinen, ich musizierte ja nicht mehr. Ihnen zuliebe erwähnte ich ein oder das andere Mal Herrn Gast und sein Einmanntrio. Auf Befragen äußerte ich stets, ich bereue nichts, meine neue Tätigkeit sei mir viel lieber, und es kann sogar sein, daß dies zutraf. Allerdings habe ich mich nie richtig wohl gefühlt. Man wird meinem Unbehagen selbstverständlich die zerschlagene Hoffnung auf Alfred Hecht anrechnen müssen.

Was auch dran schuld sein mag: ich schrieb eines Abends an Egbert Stiehl. Mein Brief handelte nur von mir: von meinem Elend in Bibliothek und Büro und davon, was über Hecht sich sagen ließ. Schon zwei Tage später wog ich ziemlich gerührt Stiehls Antwort in der Hand. Ich dachte an ihn und die Narbe, stellte mir beide vor, war etwas verwirrt –. Nett von ihm: das mußten mehrere Seiten sein, und wie prompt. Mit seinem verschlossenen Kuvert fühlte ich mich auf einmal meiner sicher. Leider neige ich zu Neugier, wie schade. Ich hätte andernfalls die ungewohnte Zufriedenheit genießen können, solang ich das Kuvert zu ließ. Das aber geschah nicht. Ich las die Anrede noch mit Spannung. Seine Feder hatte ohne Nervosität das besitzanzeigende Fürwort vor meinen als lieb bezeichneten Namen geschrieben. Doch dann hatte ich

schnell den Text des mit fünf Blättern unterschätzten Briefs –
es waren sieben – entlarvt: das war, mit kurzen und an-
gestückelten Zeilen, keine Prosa. Es war, und das sechs DIN
A-4-Seiten durch, eine von Stiehl »Lebensfurt« genannte
»Elegie«.

Zuerst wollte ich glauben, unsere Botschaften hätten sich
unterwegs gekreuzt: Aber dann entdeckte ich ein Postskrip-
tum: er wolle ganz allein den »Dorfpoeten« zu Wort kommen
lassen, jene Stimme, die aus ihm spreche, sphinxhaft und
unbekannt. Ihr habe er meinen Brief anvertraut, eine Nacht
lang. Ich las immer wieder nur das: Stiehl hatte, Sphinxstimme
hin und her, eine Nacht lang sich mit meinem Elend beschäftigt. Es konnte ihm doch nicht entgangen sein, daß Alfred
Hecht und ich –, daß ich schlimm dran war –, daß jemand mir
zu Hilfe kommen mußte. Aber das tat er ja, auf seine Weise.
Ich behalf mich also damit. Ich hatte Stiehl in Bewegung
versetzt, nun wußte ich keinen andern mehr. In der »Lebensfurt« kam ich nicht vor, wohl aber Egbert, den ich in mehr als
einer Zeile fand und zwischen allen. Auch Grenze und Mutter.
Die Braut jedoch nirgendwo.

Ich ließ ihn ohne Dank und Antwort vorerst, aber nicht, um
ihn für meine leicht angewiderte Enttäuschung zu strafen,
sondern weil Alfred Hecht dazwischenkam. Es ist merkwürdig, wochenlang ereignet sich gar nichts, und dann kommt in
wenigen Tagen alles zusammen.

Ich erkannte Hecht sofort an seinem immer so zerstreut
wirkenden Herumstehen. Es war die erste und kürzere Pause
im *Rodrigo.* Diese Inszenierung hatte unsere kleine Bühne fast
berühmt gemacht. Man sah in jeder Aufführung unbekannte
Gesichter zwischen den geduldigen der Abonnenten. Hecht
stand am Rande einer kleinen Gruppe dunkel angezogener
Männer und fiel mir auch durch seine bräunliche Kleidung
auf. Mit verschränkten Armen schien er wie gewöhnlich nicht
teilzunehmen an der Unterhaltung seiner Gesellschaft, aber so
wirkt es immer bei ihm, immer meint man, er höre nicht zu

und denke an was anderes, und ist dann verblüfft, fast erschrocken, wenn er unvermittelt einen Satz oder nur ein Wort beisteuert, meistens etwas beinah Schockierendes, das dem jeweiligen Gespräch eine ganz neue Richtung gibt und das er ausspricht scheinbar gegen seinen Willen mit seiner komischen Stimme, freundlich und vorsichtig. Er sah sich um und kam mir noch gehemmter und noch schwerfälliger vor als sonst. Zusammen mit einem jüngeren Ehepaar, genau gesagt mit meinem früheren Verlobten und seiner Frau, und mit meiner Chefin Hurter befand ich mich in der Nähe der Kasse, also links von der Eingangstür, während er mit seiner Gruppe schräg gegenüber und rechts der Tür in seiner gewohnten Art scheu und unaufmerksam und von beidem das Gegenteil war.

Bei der ersten Gelegenheit lachte ich laut, um Hecht aufzufallen. Aber die Klingel fuhr mir dazwischen. Dieser Aufforderung folgten sogleich Fräulein Hurter – korrekt wie bei Dienstschluß in der Firma – und das Ehepaar, ich aber blieb zurück bei den Szenenfotos, angeblich, um sie zu betrachten. Ich spähte nach rechts, wo Richtung Zuschauerraum Abonnenten und Auswärtige schoben, murmelten, warm waren und dunkelgrau, schwarz, hell, rochen und leise lachten; und meine Beine waren –, meine Gliedmaßen fühlten sich an wie –, gaben mir ein Gefühl, als –. Ich fasse mich kürzer, es ist kein siebtes Weltwunder, daß ich Herzklopfen hatte und alles Zubehör. Ich weiß ja auch wahrhaftig nicht, wie lange ich so stand, bis Hecht höflich vor mir lächelte. Wie eh und je gab keiner von uns sich eine Blöße. Wir beide schienen über unser Zusammentreffen nicht erstaunt zu sein. Beobachter hätten uns für weitläufige Bekannte gehalten und nicht einmal für besonders erfreut über das Renkontre. Wir quetschten uns augenblicklich in den Zuschauerstrom, als hätten wir es jetzt sehr eilig, auf unsere Plätze zu kommen. Nach ein paar Worten, hartnäckig und stockend, über den ersten Akt des *Rodrigo* redeten wir nun beim Hineingehen gar nichts mehr und kamen im Gedränge auseinander. Er zeigte mir seine

Karte, rotes Papier meiner Platzgattung, aber drei Reihen weiter vorne. Er meinte, wartend an meiner Reihe, in der zweiten Pause würden wir uns ja wohl wiedersehen. Er oder ich, einer von uns gebrauchte das Wort »vermutlich«.

Natürlich habe ich im folgenden nicht mehr viel vom *Rodrigo* gehabt, aber immer, wenn später Fräulein Hurter noch von Stück und Inszenierung und auch von den Hauptdarstellern schwärmte, stimmte ich ein mit einem im Büro beinah unziemlichen Feuer. Ich durchforschte das Dämmer nach Hechts Hinterkopf und rechtem Profil, und als ich beide im Auge hatte, ließ ich nicht mehr ab davon. Vergebliche Versuche, nachzudenken, zu überlegen. Idiotisch, überhaupt wieder im Zuschauerraum zu sitzen. Ich dachte, daß wir statt dessen draußen stehen könnten im nächsten passenden Winkel und gegen irgendeine Mauer gelehnt. Immer aufwendiger erfand ich, was draußen zu tun wäre, indessen ich auf meinem Platz zwischen Fräulein Hurter und meinem ehemaligen Verlobten schwitzte und aushielt. Zwischendurch tat es mir allerdings fast leid, daß ich das Stück nicht genoß, diesen Abend, so wie ich ihn mir vorgestellt hatte seit einer Woche, zufrieden mit meiner bescheidenen Gesellschaft. Wenn man ein Leben führt wie ich damals, wird man anspruchslos und zehrt von kleinen Freuden. Zu spät fing ich an, einen verwendbaren Plan für die zweite Pause zu machen. Wie würde ich meine Chefin und die beiden andern los? Wie könnte ich, ohne meinem Stolz zu schaden, Hechts Verzicht auf den letzten Akt *Rodrigo* bewirken?

Rechts spendete Fräulein Hurter Beifall, wobei sie mir mitunter überglücklich-vielsagend zunickte, links tuschelte mein ehemaliger Verlobter nach links. Ich klatschte vorläufig mit und behielt Hecht im Auge. Er saß mit den immer hochgezogenen Schultern da. Dann fing er an, auf seinen linken Nachbarn einzureden, was mich nicht wenig verletzte, denn ich hatte ihn für ausschließlich mit mir beschäftigt gehalten. Als mein ehemaliger Verlobter abschließend und kernig noch drei kräftige letzte Male klatschte und als Fräulein Hurter, ermattet wie nach einer Orgie, die regsamen Hände in den Schoß sinken ließ, als vor uns und hinter uns bereits Zuschauer aufstanden und Hecht sich endlich umsah, unschlüssig, als ich es also so weit hatte kommen lassen, sagte ich, in der ersten Pause hätte ich einen Bekannten von auswärts getroffen. Fräulein Hurter meinte, das wäre nett, und sah neugierig aus. Hinter mir in der Reihe drängte mein ehemaliger Verlobter. Ich stieß Fräulein Hurter an, und wir drückten uns vorwärts Richtung Hecht, Ausgang, Foyer. Verkeilt mit dem friedfertigen, vom zweiten Akt aufgequollenen Publikum, hat dann Hecht mir seine und habe ich Hecht meine Gesellschaft vorgestellt.

Wir blieben während der ganzen zweiten längeren Pause so zusammen, in der Nähe der Kasse mindestens zu acht. Eine störrische Unterhaltung über den *Rodrigo* setzte sich schließlich doch gegen Stummheit durch. Ich tat alles, um mit Hecht nicht sprechen zu müssen, und kümmerte mich um einen fischartigen Herrn aus seiner Gruppe, der eine Weile träge an meiner Seite schwamm, bevor ich ihn dann verlor. Daraufhin widmete ich mich meinem ehemaligen Verlobten und dessen Anhang. Ich beobachtete, daß sie sich wieder mal einsilbig durch eine ihrer mühseligen Zwistigkeiten quälten. Ja, so wenig war ich von Hechts Gegenwart beansprucht, daß ich Genugtuung darüber empfinden konnte, meinen ehemaligen Verlobten los zu sein. Seine unerforschlichen Streitstimmungen. Sie überfallen ihn ungefähr wie Allergieschübe. Und ich habe immer in seinem eigenen Interesse gewünscht, er wäre netter und beherrschter, im Interesse seines eigenen Ansehens bei mir. Jetzt, in der »Rodrigo«-Pause, ging es mich nichts mehr an, sollte man meinen. Ich wußte mich von Hechts zudringlichen vorsichtigen Augen beobachtet. Da ich mit ihm nicht sprechen konnte, war dies edelmütige Theater die einzige Möglichkeit, ihm über mich zu denken zu geben. Schluß mit dieser Pause.

Nach dem Theater blieben wir allein zurück hinter der mit Fräulein Hurter endlich abfahrenden Straßenbahn. Hecht hatte, unvermutet entschieden, seine Begleiter abgeschüttelt. Mein immer noch streitsüchtiger ehemaliger Verlobter war zornig, den Kopf voller Vorwürfe, neben sein Opfer ins Auto gestiegen. Alfred Hecht und ich, wir fanden eine Bank vor der mannshohen Taxushecke im Park. Übrigens waren von jeher Küsse etwas unerquicklich. Aber es träfe nicht zu, wenn ich sagte: mir lag nichts daran. So wenig zutreffend wäre das Gegenteil. Hechts Gesicht kippte sich schräg zu mir herunter mit dem scheuen possessiven Ausdruck eines von seinem eigenen Erfolg eingeschüchterten Siegers.

Wahrscheinlich war die Nacht nach dem *Rodrigo* das Beste, was wir uns je geleistet haben. Am andern Tag fand ich es merkwürdig und unverzeihlich, daß wir überhaupt aufgebrochen waren und ich mich von ihm vor meiner Haustür abliefern ließ. Geradezu idiotisch. Aber ich erinnere mich gleichzeitig gut daran, daß ich erschöpft war und fror. Wir sahen ja auch dicke Atemwolken vor unseren Lippen. Ja, das Wetter war schuld, wer weiß. Es war zu kalt, kein Mensch hätte es länger draußen ausgehalten. Wir hatten den Mut, uns gegen vierundzwanzig Uhr zu trennen. Übrigens nehme ich an, daß er in der gleichen Nacht noch nach Hause fuhr.

Das war Ende März. Anfang April hielt ich mich für widerstandsfähig genug, um endlich Egbert Stiehl für die »Lebensfurt« zu danken, und tat es auf einer Ansichtskarte. Ich lachte jetzt ja über ihn und über mein winterliches Anlehnungsbedürfnis. Die Erinnerung an die Nacht nach dem *Rodrigo* wiederholte ich mindestens täglich und präzise. So sorgte ich dafür, daß unsere befristete Geschichte in Bewegung blieb, unermüdlich rührte ich auf, brachte ans Licht, erschreckte Trübungen, ließ es nicht dazu kommen, daß sich Bodensatz bildete. Auf diese Weise habe ich durchgesetzt, daß ich eine beliebige Szene zwischen Alfred Hecht und mir zu beliebiger Stunde reproduzieren kann, sooft ich will. Manchmal allerdings nur passiv als Zuschauer, dann wieder in meiner Rolle. Versteht sich von selbst, daß ich immer wieder versuchte, diesen zweiten Zustand zu erreichen, wenn er auch jedesmal einen wahren Notstand hinterließ. Nun, schließlich war ich in meinem Alter erwachsen genug, um zu wissen, was ich tat, und wenn ich mich nach meinen privaten Erinnerungsausschweifungen schlecht fühlte, so hatte ich es ja nur meiner eigenen Anfälligkeit gegenüber Versuchungen zuzuschreiben. Nein, ich konnte es nicht lassen und repetierte von Einstellung zu Einstellung diesen ruckhaften, schlechtgedrehten Film, als hätte ich an einer Stelle etwas verpaßt oder vergeudet und könnte jetzt noch seiner habhaft werden.

Sonst lebte es sich gar nicht so schlecht in diesen Frühlingswochen, ich war beschäftigt. Zwei- oder dreimal musizierte ich auch mit Herrn Gast Duos. Seine verzeichnete Ähnlichkeit mit Alfred Hecht war mir nicht mehr peinlich, ja, sie belustigte mich. Denn Alfred selbst rief mich nun jeden Montag zwischen neun und zehn an. Munter rollte Fräulein Hurter auf ihrem Stuhl in die entfernteste Ecke des Büros, wenn der Anruf kam. Herr Willich und Herr Oster verließen sogar manchmal das Zimmer, ich aber winkte ihnen jedesmal lachend zu, um ihnen zu zeigen, wie wenig ich ihrer Rücksicht bedurfte. Ja, es ging aufwärts. Hecht unterhandelte sogar wieder mal mit seiner Frau wegen der Scheidung, denn zusammen mit den Kindern bei Verwandten war sie damals seiner überdrüssig. Hoffnung für uns beide. Warum haben wir uns in dieser guten Zeit nicht öfter getroffen? Die Entfernung zwischen unseren Städten rechtfertigte unsere Lässigkeit nicht. Das Wetter war so gut. Aber immer nur war die Rede vom August, von unserem gemeinsamen Urlaub auf der Insel Norddamm. Ich spare mir die Beschreibung einer Vorfreude, der kein Wort gerecht wird.

August. Es ließ sich nicht anders einrichten: ich kam zwei Tage früher an als er. An Hechts Ankunftstag war mein Gesicht schon rot und rauh von der Seeluft. Ich fand mein

Aussehen nicht angenehm. Gereizt erwartete ich zwischen Pensionsinhabern, Hotelburschen und Feriengästen das Schiff, es war Abendessenszeit und kalt auf der ungeschützten Landungsbrücke, der Wind glich Sturm und ging mir auf die Nerven. Meine Haut brannte. Deshalb war ich gar nicht so schlimm dran, wie angenommen werden müßte, nein, es war nicht so entsetzlich, daß das Schiff ohne Alfred Hecht kam. Ich blieb als letzte zurück auf der Brücke und tat so, als habe ich gar niemanden erwartet, ich meine, den Arbeitern und der Schiffsbesatzung gegenüber. Mein Pensionsabendessen habe ich also an jenem Tag vergeblich ausfallen lassen. Erst am nächsten Morgen erreichte mich, aufgehalten durch das Chaos bei der Inselpost, seine Nachricht. Jemand war krank, und er schrieb ausführlich darüber.

Norddamm kannte ich in- und auswendig. Der Ort war mir verdächtig: zu viele Erinnerungen. Schon als Kind war ich ja hierhergekommen! Später mit meinem damaligen Verlobten, dann mit einer Freundin, dann mit Schwägerin und Neffen – ein abgegraster Schauplatz, selbst wenn er, zur Abwechslung, in diesem Jahr verstümmelt war von einer fast winterlichen Sturmflut. Durch riesige Bruchstellen in der Strandmauer, Dünenabbrüche und zerfetzte Buhnen, die wie geschlachtete Fischungeheuer unter dem Hochwasser lauerten. Überall probte ich meine Erinnerungsszenen mit Hecht. In der Trinkhalle ließ ich ihn vor mir auftauchen mit amputierten Verbeugungen. Im Lesesaal machte er mir mit den albernen Handbewegungen unterm Revers sein Herzklopfen beharrlich vor. Kein Platz, an dem er mir nicht die auf den »Rodrigo« folgenden Zärtlichkeit wiederholt hat. Wir lagen nebeneinander im Sand, wanderten längs des Spülsaums Richtung Osten oder Westen, und mir brauchte nicht einmal dran zu liegen, was der Wind mit meinem Haar anstellte, er sah es nicht oder fand es schön, und was er auch mit zu leiser Stimme sagte, es gereichte zu Lob, Ehr und Ruhm unserer Liebe, die nie friedlichere Tage gesehen hatte. Auf mein Gedächtnis angewiesen mehr denn je, sorgte ich dafür, daß neue Eindrük-ke es nicht belasteten. Mit andern Worten: ich blieb vom Morgen bis zum Abend allein und sah zu, wie ich mich erholte von einem erinnerungssüchtigen Tag zum andern, gegen meinen Wunsch: denn schließlich erwartet man von Leib und Seele doch eine gewisse Übereinkunft.

Wer bringt schon – vorsichtig genug – dralle Backen in Zusammenhang mit schwerem Kummer!

Wenigstens hat Egbert Stiehl zu mir gesagt, ich sähe blendend aus.

– Eine Überraschung, die mir gelungen ist, äußerte er und meinte sein unverblümtes Auftauchen in Norddamm, acht Tage nach Hechts Brief. Ich verwünschte Egbert und meine Mutter, die arglos meine Adresse verraten hatte.

Unzufrieden blickte Egbert jetzt in die Abendessenschüs-seln meiner Pension, die nun auch seine war, während seine Mutter mit einer Notunterkunft im Souterrain sich begnügte und ihren immer verdorbenen Magen selbst verpflegte. Daß er sie mitgebracht hatte, mißfiel mir besonders. Er aber schwärmte vom Reisen mit ihr. Sie bringe ihm Glück, und er finde jedesmal noch gute Unterkunft, selbst in der Hauptsai-son, wenn er sie bei sich habe. Und gar in diesem Jahr!

– Es ist ein Zufall und kein Glück, sagte ich, entschlossen, zuzuschlagen. Ihr Zimmer war für Alfred Hecht reserviert. Er konnte nicht kommen.

Ich habe wohl auch noch »leider« gesagt oder »bedauer-licherweise«, aber nicht laut, und Stiehl blieb dabei, sich glücklich zu preisen. Nun beugte er sich leicht über dampfen-de Pfannkuchen, sah mich an mit einem Ausdruck, den er in der »Lebensfurt« zum Beispiel als »bewegt« bezeichnet hätte, seine Stimme war sanft-ernst-verhalten und so fort, etwas kreidig wie immer, stets kurz vorm Räuspern:

– Das ist ja mein besonderes Glück, ja, wenn es für Sie auch grausam klingen mag.

– Was denn, fragte ich ahnungsvoll.

– Daß Herr Hecht nicht hat kommen können, sagte Stiehl eindringlich, Wort für Wort, sah mich dabei an mit einem Blick, dessen Zähigkeit nachließ; denn langsam, langsam ging er dazu über, wieder an sich selber und Pfannkuchen zu denken. Meinen empörten, bedeutungsvoll gemeinten Ausruf nahm er nicht mehr zur Kenntnis. Wir aßen weiter. Nach dem letzten Schluck Bier fand ich genug Schwung, um in einem knappen Satz mitzuteilen, ich selber allerdings wäre höchst traurig darüber gewesen, daß Hecht nicht hatte kommen können. Es muß aber so geklungen haben, als läge mir an Hecht etwa so viel wie am Bäder-Reise-Kabarett »Die Bornierten«, das ebenfalls sein angekündigtes Kommen abgesagt hatte und auch mein bereits gezahltes Eintrittsgeld wieder herausrücken mußte.

Eine Woche mit Egbert und Mutter lag noch vor mir. In kurzen Hosen und häufig schaufelnd entsprach Egbert genau seinem Ideal von Bubenhaftigkeit. Zwischendurch aber lehnte er matt und elegisch am Strandzelt, Blick Richtung Meer, Himmel, Horizont beziehungsweise: »unermeßliche Weite«. Oder er saß verdrossen am Wall, den er in einer glücklicheren Verfassung zu hoch aufgeworfen hatte rings um unsern seitdem zu schattigen Sitzplatz, dreht mißvergnügt die Zehen im Sand und äußerte auf Befragen, es gehe ihm wieder mal was durch den Kopf. Die Mutter hatte wenig Spaß an diesem Ort. In ihrer steifen Kleidung saß sie ratlos im Zelt. Ihre merkwürdigen Handschaufeln kamen ganz zur Ruhe angesichts des Meeres. Es brachte sie aus der Fassung. Am liebsten hielt sie sich in ihrer dämmrigen näßlichen Notunterkunft auf, richtete dies und das, rührte seltsam ungenießbare Diätsuppen an. Hier unten und vor Breitöpfen wußten ihre Hände sich endlich wieder zu helfen.

In dieser ungebetenen Gesellschaft erreichte mich ein zweiter Brief von Alfred Hecht. Er handelte von Verpflichtung, Verantwortung, Verzicht. Etwas mit seiner Frau, ich glaube, sie wollte sich das Leben nehmen, falls ich jetzt nicht übertreibe. Ich aber, ich, die er liebe nach wie vor und bestimmt sein Lebtag, ich sei stark, oder sagte er: zäh. Genau wie er, ja, ich glaube, zäh nannte er mich und dann uns beide. Wir seien uns demnach ähnlich und überhaupt nicht trennbar und demnach vereint und verpflichtet dadurch – und was nicht alles. Kurzum: mehr Gemeinsamkeit konnte man sich gar nicht wünschen.

Während der letzten drei schon herbstlichen, doch sonnigen Tage an der See wedelte ich mit Hechts Brief Stiehl vor der Nase herum, immer hatte ich den Brief in der Hand und sah gedankenvoll-zärtlich aus, ich nehme es wenigstens an und beabsichtigte es. Egbert sprach über Mutter weg kaum von sich und seinem Werk, nicht einmal von der Grenze. Er ließ mich vielmehr wissen, er habe meine Familie liebgewonnen. Bei seinem Besuch in unserem Haus, wo er mich anzutreffen gehofft hatte, war ihm mein übellauniger Neffe vorgekommen wie ein »kleiner Engel«. Meine besenbewehrte Tante schilderte er mir als »emsiges Tantchen«. Kam die Rede auf meine Mutter, die der Ischias reizbar gemacht hat, so blickte er vielsagend, während er Schwager und Schwägerin als »goldrichtige Leutchen« »ganz reizend« fand. Geduldig zuckte die Narbe neben seinem unermüdlichen Mund. Wir lagen im Sand. Fett glänzte in seiner Zwerchfellgegend. Sein Bauch bebte leicht. Er könne nicht umhin, meine Familie gern zu haben, neineinein. Und er brauche das, den Schoß der Familie. Lisabeth, die Arme, sie habe es nicht begriffen und konnte ihm auch damit nicht aufwarten, Waise, die sie nun mal war. Übrigens, Lisabeth: es sei beiden ganz leichtgefallen, auseinanderzugehen. Sie habe verstanden, Egbert brauche die geistige Gemeinschaft. Und es gebe da auch einen noch jungen Mann, einen netten und einfachen Menschen, der sie wohl recht gern habe.

Sein Nabel lag weiß und rund wie ein für alle Zeit verschlossenes dickes Lid im bräunlichen Fleischhügel. Schweiß gab der ungeübten Haut Ansehen. Seine lyrischen

Knie, desgleichen Zehen, sonderbar dünn. Bodenwellen der Waden. Mittelgebirgslandschaft Stiehl. Ich griff nach Hechts Brief, zerrte ihn ein Stück aus meiner Tasche, raschelte damit herum. Er aber, bei zugeklappten Augen und geschäftiger Narbe, sprach vor sich hin entstehende Gedichtzeilen. Sein Feuchtigkeit liebender Mund gab keine Ruhe. Das Gedicht handelte nicht von mir. Vom Meer war die Rede, und sogar Mutter im Zelt lächelte in einer gedämpften Anerkennung der Landschaft, die ihr zu schaffen machte.

Mir blieb Zeit für meine ordentlichen Erinnerungen. Bald war es ein Jahr her seit der Tagung, auf der ich mit Alfred Hecht eine Zukunft vorbereitet hatte, die ausgeblieben ist. Pläne und ihr Scheitern. Sein Weihnachtsbesuch. Mein Februarbrief und seine gereimte Antwort. Der *Rodrigo*, der 29. März im Theaterpark. Im Frühjahr Gedächtnisübungen, dann die Montagstelefonate. Vorstudien für den August. Das Meer, das Schiff ohne Hecht und seine Verordnung: Verzicht gemäß unserer Zähigkeit. Doch abends, allein in meinem Pensionszimmer, übte ich mich im Schreiben an niemanden. Einen dieser Briefe widmete ich dem Thema Egbert Stiehl. Auf sechs Seiten versuchte ich, seine Qualitäten zu fixieren. Da war zum Beispiel seine mir sehr angenehme – es ist mir jetzt entfallen. Ich habe wohl »Verträglichkeit« anführen wollen, aber sie gilt nur bedingt. Ich neige wohl dazu, Ungünstiges hervorzukehren, und gleiche hierin Egbert, der als Lehrer und Gemeindemitglied, neuerdings auch im Kirchenvorstand, munter, ja optimistisch wirkt, während doch die wahre Welt seiner Verse verdüstert ist von Mißtrauen und gekränktem Stolz. Ihn wie mich könnte man der Verstellung verdächtigen.

Anfang September sind wir bei Regen abgereist, und ich unterbrach die Fahrt in Kelk, es liegt auf dem Weg. Meine Kündigung wurde im Büro aufgenommen, als habe man sie erwartet.

Am 1. Oktober haben wir geheiratet, Stiehl und ich, immer noch braun von der See.

Habgier

Gestern ist es passiert. Wir können es noch nicht glauben, Vater und ich. Vater: das ist mein Mann. Wir nennen einander Vater und Mutter, weil wir finden, es schließt uns noch enger zur Familie zusammen und zahlt sich aus. Vaterautorität und Mutterschaft – sie sollten nicht durch irgendwelche privaten Vornamen behelligt werden. Wenn man einem Kind rechtzeitig zu verstehen gibt: dies ist eine Mutter und nur eine Mutter und keine Susi Margot Elsbeth, was weiß ich – so muß das einfach auf den Instinkt und so weiter einwirken, denken wir uns wenigstens. Wir sind ja nicht Leute, die in den Tag hineinleben. Wie viele Familien gibt es ringsum, wo alte Eltern auf die gerechtfertigte Dankbarkeit ihrer Kinder verzichten müssen, anders ausgedrückt: auf fremde Hilfe in Heimen und sonstwo angewiesen sind. Vater und ich, wir finden allerdings, diese dann zwar Bedauernswerten sind im Grunde selbst schuld an ihrem Los. Zur Dankbarkeit muß man sein Kind vom ersten Tag an, ich möchte fast sagen: vom Mutterleib an erziehen. Immerhin: man schenkt ihnen ja das Leben, eine Gabe gewissermaßen aufs Geratewohl. Die Liebe zu Vater und Mutter kommt nun mal der Rückerstattung einer Schuld gleich, aber einer schönen Schuld, in der Tat. Der schönsten, würde ich sagen.

Gestern ist es passiert. Ich faß es nicht. Vater, zu dem ich übrigens aufblicke, kommt offenbar eher drüber weg – doch dies mutmaße ich lediglich, denn daß er jetzt schon wieder sich mit Großmutters Testamentsentwürfen befaßt, tief drüber gebeugt und kritzelnd und auf Änderungen aus, daß er das tut und somit unser Familienleben weitertreibt in Richtung Erbe, das hat wohl nichts mit seinem Schmerz als Vater Kurts zu tun, Schmerz nicht nur, wir sind auch sehr aufgebracht, sehr.

Schrecklich. Alles ging so glatt, seither. Vor allem nach Töchterchen Gittis Geburt, dieser Belohnung für vier Söhne. Gittilein, wirklich noch süßer, als wir's zu träumen wagten. Und ideale Paten. Natürlich spielt es eine Rolle, daß Gitti so reizend aussieht: die ohnehin großzügige Tante Bertel kann sich gar nicht oft genug mit immer geschmackvollen, immer brauchbaren und immer außerdem noch kostspieligen Geschenken zeigen. Gitti: das war und ist wirklich ein Treffer. Auch im Hinblick auf Irenes Patenschaft: sie kriegt keine Kinder, diese Arme, und sieht dies nun auch ein, hat sich damit abgefunden und ganz und gar auf Gittilein eingestellt; reich ist sie nicht, gewiß, aber Liebe vermag viel, gerade so eine Abart, gemischt mit Verzicht, na, und alldem, Traurigkeit, was weiß ich. Übrigens: Paten! Ein Kapitel für sich, weiß Gott. Bei Manfred, unserm Zweiten, hatten wir Pech. Onkel Max brachte sich ja sogar um! Heut lacht man drüber, aber damals war's ein rechter Schock für Vater und mich, immerhin war Manfred erst drei, und mehr als zehn Jahre Patenschaft fielen buchstäblich und um so mehr ins Wasser, als es das Wasser war, die graue belgische See, wo Onkel Leichtfuß seinen Tod suchte und fand. So blieben bei Manfred damals nur Onkel Herbst, dessen Geschäft von Jahr zu Jahr schlechter ging, und mein Bruder Theo, ein regelrechter Reinfall und alles andere als kinderlieb. Man weiß eben nie, ich meine, man ist kein Prophet, obschon – in den andern Fällen waren wir's eigentlich, Propheten, meine ich. Eberhard, unser Ältester, na, der hat doch großes Glück gehabt, und weit über die Konfirmation hinaus verlor Onkel Willmann nicht das Interesse an ihm; es hat sich auch außerordentlich bewährt, daß wir Eberhard von vorneherein auf Musikliebhaber abgerichtet haben, erstens: weil schließlich doch eine wahre Liebhaberei daraus wurde, und wie herrlich ist's, Musik zu lieben, nichts gegen ideelle Werte; zweitens: weil durch diese Orientierung in seine Geschenke ein gewisses System kam, er hat ja schon eine richtige kleine, wie sagt man, Diskothek, sagt er. Klavier war bis zum heutigen Tag doch immer noch zu teuer, dafür bläst er Flöte und besitzt, ohne sie zu blasen, eine Klarinette, außerdem Gitarre und fürs Schulorchester einen Triangel. Es ist schon nett, dieser ordentlichen, vernünftig kontrollierten Entwicklung zuzusehen. Vater und ich, wir fanden auch von jeher, daß es gut ist, einen kleinen Künstler in der Familie zu haben, der ist dann zuständig für kleine Darbietungen im größeren Kreis an Weihnachten etwa, Eberhard hat in jedem Jahr unterm Baum was Hübsches vorzuspielen, es macht sich gut, ja, abgesehen vom Gewinn, besonders Onkel Rehbein gibt immer reichlich.

Und Eberhard hat auch gestern gespielt. Gestern war Konfirmation unseres Dritten, Kurt. Ich red' jetzt gar nicht von all dem Kummer, den er, gerade er, seinen Eltern bereitet hat. Jetzt erst wieder, zum Muttertag kürzlich, stand doch er als einziger mit leeren Händen vorm Gabentisch. Allerdings, woher dies Versäumnis stammt, das wissen wir: aus der Quelle Theo und Frau; mein Bruder Theo hat für vierzehn dringende Ruhetage, die Vater mir verordnete, Kurt aufgenommen – Eberhard war bei Rehbeins, Manfred bei den Großeltern, wo er übrigens sehr hübsch und gegen fast großzügige Bezahlung den Garten betreut hat –, Kurt wie gesagt bei Theo und Schwägerin Karla, Mopi bei – na ja, es ist nicht so wichtig und hat wenig mit gestern zu tun, nur noch dies: Gittilein blieb bei uns und schadete meiner Erholung keineswegs. Süß ist die, oje! Bei Bruder Theo und Frau hat Kurt zersetzende Äußerungen vor allem auch über den Muttertag zu hören bekommen, das ist uns völlig klar, und deshalb stand er neulich an jenem sonnigen Morgen fast patzig und ohne Geschenk mir gegenüber, immerhin mit Schwierigkeiten beim Aufblicken. Nun ist zwar Kurt unbemittelter als seine Brüder, da er ja leider, leider für gute Noten nichts einheimsen kann: seine Schuld. Und spart für ein Rad. Schön. Das hat aber nichts damit zu tun, daß er seiner Mutter an diesem Tag – nun, es stammt von diesen beiden, die ihm was erzählt haben von Politik, ich frag' mich, was sollen Kinder mit solchen Erörterungen und Aufschlüssen, was sollen sie damit, was geht es sie an, inwiefern rüttelt an ihrer eigenen Mutterverehrung der Vorwurf gegen eine politische Vergangenheit, von deren Schlechtigkeit ich allerdings, was soll ich's verschweigen, den ganzen Komplex rings um die Frau, um das Bild der Mutter, durchaus ausklammern möchte –, eine Mutter muß verehrt werden, basta. Die Würde der Mutter, ja. Des Mütterlichen. Wert und Notwendigkeit, die Mutter zu feiern – dies tilgt kein politisches Schönheitsfehlerchen, bestimmt nicht.

Auf Grund einer reizenden Idee unseres Vaters servierte die ganze Familie mir diesmal meine Geschenke auf einem entzückenden neuen Teewagen, direkt ans Bett, ich hab' aber doch erst später am Frühstückstisch ausgepackt. Blumen, Blumen, selbstverständlich. Von Vater ein Schmuckstück, das ich hier nicht weiter erwähne und auch nur Eberhard als dem Ältesten gezeigt habe, von Eberhard selber süße Servietten mit Etui, von Manfred eine kleine niedliche Maus aus Holz, sehr niedlich, wenn ich auch mit dem Gedanken spiele, sie entweder schon in diesem Jahr oder im nächsten am 4. 8. an Erika weiterzuverschenken, ihr Geburtstag ist immer so prekär, mitten in der Ferienzeit, man hat einfach so wenig übrig dann.

Mopi war weniger großzügig und hat sich mit einer Pralinenmarke begnügt, deren Preis ich kenne – aber immerhin, ich will nichts sagen und habe nichts gesagt, er ist unser kleiner Geizkragen und, offen gestanden, Vater und ich lassen ihn dabei, warum nicht, vielleicht ist's sogar mal er, der Großvaters Geschäft übernimmt, und wir haben nichts gegen Sparsamkeit, gewiß nicht. Und Gittilein, der weißblonde Schatz, hielt zwischen den zuckrigen Speckfingerchen eine

Orchidee – natürlich von Vater gekauft, aber war das ein Bild, zum Malen! Ja. So viel über den Muttertag. Zusammenfassend: eine Mutter, ich sage das in aller Bescheidenheit, ist doch nun mal ganz was anderes als ein Vater, ich meine: mehr. Sie ist mehr, doch. Bei allem Respekt für Väter, bestimmt. Mutter sein heißt – na ja. Es ist schon wahr. Sie vermehrt ja auch die Familie. Sie schafft ihr den Besitz an Kindern.

Gestern, gestern, gestern. Ich bin sonst gar nicht so. Ich bin sonst beherrscht, wirklich. Kurts Konfirmation. Kurt, der Sorgensohn. Sorgen, in der Schule und wo nicht. Bockig und halsstarrig, wie er sich aufführt, trotz Jugendgruppe, sie formt ihn längst nicht so wie die Brüder, Manfred zum Beispiel hat so unglaublich profitiert in seiner Gruppe, Sektion »Schwert und Siegel«. Dennoch haben Vater und ich beschlossen: seine Konfirmationsfeier soll er haben, natürlich etwas knapper als bei Eberhard und Manfred, aber immerhin, Sekt mindestens, schon im Hinblick auf die Verwandten und so, Kurts Paten haben schließlich ein Anrecht auf etwas Stimmung. Ich mag Konfirmationen. Ich mag sie lieber als Geburtstage, von Weihnachten ganz zu schweigen, das rentiert sich ja kaum noch, wenn die Verwandtschaft groß ist wie bei uns, ich meine, die noch so generöse und auch wohlhabende Tante Bertel zum Beispiel kann einfach nicht pro Kind mehr als einen Zwanziger veranschlagen, allerdings macht neuerdings unser Gittilein eine Ausnahme, sie ist halt zu süß, bei ihr hört man auf zu rechnen, vollends Irene, die ihr kürzlich ohne jeden festlichen Kalenderanlaß ein goldenes Medaillon schenkte mit eingravierten Initialen und Adresse, damit sie niemals verlorengehen kann, entzückend und sicher hübsch teuer. Es gibt Paten, die sich kaum rühren anläßlich eines Geburtstages, gibt's!

Aber an einer Konfirmation kommt keiner vorbei. Man kann zur Kirche stehen, wie man will, und wir, Vater und ich, wir stehen ihr gar nicht mal so nah, ich meine: nicht übertrieben – aber ich finde, für Feierlichkeiten sorgt sie, das ja. Und so ein Konfirmationswunschzettel sieht denn auch viel stattlicher aus als irgendein anderer. Nun sagte ich also, genau wie zu den anderen Söhnen seinerzeit, vor einigen Wochen zum diesjährigen Konfirmanden Kurt: Denk dir Wünsche aus, sie dürfen kostspielig sein, wertbeständig, Dinge fürs Leben wie Werkausgaben, Uhr und Ring, Barometer; und dann haben wir Eltern die Preise gestaffelt, Paten und übriger Verwandtschaft zugedacht, was sie übernehmen sollten. Wir geben uns Mühe mit unsern Kindern, wahrhaftig. Es kostet uns nebenbei bemerkt auch ein ganz nettes Sümmchen allein fürs Telefonieren. Bis man alles richtig organisiert hat, herrje! Da will Onkel Becker den Globus nicht übernehmen, weil er sich goldene Manschettenknöpfe in den Kopf gesetzt hat, und die hat längst Tante Schneider in petto. Es sind also gar nicht mal immer die Preise, die uns bei der ganzen Koordinierung zu schaffen machen. Einfach so. Und dann haben wir Leute in der Verwandtschaft, ich nenne keine Namen, ein Ehepaar insbesondere, kinderlos selbstverständlich, Leute, blutsverwandt leider, die sich um unsere Wunschzettel nicht kümmern. Ich ruf' sie also an, sagen wir, vor Eberhards Geburtstag: Eberhard braucht dringend neue Socken, sag' ich, er wünscht sich allerdings einen Dynamo. Von jemand Nettem bekäme er daraufhin beides. Vom jemand Geizigem bloß die Socken. Die Leute aber, auf die ich anspiele, schenken ein Buch statt dessen. Nur als Beispiel.

Gestern, o gestern. Sein Tisch war gut bestückt, Kurts Tisch. Undank ist der Welt Lohn, schön, aber ich dachte immer, das gilt nicht für unsere Familie. In unserer Familie wird das Wort Dankbarkeit groß geschrieben. Es rentiert sich. Doch gibt es ja Außenseiter, es gibt ja Kuckuckseier, die in ordentliche, nette, vernünftig gepflegte Nester gelegt werden, von wem und wozu? Womit haben wir das verdient, Vater und ich? Oder beispielsweise auch jemand so Unschuldiges wie Gittilein? So einen Bruder, womit? Der gute Vater, da sitzt er und überlegt, wie er die Großmutter zu unseren Gunsten, das heißt: zu der

Kinder und also auch zu Kurts Gunsten, wie er sie – reinlegen ist nicht das richtige Wort, und es will mir nicht auf die Zunge. Wie er ihr Testament etwas korrigieren kann, ich meine, sie muß ja bedenken, daß Theo sowohl als auch Irene ohne Nachkommen sind, daß man dies einrechnen muß, und wir haben schließlich fünf Kinder, fünf, und nicht ohne Grund, Familien rentieren sich erst von einer gewissen Größe an, wenn man sie organisiert und alles schön plant wie wir, nur dann freilich. Von den Opfern einer Mutter red' ich jetzt gar nicht. Ich red' nicht von all dem Verzicht und so.

Na, also Kurt, der gute Paten hat dank der Umsicht seiner Eltern, Kurt, für den wir gesorgt haben wie für die andern auch, in jeder Hinsicht, Kurt, den wir haben erziehen wollen zu einem, der es so weit wie möglich bringen soll – denn das wünschen wir uns für unsere Kinder: Erfolg im Leben, ich meine, mit allem Drum und Dran, Besitz, Wohlstand und so, gar nicht, daß wir dächten: Geld allein mache glücklich, das nicht, aber –. Aber zum Beispiel freut nichts uns mehr, als zu entdecken, wie eins der Kinder an sich selber denkt und emsig spart für irgendeine Anschaffung, und wenn's hierbei auch reichlich oft zu Streit kommt, meinetwegen aus Mißgunst: schadet nichts, das Leben später ist auch nicht anders. Jeder muß sehen, wie er das Beste für sich herausholt. Kurt, den wir wohl Unzufriedenheit, nicht aber die gewisse Kühle unserer elterlichen Empfindungen fühlen lassen, Kurt, der uns fremder ist als die andern, nicht geheuer, aber lieb und wert, wie es sich gehört – Überschwang mögen wir sowieso nicht –, Kurt hat gestern seine Eltern und Geschwister, ja seine gesamte Verwandtschaft beleidigt und enttäuscht. Sein Gabentisch, dies erwähnte ich bereits, war standesgemäß bestückt. Globus, Barometer, Lexikon, Manschettenknöpfe – übrigens: der Pfarrer hat auch schuld, viel sogar. Ich werde mit Vater drüber reden. Jesaja, wie kann man nur, da gibt es doch auch andere Stellen, und dann: Apostelsprüche sind doch viel passender für einen Jungen von knapp fünfzehn. Auch Geldgeschenke,

Scheine! Leider Scheine, muß ich jetzt sagen. Und zunächst haben gerade sie mit ihrem höheren Wert uns so viel Freude gemacht! Zugegeben: manches Unnütze, das bleibt nicht aus und macht nichts; für alles gibt es Verwendung, so oder so. Er hätte den zweiten Brieföffner schließlich gut zu Onkel Rudolfs Geburtstag – anstatt – lieber Gott nein. Wirklich: so was von einem Pfarrer. Was soll denn das, frag' ich mich, die Auswahl eines solchen Konfirmationsspruchs, ohne jede Feierlichkeit. Ich selber hatte seinerzeit – im Moment entfallen, komisch.

Gestern, gestern! Wir sind mit unsern Sektgläsern – Kelchen! Mit den Kelchen raus in den Garten gezogen, und Onkel Rehbein übernahm's, die Gruppenaufnahmen zu machen, wie bei Eberhards Konfirmation, selbstlos, wie Onkel Rehbein ist und durch seine Hasenscharte wohl auch etwas photoscheu. Erst beim dritten Bild, Gott, waren wir lustig, fiel einem von uns auf, daß die sogenannte Hauptperson fehlte, also Kurt, Kurt war nicht zu sehen. Aber zu hören! Lärm, häßlicher als sonstwann – und ich als Mutter von Fünfen hab weiß Gott viel Lärm gehört in meinem Leben –, scheußlicher Krach trieb uns zum Wohnzimmerfenster. Auf Marweller-Edelfliesen zerschellte, als ich hinzukam, das Barometer. Globus, goldene Uhr unterm zerrupften Nachschlagewerk begraben und Taschentücher mit Monogramm – K. L., das Monogramm von Großvater Lehmann, bloß für unsern Kurt passend – und die Geldscheine, die schönen Scheine, zerrissen, in Fetzen –. Ich rede jetzt lediglich von den Haupteindrücken.

Und Kurt am Fenster, Kurt, der fortfuhr, seine Geschenke zu zerschmettern, alles bis zur letzten freundlichen Kleinigkeit. Oh, frag' ich mich, womit haben Vater und ich, womit hat unsere rechtschaffene Familie das verdient? Solch ein Mißverständnis, denn das war's, ein Mißverständnis. Was soll aus Kurt werden, was? Entsetzt rannten wir alle ins Zimmer, wo doch nichts mehr zu verhindern war. Verloren alles, zuschanden, nichts zu retten außer dem versilberten Korkenzieher von

unserem Eberhard: er hat ihn heut morgen von Vater zurück-
bekommen, feierlich überreicht anläßlich eines kurzen, aber
ernsten und auch stimmungsvollen Strafappells für Kurt. Und
Sekt wurde vergeudet! Bei diesem Hin und Her auf der
Terrasse kein Wunder, und ein Sektkelch, meines Bruders
Theo Sektkelch übrigens, zerschellte, schlimmes Geräusch,
diese Kelche sind mir teuer, stammen sie doch von – ich glaube
von Großtante Betti, aber von wem auch immer, sie sind
wertvoll, ich sah neulich ganz ähnliche bei Scheltz im
Schaufenster für ungelogen vierundzwanzigneunzig das Stück.
Ein Mißverständnis, ja. Kurts Konfirmationsspruch, genagelt
gegen eine Querleiste der Tür – nebenbei bemerkt frisch
gestrichen, unser Manfred hat erst vor drei Wochen sämtliche
Rahmen und Leisten frisch gestrichen, einsfünfzig pro Rahmen, fünfundsiebzig pro Leiste, und wenn ich jetzt sage: zu
Ehren Kurts, klingt das wie Hohn –, dieser Spruch von Jesaja
sollte uns allen das Zerstörungswerk, die Schandtat erklären.
Jemand las ihn laut vor, jemand hat leise gelacht, vielleicht vor
Schreck, mich hat's trotzdem gekränkt, denn ich habe in den
Trümmern von Globus, Barometer, Uhr und was weiß ich
geweint. *Wer Unrecht haßt samt der Habgier und seine Hände
abzieht, daß er nicht Geschenke nehme, der wird in der Höhe
wohnen, und Felsen werden seine Feste und Schutz sein.*
Den Pfarrer müßte man verklagen, bestimmt. Das Ärgste ist
ja gar nicht der Verlust der schönen, nützlichen und auch
unnützen, bloß netten Dinge. Das Ärgste ist, daß wir Kurt in
eine Anstalt geben müssen. Fragt eine Mutter, wie schwer so
was fällt. Vorübergehend, aber immerhin. Man muß das ja
behandeln, finden wir. Keine Kleinigkeit für Privatkassen-
leute wie Vater und mich.

Picknick

Das Laub war zu feucht, der Boden kalt; wir wußten nicht, wohin wir uns setzen sollten, standen herum. Ich sah Marios gebeugten Rücken, seine städtischen weißen Finger, die das Holz im offenen Backsteinofen schichteten. Hanna schlenkerte das Netz mit der Wurst, ließ es sacht gegen ihr Bein schlagen.

– Streichhölzer! rief Mario.

Fritz warf sein Päckchen vor das Steinviereck, versenkte sofort wieder die Hände in den Hosentaschen.

– Jedenfalls ist das Mist, so rumzustehen, sagte Hanna, da vergeht mir gleich der Appetit.

Mario richtete sich auf, starrte in die zittrige Geburt seines Feuers.

– Entweder so oder so, sagte er, ihr wolltet sie nicht dabeihaben, und jetzt müßt ihr's in Kauf nehmen, daß kein Komfort da ist.

Er hockte sich, federte in den Kniegelenken; er sah nicht weg vom Feuer.

– Wenn sie 'ne Abkochstelle anbringen, könnten sie auch für 'ne Sitzgelegenheit sorgen, nörgelte Fritz.

Ich drückte meine Schuhspitze ins Laub, kratzte nasse Erde zwischen die Blätter, bröcklige schwarze Würmer. Im Ofen sackten die Hölzer knackend ineinander, die Flammen warfen zuckenden Schein auf die Backsteinwände.

Mario stand auf, rieb vorsichtig die Fingerkuppen, klopfte eine mit der anderen sauber. Er sah in unsere verstimmten Gesichter; sah über uns hinweg in den Wald.

– Ihr seid auch Trottel, sagte er, rumstehen und lamentieren, ohne sich bloß mal umzusehen.

Unsre Augen folgten der Richtung, die sein Blick wies.

– Ein ganzer Stapel mit Holzklötzen, säuberlich aufgeschichtet, fuhr er in spöttischem Ton fort. Ich hörte nicht, was er noch sagte; er ging, begleitet von Fritz und Hanna, hinüber zu dem Stapel: blaß schimmerten die nackten Axtwunden durch die dunklen Stämme. Ich blieb stehn, wartete. Fritz schleppte einen breiten Kloben für mich: er ging gebückt, zwischen den gespreizten Fingern zerrte das dicke Stück Holz; er ließ es ins Laub fallen. Wir setzten uns; Hanna und ich zogen unsre Mäntel eng um die Beine.

– Sie wird uns nicht finden, hier nicht, sagte Fritz, starrte in die Feuerstelle. Hanna holte das Paket aus dem Netz, entschälte dem Papier die hellroten Würstchen und das Taschenmesser, mit dem sie ihnen Kerben in die pralle Haut ritzte. Wir nahmen alle vier unsere Ration, spießten in die rosigen Schnittmale unsre Weidenholzstöckchen, hielten sie ins Feuer.

– Ich möcht' sehn, was für'n blödes Gesicht sie macht, wenn sie merkt, was los ist, sagte Hanna; sie kicherte. Die roten Reflexe der Flammen besprühten ihr ruckendes Handgelenk.

Wir lachten alle; Fritz hob seine unzufriedene Stimme:

– Ich hoffe, sie wird 'ne Lehre draus ziehn.

– Die für alle Langweiler geltende Lehre, fügte Mario hinzu.

Ich lachte am lautesten, längsten, lachte und sah dem brutzelnden Schrumpfen der Würste zu, hörte das leise Klopfen der Fettperlen, die ins Feuer fielen. Ich konnte über meinem Lachen Hannas Stimme hören, die mit einem der weitschweifigen umständlichen Sätze Elisabeths auch deren unbewegten Tonfall kopierte.

– Ach, hier seid ihr, sagte Hanna, ihr Gesicht war komisch verzerrt, die Mundwinkel nach unten gezogen. Und ich dachte doch, wir hätten uns beim Turm verabredet, war aber nicht sicher, ob ihr kommen würdet, weil das Wetter ja . . .

– Still! schrie Mario. Hör auf. Ich kann nicht mehr!

Ich sah sie alle an, nachdem das Gelächter auf ihren gespannten Lippen zusammengeschnurrt war; ein böser Zwerg, der sich in die Nischen der Hautfalten kauerte; ich versuchte, wie sie auszusehn, gleichgültig, mit dem Stempel von Spott.

– Übrigens wär's nicht so schlecht, wenn sie doch noch käme, sagte Fritz, sie wollte was zu trinken mitbringen.

Wir gingen nicht darauf ein. Mario holte sein Stäbchen mit der Wurst aus der Glut; er hielt den kleinen Stock von sich weg, streckte den Hals, biß in die platzende Haut. Wir machten es ihm nach, sicherten unsre Kleider vor den Fetttropfen und preßten die Zähne ins Fleisch.

– Nein, sagte Hanna, schluckte und kaute und schöpfte Atem, ich muß immer dran denken, wie sie den Berg raufgeschnauft kommt und alles nach uns absucht. Das Gesicht – sooo!

Sie ahmte Elisabeths ängstliches Starren nach, prustete los, ehe sie ganz fertig damit war, ihrem Mund und den Wangen jenen zaudernd hängenden Ausdruck zu geben, mit dem sie das Befremden der Angeführten kennzeichnen wollte: ihren aufspringenden Lippen entstob ein rosafeuchtes Bröckchen Fleisch; sie klappte schnell die platte Hand vor den Mund, schüttelte den Lachkrampf ab.

Mario holte die restlichen Würste aus der Verpackung, die er zerknüllte, auf die Erde warf. Sein Schuh wühlte im Laub, scharrte das fettige Knäuel in den Boden. Fritz griff mit zwei Fingerspitzen nach einem Zipfel des Papiers, zog an ihm, Erde und Laub aufstöbernd, und hielt die zerknitterte, beschmutzte Umhüllung von sich weg.

– Du Kamel, warum wirfst du's nicht ins Feuer, sagte er, brachte eine Ecke des Papiers in die Flammen. Wir sahn dem geschwinden, lautlosen Besitzergreifen zu, sahn die gewichtlosen Kohleblätter flattern, stäuben. Wieder spießten wir die spitzen Enden der Stöckchen in die frisch geritzten Würste, ließen sie überm Feuer schwitzen, tropfend und schrumpfend rösten.

– In der Tat, schmatzte Fritz pathetisch, Elisabeths Anteil schmeckt entschieden am besten.

– Wenn sie das wüßte, würde sie sich höchstens noch freuen, sagte Hanna, wo sie doch so edel ist.

– Und ihn außerdem noch liebt, sagte ich und verdrehte die Augen. Ich freute mich über den Beifall, setzte hinzu: Die große, hochdramatische und leider unglückliche Liebe der Elisabeth Falz.

– Elisabeth der Langweiligen, sagte Mario. Wir lachten und redeten gemächlich vor uns hin, während wir die letzte Portion ohne besonderen Appetit verzehrten.

Es wurde kälter vom Boden her; ich verkrampfte die Zehen in den Schuhen; Mario und Fritz stellten die Kragen und bogen die Revers nach innen um, ihre Gesichter waren blaß und konzentriert im Bemühen um Verwegenheit.

– Los, macht doch das Feuer größer, sagte Hanna. Mario zuckte mit den Schultern.

– Was wollt ihr noch? fragte er, es hat keinen Zweck, länger zu bleiben, nachdem alles gegessen ist. Fritz holte Zigaretten aus der Tasche, bot sie reihum an.

– Wird schon kein Förster kommen, sagte er.

Wir rauchten und blickten in die schläfrigen Flammen; das Licht vor den Backsteinwänden wurde blasser, sein Zucken träger, leiser das Knistern der krüppligen Hölzer.

Hanna, die am weitesten von der Feuerstelle entfernt saß, hörte zuerst die hastigen Schritte im Laub, drehte den Kopf um und zeigte uns schnell ihr gespanntes Gesicht. Zwischen den Stämmen, ohne auf den Weg zu achten, eilte Elisabeth auf unsre kleine Gruppe am Feuer zu, wirbelte Blätter und tote Äste vor sich her. Ihre Wangen waren fleckig rot vom Lauf. Stumm warteten wir, bis sie ganz nah war, blieben auf unseren

Holzklötzen sitzen; sie stand dicht vor dem engen Rechteck, das unsere Körper bildeten und das der schwachhelle Steinherd schloß: eine kleine Festung.

– Wir haben uns ein bißchen absentiert, fing Mario an; zog an seiner Zigarette; seine Lider waren zusammengezogen.

– Gut, daß du uns noch gefunden hast, sagte Hanna.

– Lang gesucht? Mario wehte aus der vorgeschobenen Unterlippe durchsichtig blaue Qualmschwaden über Nase und Stirn, sah aus kleinen Augen zu Elisabeth auf.

Auch ich wagte es, vom Laub neben meinen Schuhen, vom schwarzen Bröckelmuster der Erde, das sie gekratzt hatten, den Blick zu heben, ihn auf das stehende stumme Mädchen zu richten. Ich sah, daß ihre Lippen zitterten, daß die Augen naß und angestrengt waren.

– Nein, sagte sie devot, ich habe nicht lang gesucht.

– Setz dich, sagte ich und rutschte auf meinem Holzblock zur Seite; bereute zu spät das Mitleid, das den warmen, vorwurfsvollen Körper neben mich brachte.

– O weh o weh, machte Hanna, da fällt mir ein, daß deine Würste futsch sind, wir haben sie gegessen.

– Ich! sagte Fritz herausfordernd, rundete die Augen, große, ängstliche Kinderaugen.

– Macht ja nichts, sagte Elisabeth.

Ich bückte mich, sammelte ein paar Zweigsplitter vom Boden und warf sie in die leblos grummelnde Glut, weckte sie nicht.

– Meine Mutter ist nämlich gestorben, sagte Elisabeth im leidenschaftslosen Tonfall ihrer vorherigen Äußerungen. Ganz plötzlich, ja.

Ich konnte mich nicht rühren, hörte die andern unter lautem Fragen und Staunen ihre Verlegenheit verbergen.

– Ich mußte doch kommen, damit ihr nicht umsonst auf mich gewartet hättet.

Unwillig spürte ich durch die Stoffschicht meiner Kleider Elisabeths bettelnde Wärme, ihre traurige, langsame Lebendigkeit. Wir brachen auf; und während Fritz und Mario die schweren Scheite, die wir zum Sitzen benutzt hatten, zum Stapel zurückschleppten, stand ich vor der Feuerstelle, sah Hanna den linken Arm über Elisabeths Schulter legen; sie gingen auf den Weg zu, den beiden Jungen entgegen. Ich sah sie gehn, Mario auf der andern Seite des Mädchens, Fritz neben ihm; sah Elisabeths blondes Haar durch die laubrote Dämmerung schimmern. Mit beiden Füßen trat ich in die Glut zwischen den Backsteinwänden, zertrat die vier Hölzchen, die wir in die Würste gestochen hatten. Ich sog den Brandgeruch meiner Schuhe ein.

Fridas Freund

Bei Tisch sagte sie es zum erstenmal, früher hatte sie es doch nicht fertiggebracht. Ungünstiger konnte eine Stimmung gar nicht sein: mürrische Suppenköpfe, beschlagen vom Nebel des Essens. – Heut' nachmittag geh' ich zu ihm.

Schweigen, Warten. Jetzt wollte sie es viel mehr als die ganze Woche vorher, und da hatte sie es auch schon gewollt, und wie!

– Ich besuch' ihn heut' nachmittag.

Jetzt war es wichtig, so wichtig. Weg von diesem harten schmatzenden Mund des Vaters, dem alles, alles gleichgültig war, weg von dem hitzigen Gefleck auf den Backen der Mutter, von ihrem Aschfarbenhaar; weg aus dem mißmutigen Dunst der Küche und hin zu Willi, in das Häuschen im Garten, zu Willi, zu Willi.

– Was denn, was denn, sagte der Vater langsam. Das ist ja wohl eine komische Art, wie?

– Ich hab' frei, sagte sie. Ich geh' heut' zu Willi, ich besuch' ihn heut'.

– Ist das etwa dieser Wade, zu dem Frida will? fragte der Vater. Immer stierte er, während er seine Sätze über die Lippen stieß, zur Mutter hin. Der Sohn von diesem Theo Wade, diesem Schnapsgurgler, der und Laue und Stefan Schneider, die sind mir genau der richtige Verein, man hört ja so allerhand drüber.

– Na, der Willi, sagte die Mutter, der Junge von diesem Theo, soviel ich weiß, ist der anständig. Irgendwohin muß sie ja gehn. – Jede hat einen, sagte Frida. Jetzt war es wichtig: zu Willi, zu Willi. Jede bei uns hat einen.

– Na, das sind Brüder, sagte der Vater. Seine störrischen reglosen Augen glotzten leer auf die Mutter; fahle Löcher, Augen wie nichts, stur und traurig. Die drei Schnapsgurgler, na.

– Na, laß doch, rief die Mutter, irgendeinen muß sie haben, heut' fängt das früh an bei den Mädchen.

– Jede hat einen, sagte Frida, Elli hat schon einen, mit zwölfeinhalb.

Der Vater schob den Teller weg.

– Von mir aus ist der Sohn ordentlich, aber die Alten, das sind drei. So richtige Angeber.

– Die haben, glaub' ich, Gärten in der Siedlung dort, sagte die Mutter.

Oh, wie sie weg wollte: Frida hat einen Freund. Frida geht nachmittags weg. Weg, weg. Sie murmelte es vor sich hin: weg, weg – und war schon beinah da, wo sie hinwollte. Die Straße ein bißchen komisch, aber besser als ihre; winzige zerrupfte Gärten plackten schmutzbraun vor den Häusern, immer eins wie das andere: geizig, spitz, klein. Dann das Gartentor mit dem Schild »Wade« – sie ging steif und plötzlich bekümmert über den fremden engen Pfad: was wollte sie überhaupt hier? Und sicher bekäme sie Hunger und rote Backen und hätte nichts davon. Was denn, du liebe Zeit, wozu denn noch klingeln?

Wozu denn überhaupt die Treppe hinaufgehen, hinter ihm her, er sah ja doch ziemlich dumm aus, dumme graubraune Hose, dumme kleine nasse Zunge zwischen den Lippen.

– Oh, danke! rief sie. Er nahm ihr den Mantel ab.

– Mein Zimmer ist nicht grad besonders, sagte er.

Dumme, nette mehlige Stimme, nicht tief genug.

– Oh doch! rief sie, es ist doch so nett! Ich find' es doch wirklich sehr nett. Darf man sich setzen?

Sie hatte einen gackernden klirrenden Ton in der Kehle – neu, hing mit Willi Wade zusammen. Sie hielt die kalten Handflächen an die Backen: nur keine roten Backen!

– Bitte bitte, sagte er, nehmen Sie Platz.

Ein richtiger Sessel, trüber knüppliger Bezug auf den Polstern.

– Ach du liebe Zeit, rief sie, was für herrliches Gebäck!

– Na ja, sagte er, wenn man Damenbesuch kriegt.

Sie kicherte.

– Uije, sagte er, Sie haben ja schwarze Strümpfe an.

Sie zog die Beine zurück, wickelte den Rock um die Knie. Sie gackerte hastig – bald hätte sie rote Backen –, starrte hinunter auf die schwarzen Füße.

– Jaja, sagte sie, warum nicht?

– Ich finde es toll, sagte er dickzüngig, ich find's ganz toll, doch.

Er senkte den Kopf zu den Beinen. Sie stellte die Fußspitzen stumpfwinklig aneinander.

– Ih, nicht so nah! sagte sie vorsichtig.

– Sind die lang? fragte er.

Sein dickes, schweres, dichtes Gesicht, ganz dicht, dick und schwer.

Komische Haut, ob er etwa schon einen Bart hatte?

– Lange Strümpfe? fragte er. Sind das lange?

Sie fiel nach vorne mit den Schüben ihres Gegackers, es rüttelte ihre Schultern.

– Na klar, rief sie, lange Strümpfe.

– Uije, seufzte er abwesend.

– Na also, wurde sie lauter, das ist ja wohl nicht so interessant, wie? Jetzt versuch' ich mal von dem herrlichen Gebäck.

Wäffelchen mit Zitronencreme – nichts aß sie lieber. Aber jetzt war es nur Pein und Behinderung mit dem Zeug im Mund: kauen, schlucken. Nicht schmatzen.

– Oh! rief sie. Alkohol!

Er goß fetten dunkelroten Wein in zwei hohe Kelchgläser.

– Musik? fragte er.

– Ach, was für ein tolles Radio, sagte sie.

Er hockte sich hin und knipste und drehte am Radio herum. Sie betrachtete mit einer plötzlich entschiedenen Gleichgültigkeit seinen graubraunen Rücken, sein Haar, im Schatten war alles ohne Farbe, nur auf seinem Profil lag die Wärme der leuchtenden Skala. Sie füllte sich den Gaumen mit dunkelrotem Zuckergeschmack. Was tat sie überhaupt hier? Sie stand auf, trat ans Fenster. Auch nur ein jämmerliches Rechteck herbstschaler Aussicht, dreckiger Fleck, Erde und Gestrüpp. Und das hörte sich dann so an: Wir haben einen Garten, eigene Birnen, jaja – und es war nur abgestorbenes Laub mit Spatzen darin, Laub und Spatzen vom gleichen Braun, alles eins.

Aus dem Radio kam Musik, Schwärme von öligen Klängen. Sie hörte es: Willi stieg aus seiner Hocke, trat hinter sie. Jetzt mußte sie wissen, ob sie sich umdrehen sollte – Zuckerwein und schwarze lange Strümpfe, ja, wirklich, bis oben rauf schwarz, und rote Backen und das alles, wenn sie sich umdrehte, das alles, umschlurft von schläfriger Musik. Oder ob sie hart bleiben sollte, hier am Fenster, den Rücken zum Zimmer.

Sie spürte seinen Atem über ihrem Nacken.

– Netter Garten, sagte sie. Wirklich nett, so wie Sie wohnen.

Sie drehte sich langsam um. Die Musik füllte das Zimmer wie ein Qualm. Er knipste das Licht an, es wurde schon dämmrig. Warum hatte sie nur so dringend weggewollt und hierhin.

Auf dem Heimweg fror sie. An den Birkenzweigen hing kein Laub mehr, nur die toten braunen Samenwürmchen rieben sich mit hartem Geflüster aneinander.

– Na ja, sagte der Vater, der Wade geht ja noch. Von den dreien ist er ja doch der Angenehmste, und Schneider und Laue sind auch nicht bösartig, aber der Wade ist schon ganz sympathisch.

– Der junge Wade, sagte die Mutter, soll ein anständiger

Kerl sein. Aus dem wird mal was. Sag, Frida, wohnen die nett da draußen?

– Och ja, sagte Frida.

– Der bringt's mal zu was, rief die Mutter.

– Na, mir soll's gefallen, sagte der Vater.

Frida sah in das erwartungsvolle Starren der Eltern hinein.

– Mir ist's schon recht, daß sie mit dem jungen Wade geht, sagte die Mutter. Einen muß sie schon haben. Die haben einen Garten, ja?

– Ja, einen ganz netten Garten, sagte Frida.

Vor dem Tode

Du bist sowieso zu freundlich. Erst recht zu Leuten, die du nicht kennst, und während dieser paar Abendstunden, die du, unter den freiwillig Anwesenden, im Arbeitsverhältnis, nicht schriftlich verpflichtet, berufsgemäß verbringst und die du dir unverbindlich denkst, die du aber verbindlich aussehen läßt. Du verwendest immer die gleichen Tricks bei der Herstellung von Beziehungen, gedacht bloß für den Verlauf dieser paar Abendstunden, aber so soll es nicht auf die Anwesenden wirken. Du kennst dich aus mit einem verantwortungslosen Lächeln, mit einem gewissenlosen Interesse für die Konfessionen dieser Person und dieser Person und dieser Person auch, mit einem moralisch unhaltbaren Tonfall, mit einem ethisch höchst anfechtbaren Fragesatz, mit einem leichtsinnigen Aussagesatz, inklusive Gestik, Mimik und überhaupt. Das Gegenüber hat eine Pechsträhne, wer weiß was mitgemacht, jetzt das Bedürfnis, sich mal auszusprechen, und du sagst ihm, daß niemand vor dem Tode glücklich sei, und dann wird nachbestellt. Du implantierst die erheblichen Wünsche, die uneinlösbaren Hoffnungen, die ganzen Fortsetzungsgelüste; aber nur aus Eitelkeit bist du am nächsten Morgen noch nett auf einem Bahnsteig, aus einem Zugfenster gelehnt, am Telefon. Briefreaktionen von dir sind schon ein anderes Kapitel.

Aber ja, selbstverständlich, ganz besonders gern hat sie es, wenn er sich neben sie setzt, ausgerechnet er, du liebe Zeit, wie kommt denn ausgerechnet er zu diesem Vorrecht, aus dem ihr Eifer ganz gerissen, gut trainiert, überhaupt erst ein Vorrecht macht. Denn es ist alles ganz normal. Denn es ist alles ganz üblich. Doch, gewiß, diese Thematik berührt ihn sehr. Das geht ihn überaus an. Das hat er jetzt erst gemerkt, er ist jetzt erst drauf gestoßen, er merkt und merkt es, tatsächlich. Als Arbeitsmediziner und ohnehin. Er kann nämlich den Privatmann noch immer vom Mitglied der Leistungsgesellschaft trennen. Mittendrin fällt ihr die unheimlich große Angst ein, der verdammte Schrecken in Haut und Knochen, das unheimlich dauerhafte Leiden, alles ziemlich gegenstandslos, alles deshalb um so heimtückischer im Umgang, berechenbar, unberechenbar, sie will jetzt mal über ihre paar Organneurosen mit ihm reden, über die Psychoneurosen ebenfalls, über die ganzen seelischen Gänsehäute, über ihre Atemnot, aber auf dem Ohr ist er taub, aber das ist's nicht, was ihn bewegt, ihn bewegt jetzt mal beispielsweise die Beziehung zur Tochter, und er hat auch schon etwa siebzig Gedichte geschrieben. Selbstverständlich, eigentlich, nach Überprüfung ohne jeden Zweifel, hat sie nicht das Recht, und sie hat auch nicht die Möglichkeit, einen einzigen Atemzug zu machen, eine einzige Sekunde zu überlisten, einen einzigen Moment zu überleben ohne die Angst, denn diese Verklammerung hält, nichts ohne die riesige unendliche Spannweite der gegenstandslosen Angst mit immer wieder und von Fall zu Fall eingestreuter gegenständlicher Furcht, eine Spezialmischung für deine Lebenslänglichkeit, du hast nicht das Recht und nicht die Möglichkeit, genausowenig wie alle anderen Anwesenden und wie sämtliche Personen, die jetzt nicht anwesend sind.

Sie hat den Tod der andern in den Knochen, unter anderm. Sie hat die bevorstehenden Abfahrtszeiten im Kopf. Sie ist von ein paar Anhänglichkeiten zerfressen. Sie weiß auch nicht, was überhaupt los ist. Sie hat das und das auch noch und demnächst das und dauernd dies richtig zu machen. Sie wird ankommen. Sie wird aussehen. Sie wird eine Stimme haben, eine Ausdrucksweise, einen Erzählstoff, irgendein Halsweh zum Verschweigen, sie wird sich verhalten, sie wird, einiges wird ihr trotzdem erspart bleiben, aber eine Zukunft wird sie dennoch haben, diese Tageszeiten, diese Sätze, diese Stimmlage, immer etwas zu viel Reisegepäck. Während alles eigentlich kaum auszuhalten ist, keine Minute länger, während eigentlich nur noch mit dem Wahnsinn reagiert werden kann, sofern dieser mit *jetzt* und *vorhin* und *dann* vollgestopfte Augenblick mal wirklich durchdacht wird, während die Ratlosigkeit anschwillt, während die Unhaltbarkeiten und die Unerträglichkeit als ein Schlamm über den Kopf wachsen, ist sie in einem neuen Anlauf und weiter wie immer zu freundlich ringsum, und man bestellt auch nach, denn es ist wirklich so anregend.

Der Arbeitsmediziner sagt *Begegnung* zu dem Ganzen. Es ist ja nicht wie alle Tage. Der Arbeitsmediziner sagt *Sternstunde.* An der Leistungsstärke und -fähigkeit mißt auch er, am Leistungswillen ebenfalls die Verhaltensweisen von Personen, beruflich sowieso, privat auch. Er findet, einem modernen Menschen böten sich andere Denkkategorien nicht an, und nach anderen, also etwas verdächtigen, abwegigen Kategorien will er gar nicht erst fahnden. Na, in diesem Moment ist sie ja ganz wahnsinnig nett zu dieser Hausfrau mit dem Lesehobby, zu diesem ehrenamtlichen Ausschußmitglied, und im nächsten Moment schon zum jungen Süchtigen, und wie gut steht ihr dieses Bekenntnis jetzt, diese Drogenerfahrung, und das da war doch wirklich ein Satz, den man sich merken sollte. Und noch so ein Satz, ein paar verschwisterte und verschwägerte Sätze, die sie kann, und der Arbeitsmediziner muß das mal überdenken, muß das mal revidieren, was er vorher beim Überdenken gedacht hat, er muß da mal nachbohren, und er glaubt in diesem Moment jetzt an beinah gar nichts mehr von dem, woran er, in dem Zusammenhang, in der Thematik, glauben will und glaubt und wieder glauben wird, aber wann, woran er sich hält, weil er schließlich keine andere Wahl hat, wenn er überleben will, und er will.

Ach ja, verlängern wir doch noch ein bißchen und geben eine neue Bestellung auf. Alle Anwesenden begehen den ungeheuerlichen Leichtsinn und sind mal wieder vor dem Tode glücklich. Sie kann sogar prima atmen, sie merkt sogar überhaupt nichts von dieser monströsen Schwierigkeit, zu atmen, den nächsten und den übernächsten Herzschlag hinzukriegen. Hätten doch die Lebensgefährten der Anwesenden auch so ein dynamisches Interesse an den Lebensaufgaben der Anwesenden, wie sie es mit Fragen, Blicken, Kommentaren hierhin, dorthin unaufhörlich beweist. Der Arbeitsmediziner kümmert sich um die Außenweltbeschädigungen der Arbeitnehmer. Der Arbeitsmediziner plant weitere Gedichte. Der Arbeitsmediziner hat plötzlich ein Innenleben. Der Arbeitsmediziner bietet sich daraufhin als Fahrer für ihren Heimweg an. Der Arbeitsmediziner nimmt sich vor, am nächsten Morgen auf dem Bahnsteig zu erscheinen. Der Arbeitsmediziner ist auf Befragen seit knapp fünfzehn Jahren verheiratet. Selbstverständlich schätzt sie soeben die verschiedenen Lebensalter sämtlicher Anwesender um einiges zu niedrig ein. Sie hat wahrhaftig einen Blick dafür. Dafür auch. So manches wird man von diesem Abend mit nach Haus nehmen. Sie muß es ja wissen. Der Arbeitsmediziner wird morgen eine Orchidee im Glas durchs Abteilfenster reichen. Der Arbeitsmediziner ist nicht der einzige unter den Anwesenden, der sich mal wieder melden wird, ziemlich bald sogar, sofort sogar. Es entgeht allen Anwesenden, daß sie auf diese Ankündigungen hin etwas weniger lustig, charming, aufgeschlossen und so weiter aussieht. *Begegnung* und *Sternstunde* werden im Posteingang auftauchen. Der Arbeitsmediziner fährt seit sieben Jahren allein nach Kreta. Der Arbeitsmediziner will, daß sie das doch ein bißchen ruchlos findet. Der Arbeitsmediziner wäre für mehr Partnerschaft in seiner Ehe. Der Arbeitsmediziner ist vernarrt in seine Tochter aber trotzdem. Aber jetzt. Aber heut abend. Aber überhaupt. Der Arbeitsmediziner hat keine so rechte Beziehung mehr zu seiner Frau über den Alltag hinaus. Nicht nur er wird in Zukunft noch mehr lesen. Nicht nur er möchte doch auf jeden Fall den Kontakt aufrechterhalten. Nicht nur er schreibt so lesbar wie möglich seine Adresse samt Telefonnummer auf einen kleinen Zettel. Nicht nur dir wird eines weniger schönen Tages das Lachen ganz und gar vergehen. Nicht nur deine Verwandten sterben. Nicht nur du wirst eines für dich überhaupt nicht schönen Tages ins Gras beißen. Aber alle Anwesenden würden das nicht so nennen. Nicht nur ich bin beim Verabschieden ganz verdammt auf Trost angewiesen.

Der Arbeitsmediziner kommt doch tatsächlich zu dem Vorrecht, in den Genuß, zu der Ehre, ihm wird doch wirklich zwischen großer Freude und anderen positiven Erregungszuständen alles mögliche zuteil, denn sie läßt sich von ihm zum Hotel fahren. Sie spart sich ganz gern den Umstand mit der Taxiquittung und der Mehrwertsteuer. Der Arbeitsmediziner geleitet mich noch nicht zur letzten Ruhe, diesmal nicht, noch nicht. Nur Ruhe.

Schiller im Schoß

Ich bin nicht sehr gescheit, aber ich kann auch wirklich nicht finden, daß Frauen das sein müssen. Schön und anregend ist es allerdings für eine Frau, mit gebildeten Männern Verkehr zu haben. In dieser Beziehung kann ich mich nicht beklagen: ich habe Onkel Ehrhard und Frido. Zwei größere Gegensätze kann man sich kaum denken. Onkel Ehrhard war immer der Stolz unserer Familie: er studierte vor Jahrzehnten, als das unseren einfachen Kreisen noch erschwert wurde, Germanistik, war dann Studienrat; jetzt ist er pensioniert. Seine Leidenschaft war von jeher Schiller. Das machte uns alle stolz; er hielt auch manchen guten Vortrag in unserer Stadthalle. Heute lebt er sehr zurückgezogen mit seinen Schätzen: das sind seine Bücher, vor allem sein Schiller, und wenn er das sagt, spitzt er die Lippen, als wollte er pfeifen, und man sieht die nasse Innenhaut, und er wirkt dann fast lüstern, so, als würde er von einer Frau reden – er war nie verheiratet übrigens, wir pflegten in der Familie zu sagen: er ist zu gescheit dazu.

Dann lernte ich eines Tages Frido kennen, er studiert irgendwas an der hiesigen Hochschule, ich kann nie richtig behalten, wie sein Fach eigentlich heißt, auf jeden Fall ist es nicht Germanistik, und deshalb sage ich mir immer, wenn er sich über Onkel Ehrhard lustig macht und über Schiller, daß er's ja gar nicht so gut wissen kann, denn er studiert es ja nicht. Er sagt, das wäre alles nur Schwulst und lächerliche Übertreibung und Wortklirren und Geschichtsfälschung. Aber ich muß sagen: die *Maria Stuart* und auch die *Jungfrau von*

Orléans haben mich sehr beeindruckt. Gestern gab's fast Streit zwischen den beiden: Frido redete von widerlichem Pathos, es ging um Schillers Gedichte. Deswegen habe ich mir das Buch geliehen, schließlich kann, wenn es um Gedichte geht, oft gerade eine Frau das entscheidende Wort sagen. Dazu braucht man Gefühl. Jetzt, so mit mir allein, darf ich es ja gestehen: aus dem Inhaltsverzeichnis suchte ich mir zuerst mal die Titel aus, die, wie soll ich sagen, so ein bißchen unanständig klangen wie zum Beispiel *Die Homeriden* oder *Die Geschlechter* oder *Brautlied.* Aber natürlich war's gar nicht unanständig. Es war richtige Kunst, sehr schöne Worte, sehr weit weg von unserm Alltag, eine gepflegte und großartige Sprache, wirklich klassisch. Ich mußte lächeln, ich wurde ganz müde und schlaff von einem Triumphgefühl für Onkel Ehrhard und gegen Frido. Und ich fühlte mich so warm, so froh in der Verehrung für das Große und Edle, das ja auch noch in mir sein mußte, ja, jetzt spürte ich das Gute und Beglückende, von diesem großen Deutschen abzustammen. Das mußte ich irgendwie Frido klarzumachen versuchen: daß die ältere Generation doch einfach recht hat mit Schiller und alldem. Ich las gar nicht mehr weiter in den Gedichten, legte das Buch in den Schoß und spürte es da hart und gewichtig, und ich wußte: darauf wird man sich immer verlassen können.

Der alte Mann

Jetzt habe ich neuerdings manchmal Glück, und ich sehe gelassen dorthin. Noch sind das vereinzelte Ausnahmefälle, noch ist das selten so. Gelassen schaue ich zu. Ich kann ruhig weiteratmen. Die üblichen Unruhen überblicke ich in Ruhe. Dann auch mit Augenmaß, in der richtigen Dosierung, mit einer bekömmlichen Aufmerksamkeit. Ruhig sage ich eine Verabredung ab. Ruhig stecke ich das Fieberthermometer in den Mund. Du hast mich beruhigt. Ringsum Abschwächungen. Ich organisiere unseren Abend mit Hilfe des Fernsehprogramms. In der verkleinerten Umgebung, mit etwas schlechterem Gehör, mit etwas herabgeminderter Sehschärfe, mit weniger Sprache. In eure Angelegenheiten mische ich mich freundlich und ruhig telefonisch. Weiterhin gute Atemleistung. Ich stifte einen kleinen Frieden. Ich sorge für Ordnung bis zum nächstenmal. Das ist endlich eine Unterbrechung in meiner Biografie, das bin ich endlich nicht. Ohne Vorsatz habe ich aufgehört, in den Anblicken herumzustochern. Mir fällt die richtige Anzahl von Ungerechtigkeiten ein. Um diese Auswahl an Chancenungleichheiten kann ich mich kümmern. Ich denke zuversichtlich an eine verschlechterte gesellschaftspolitische Lage der Eigentümer. Das steuerbegünstigte Eigentum wird der Vergangenheit angehören. Mit anderen ungebührlichen Vorteilen wird es ebenfalls zu Ende sein. Und noch ein paar Wahlversprechen zum Nichtdranzweifeln. Ich glaube an eine Notlüge mir zuliebe. Ich glaube an eine Beteuerung mir zuliebe. Du hast mich beschwichtigt. Andere Themenbereiche. Diese Frage stellt sich mir in einem nicht gesundheitsschädlichen Ausmaß. Jemand erkundigt sich wieder mal bei mir danach, ob ich engagiert sei, und ich sage ja. Jemand will wieder mal von mir wissen, ob ich was von der Emanzipation der Frau halte, und ich sage was. Alle Antworten hören sich in einem von diesen Ausnahmefällen vernünftig an. Es geht mir gut, ich gehe mir selber voraus, ich erweitere die Gegend, mir passiert nichts, beinah sehe ich jetzt sogar auch hierhin, beinah denke ich jetzt sogar auch daran und beinah sogar auch an dich. Eine regenerierende Wohltat für mein Zellensystem, eine großartige Gelegenheit für meine angeschlagene Gesundheit, für meine ganzen chemischen Formeln, für mich.

Gelassen sehe ich der Abfahrt entgegen. Ich werde nicht ganz verdammt wütend werden, wenn jemand in mein leeres Abteil kommt. Ich werde die Person, die mich vielleicht stören wird, nicht verabscheuen. Ich bohre mich nicht, schlechte Nachrichten ausdenkend und meine Reaktionen einübend, in die Ankunft, in die Begrüßungen, in die nächsten Abläufe, in die kommenden Ereignisse, in die künftigen Verhaltensweisen. Ich verordne mir die herumliegenden Ängste nicht. Nichts mit der gebotenen Unerbittlichkeit. Die Besitzer werden die Besessenen sein. Die Vermieter werden vermietet werden. Die Todeskandidaten werden die schlechten Prognosen immer noch mal überleben. Die Ärzte werden vor den Patienten ins Gras beißen. Ein unerwarteter Ausbau im Engpaß zu deinen Herzkranzgefäßen. Deutlich verbesserte Sauerstoffzufuhr für deine Ganglien. Die Lieblosen werden leer ausgehen, denn ich stelle mich gar nicht erst als Widerstand zur Verfügung. Keinem zu Gefallen bin ich verzweifelt, unheimlich betroffen, in Panik versetzt.

Ich erfülle keine Hoffnungen auf Vertraulichkeiten und auf Geheul von mir. Ich bin kein Ziel. Mein Schweigen löst Schweigen aus. Ihr habt eure beste Angriffsfläche verloren, mich, ich verhalte mich nicht zu euch. Das wird ein klasse Tag. Um 18 Uhr gehen wir zusammen in die Küche. Beim Essen unterhalten wir uns über das Essen. Während wir kauen, sehen wir uns an. Heute beginnt das Fernsehen für uns schon mit dem Vorprogramm. Ich brauche keinen guten Rat, ich brauche keinen Trost, ich stelle beide selber her, das ist Chemie, das ist der liebe Gott, das sind meine paar Fluchtpunkte mit ganz guter Wirkung, Kirchtürme, eine Landschaft, Schneefall und einige andere Erfindungen, heute weiß ich, was ich alles sowieso nicht wissen kann, heute finde ich mich ab, heute bin ich nicht an der Reihe. Weiterhin mit ordentlichem Kreislauf, schmerzfrei, mit regelmäßigem Puls, nicht toxomanisch, ohne Denkdelir, ohne Gefühlstremens. Ich betrachte euch, die ich heute endlich mal in einer Dosis für Kleinkinder und Greise gern habe, auf Standfotos, demnach geht es euch gut, alle noch über der Erde, eure Gesichter haben sich angestrengt für die Lebenslänglichkeit dieses Fotos, also bietet ihr einen zufriedenstellenden Anblick, ihr erschreckt mich nicht, ich grüße euch herzlich mit einfachem Wortschatz.

Ich bin nicht planlos erreichbar, ich teile mein Brot nicht, nicht unüberlegt, ich bedenke die Konsequenzen, Vorsicht bei Anhänglichkeiten, mit Verabredungen, mit meiner Adresse, am Telefon kurz und kühl genug, ohne unfreundlich zu sein, bei der Sache geblieben, den jeweiligen Verhältnissen nicht extrem gerecht. Angesichts der übertriebenen konkreten Schrecken übertreibe ich nicht mit, ich stelle keine Zusatzfragen, was nicht meine Sache ist, mache ich nicht zu meiner Sache, ich kann einen Hinweis geben, aber nicht mehr, ich informiere knapp und aussparend, eingedeckt mit Theorien, mit einigen zweckdienlichen Hörfehlern. So erfahre ich wenig, so lasse ich wenig erfahren: das bekommt mir. Ohne Schluckbeschwerden schlage ich im Lokalteil der Tageszeitung die Seite mit den Todesanzeigen um, aber doch nicht fahrig, nicht zu hastig, ich gehe dem verräterischen Traum der letzten Nacht nicht nach, ich bin heute eigentlich überhaupt nicht leidensfähig, mich kann man heute eigentlich überhaupt nicht kränken. Neuerdings gibt es das, in Ausnahmefällen, zeitlich begrenzt habe ich Glück und bleibe sogar daraufhin ruhig, sogar damit mache ich ruhig weiter. Ich lasse die Gegend einfach mal aufhören, wo ich zum Beispiel nicht weiterkann mit ihr. Ich lasse mein Denken da endlich ebenfalls mal aufhören, da vorne, schon vor dieser Grenze, die Sichtverhältnisse sind nicht anders, die Sichtverhältnisse sind nicht besonders, ich lege mir endlich mal in einem von diesen Ausnahmefällen solche dunstigen Verhältnisse zu: ich will es jetzt nicht genauer wissen, ich warte ab, bis es leider sowieso wieder weitergeht mit mir. In der bemerkenswerten Ruhe vor mir selber lege ich eine Kartei an von Gleichgültigem, von Geringfügigkeiten, von allem möglichen, das mir beinah egal ist, und ich beschäftige mich damit, nur damit. Erfreuliche Pulsfrequenz, immer noch die befriedigende Atemleistung, ökonomischer und gepflegter Umgang mit dem Leidensdruck. Ich spüre beinah gar nichts.

Der Blick über die häßliche Kreisstadt macht mir ausnahmsweise kein Kopfzerbrechen. Die kleinen Sparer werden doch nicht betrogen werden. Das Wort Barmherzigkeit wird aus dem Fremdwörterbuch herausgenommen werden. Es wird allen besser gehen als vor drei Jahren. Keinem wird es schlechter gehen als unbedingt nötig. Ohne seine Sterblichkeit wäre der Mensch ja nur ein Monstrum. Die Gerontologen schießen nicht übers Ziel hinaus, und der Tod wird ein unendliches Thema für Essays bleiben. Das, woran nichts zu ändern ist, wird nur eine pubertäre Sehnsucht doch ändern wollen: spätestens ab morgen erneut. Daran, was so zu sein hat, wird einer nur aus kindischem Trotz und übrigens zu seinem eigenen Schaden verzweifeln: demnächst wieder. Ruhig durchatmen, ermahne ich mich vorsichtshalber, weiter ungenau bleiben, damit es noch etwas länger gesund zugeht.

So steht es um mich, manchmal neuerdings, eben in diesem Moment und sogar jetzt immer noch, zwei Minuten später. Meine Luftwege sind nicht blockiert. Vorgeschichte und Zukunft definieren meine Gegenwart jetzt ausnahmsweise nicht. Sehr einmalige Gegenwart, unhistorisch, wenn ich großes Glück habe, wenn ich mich in diesem Sperrgebiet, im Bezirk dieser Minuten, spät in meiner Entwicklung, gründlich über mich selbst täusche und in einem allgemeinen großen Irrtum zufrieden bin, mit zuträglichem Mangel an Informationsbedürfnis, sparsam bei den Erkundigungen, rechtzeitig-vorzeitig die Recherchen abbrechend. Ich mache noch einen Umweg um dein Sterbebett und um deine Verstörung und auch um dich, weil du zur Zeit in Tränen erstickst – ich sehe dich später, wenn du wieder ansprechbar bist. Schöne Ruhe, das dauert ja mittlerweile schon fast vierzig Minuten, und sogar der schlabbrige Kaffee im Kölner Hauptbahnhof bringt mich nicht aus der Fassung und ein paar andere hundsgemeine Gleichgültigkeiten auch nicht. Das grenzt an ein Wunder. Die Frau schlägt das Kind mitten ins Gesicht, aber ich rutsche nicht aus, ich gehe zielstrebig weiter, weiter geht alles gut. Dieser Ausnahmefall wird meine eigenen Rekorde einholen. Ich registriere noch mal sämtliche Zeichen für mein Wohlbefinden, für meine Gelassenheit, ich schreibe zeitlich gestaffelt unser Fernsehprogramm des heutigen Abends auf ein Blatt Papier und was wir zwischendurch in den wenigen Minuten ohne Sendung reden werden. Weiter geht alles gut, notiere ich – bis zum Anfang dieser Sekunde jetzt. Bis ich mich bei der Vokabel *gut* erwische. Ehe ich diesen emotionalen Mißgriff, diesen gröblichen Verstoß gegen meine gesundheitsfördernde Teilnahmslosigkeit übersehen kann.

Vorbei, zu Ende, wieder mal reingefallen. Einem alten Mann wünsche ich nichts Gutes. Ich versuche, indem ich die Blickrichtung ändere, wieder in meinen Ausnahmefall zurückzukehren. Anstatt den alten Mann in Ruhe zu lassen, ihn mit meinem Denken zu verschonen, wünsche ich ihm überhaupt nichts Gutes. Ich kann genauso gut hinsehen. Ich sehe den alten Mann, auch wenn ich nicht hinsehe, weil ich ihn gesehen habe. Und schon stört mich die Außentemperatur, die Zigarettenreklame, die Hundehalterin, ich weiß nicht mehr hundertprozentig, was ich wählen werde, meine chemischen Verbindungen produzieren irgendeine giftige Substanz im Gehirn. Gegen meinen ausdrücklichen Wunsch entsteht der unfreundliche Wunsch für den alten Mann, und während ich mich ausdrücklich nach Freundlichkeit sehne, spüre ich meine Unfreundlichkeit. Ich schnappe nach Luft. Schlamperei in meinem Hormonhaushalt. Ich mache mir nichts aus mir. Weil der alte Mann soeben, gerade jetzt, in diesem Moment ohne Amnestie für mich, in dem es aus ist mit meinem Sonderparagraphen, lacht, sich am Kopf kratzt. Deshalb, deshalb auch.

Ich fange ganz übel an, das alte Elend wieder zu spüren. Weil der alte Mann einen relativ neuen Wintermantel anhat. Weil der alte Mann einen Satz sagt, eine Antwort abwartet, später was essen wird, immer noch heilbar ist. Es ist ganz und gar aus mit mir. Die Friedensverhandlungen scheitern. Das Darlehen muß vorzeitig zurückgegeben werden. Du haust mir eine runter. Die Gegenwart hat sich in einem historischen Dickicht verfangen. Meine Vorgeschichte macht einen Brechreiz. Um 18 Uhr gehen wir nicht zusammen in die Küche. Auf meine Zukunft kann man eine todsichere Wette abschließen. Während wir kauen, sehen wir uns nicht an. Die Bildstörung liegt nicht am Sender, die Bildstörung ist zwischen uns. Ich hätte das weiße Haar und die Brille und den ganzen alten Mann nach der ersten halben Blicksekunde vermeiden und vergessen sollen. Er sieht liebenswürdig aus.

Das ist jetzt noch nicht seine Todesstunde. Seine Verwandten zittern heute noch nicht um ihn. Der Tonausfall beim Sender bringt es mit sich, daß zwischen uns der wohltätige Tonausfall nicht stattfinden kann. Aufs Rad gebunden, inhaftiert, von mir selber beschlagnahmt, kein Ausnahmefall mehr, ich produziere die chemische Formel *Glück* nicht mehr, Augenblicke ohne mildernde Umstände, jemand wird anrufen, ich werde etwas erfahren, ich werde etwas zur Kenntnis nehmen müssen, womit ich gerechnet habe, meine Reaktion wird nicht freundlich genug sein; daß ich dauernd nicht freundlich genug sein kann, bewirkt, daß ich dauernd nicht freundlich genug sein kann, meine Grobheit macht mich saugrob, meine schlechte Laune macht mich schlecht gelaunt, und ich werde sofort, nachdem ich aufgelegt habe und nachdem ich für die Dauer deiner Sätze gewußt habe, daß du am Leben bist, ich werde unmittelbar danach, beim Ende unseres Kontakts, wieder ohne jede Gewißheit dastehen, völlig ratlos und glücklos. Der Hörer ist dir sofort aus der Hand gefallen. Du hast mit der Hand eine hilflose Bewegung gemacht, du wolltest mit der Hand deine Todesursache erreichen, du bist neben dem Stuhl auf den Boden gefallen. Ich kann das nicht begreifen.

Ich sehe das von sämtlichen technischen Schikanen gestörte Fernsehprogramm in tiefer Trauer, in bequemer Haltung. Mir kann keiner jetzt helfen. Ich habe mich nicht absichern können, ich habe keine geheime Abmachung treffen können, mir kann das Schrecklichste nicht erspart bleiben, ich konnte das nicht ankaufen, ich habe darauf keinen Garantieschein. Der alte Mann ist daran schuld, woran nun sowieso alles schuld ist: diese Bank auf dem zugigen Bahnsteig, der zugige Bahnsteig und daß es zugig ist, diese Krähenversammlung über Heessen/Westfalen, der irreführende Himmel, die angeheizten Hoffnungen, diese aufgerissene Wolkendecke, ich stelle jetzt diese Chemie, diesen lieben Gott, nicht mehr in mir her, nicht mehr bis zum nächstenmal, das Plakat ist mit schuld, der Kontenzahler in der Ersatzkasse, die Ersatzkasse. Überall ist meine Strafe nicht mehr zur Bewährung ausgesetzt, ich kann gegen keine Kaution von mir weg, ich muß wieder mitmachen, unfrei bis in die Knochen spüre ich leider wieder mich selber, die Katastrophenschauplätze, die Altersheime, die Unruheherde, die Übergriffe, die Terroristen, mich selber, die Lagerinsassen, die Krebszellen, die reaktionären Gerontologen, Herztod, Hirntod, das Aufsichtsratsmitglied, den Rentner, das überzogene Konto, die fälligen Zinsen, die Benachteiligungen, die Lebensarten und die Todesarten, mich selber, den Selfmademillionär, das Schreibmaschinengeklapper der Essayisten, weil es zum Glück die Sterblichkeit des Menschen gibt, weil die Schmerzfreiheit nur durch den Schmerz ein Wert ist, weil das Leben nur durch den Tod ein Wert ist, weil kein Wert was wert ist ohne seinen Unwert, weil der Unwert was taugt zum Bewerten.

Keine Ahnung, wann ich wieder, wie es das jetzt neuerdings bei mir gibt, sehr großes Glück haben werde, in einem von diesen Ausnahmefällen. Einen Gnadenerlaß, einen Urlaub auf Ehrenwort, sehr ungenaue Sichtverhältnisse, ein sehr schönes Programm. Keine Ahnung, wann ich mit diesem Glück den Tod, deinen Tod jetzt und vorhin und morgen mittag gestern nacht in vierzehn Tagen um 11 Uhr 30 werde verhindern können. Weil der alte Mann nachher einen Gang zum Briefkasten machen wird, abends sich mit Papier und Bleistift an einer Quizsendung beteiligt, weiter beeinflußbar bleibt durch die Medikamente seines Hausarztes, weil er am nächsten Morgen als erster aufsteht und die Zeitung reinholt, setzt mein Glück aus und ich bin verloren, wie es angebracht ist. Weil der alte Mann sich demnächst eine leichte Erkältung zuzieht. Weil du nie mehr 37,8 messen kannst. Weil der alte Mann dir gegenüber durch die Möglichkeit, sich über Erkältungsbeschwerden zu beklagen, begünstigt ist. Weil der alte Mann dir jetzt schon soundsoviele Tage voraus hat. Weil der alte Mann dich überlebt. Weil ich für diese Ungerechtigkeit keinen Verantwortlichen finden kann, keinen außer mir. Weil an diesem Unrecht keiner schuld hat, keiner außer mir. Weil nur ich mir den Vorwurf nicht ersparen kann, weil nur ich mir das nie verzeihen kann, weil der alte Mann mich wieder mal an einen beliebigen Montag Freitag Dienstag Sonntag erinnert hat, an Stunden, an Sätze, an meine Möglichkeiten, die ich dir vorenthalten habe. Ich habe dich in keinen maximalen Genuß durch mich gebracht. Ich war für dich nicht die maximale Ausbeute meiner selbst. Du warst das gleichmäßig dankbare

Opfer meiner Sparmaßnahmen mit mir für dich. Ich habe dich gelehrt, wie man auf mich weitgehend verzichtet. Ich habe jede Tages- und Nachtzeit bei dir verpaßt. Ich habe kein Datum mit dir voll ausgenutzt. Ich hätte immer noch eine Minute länger mit dir reden können. Eigentlich dürfte ich mir nicht wünschen, daß ich wieder Glück habe und ruhig bin, gelassen dorthin sehe. Unruhig prüfe ich die Vorräte in der Küche. Was kann ich dafür, daß gute Sachen da sind. Was kann ich dafür, daß wir am Abend eine Folge aus dieser Serie sehen können und zusätzlich einen Spätfilm. Ich bin daran schuld, daß es mir gutgeht.

Das Boot kommt zurück

Endlich sah die Frau den Standmast am Ende der Hafenstraße. Sie ging langsamer. Der Mast, Wahrzeichen und Markierung des Hafens, beherrschte die Promenade. Von der Schleife kurz hinter den Silos und Schloten der Stadt im Norden bis hinunter in den ausweichenden südlichen Horizont reichte der Fluß. Die alten Männer, die wie immer am Mastbaum versammelt waren, um die Ankunft der Kutter zu beobachten, starrten sie an; sie spürte den gedankenlosen Argwohn der schwarzen Gruppe um den Mast. Der Fluß lag fett und kräftig da, tief in seinem steinigen Becken.

Jetzt erkannte der Mann die schwarzen Qualmfahnen, danach die Schlote und viel später die Silos, aus dieser Entfernung wirkten sie unscheinbar und lächerlich, besonders an einem so sonnenlosen Tag, gutes Licht brachte die feisten Faßleiber zum Blitzen. Auf dem Fluß, am Bug seines Bootes, kannte er seine Überlegenheit. Was ihn niederzwang, war der Hafen, waren Anlegen und Ankunft, die Schritte auf dem Pflaster, steif und würdelos, Landschritte, die schlecht vom Fleck kamen. Dann die Frau. Er räusperte sich, schluckte, um das schnürende Gefühl im Hals loszuwerden. Diese Frau. Er preßte die Knie gegen die Bugwand.

Das Kind lockerte den Griff, ließ langsam das Tau los und sah zu, wie das Beiboot zurückklatschte, schaukelnd sich einen Platz in der Schaumspur suchte. Es lachte vor sich hin: Jetzt konnte es schon ganz gut das Beiboot mit der einen Hand anheben, konnte, wenn es dann noch die andere Hand etwas weiter unten um das Tau schloß, den ganzen Bug, den nassen schwarzen Fischbauch des Beiboots aus dem Wasser ziehen. Es war jetzt viel kräftiger als vor ein paar Wochen, die Kraft kroch wachsend in seinem kleinen Körper herum, klebte in den Oberarmen, wurde schlaff nach der Anstrengung des Boothebens und schwoll langsam wieder an. Es kauerte sich in die Plankenbucht des Hecks, sog den Geruch von morschem Holz ein. Es sah vorne am anderen Ende des Kutters den Vater stehen, es senkte die Lider so tief wie möglich, um den Vater nicht so deutlich zu sehen, den verbeulten Hut, die schmutzige farblose Jacke. Der Blick verschwamm im Schutz der nur noch geschlitzten Lider, gab ein seidiges, beinah freundliches Bild. Das Kind bog die Schultergelenke einander entgegen, steckte den Kopf in die Höhlung seiner Brust. Bald wäre es groß genug, um die Spanten neu zu streichen, um Schleppnetze anzuschaffen, fünfzehn Meter lange. Es verstand bestürzt und hingerissen, daß ihm alles gelingen müßte.

Die Frau betrat die Flußperle, setzte sich an ihren Tisch, mit dem Rücken zum Ausschank, mit dem Blick in den leeren Tanzsaal, dessen rote Vorhänge zugezogen waren und den Nachmittag mit einer weinigen Dämmerung übergossen. Links verengten Reklametafeln den Fensterblick auf den Fluß, sie sah die unbesetzten Bänke auf der Uferpromenade. Die dunklen Schleppkähne stampften durch den Fluß, schwarze Kohlenberge drückten sie tief in die kurzen gallertartigen Wellen. Bald kämen die Abende mit dem Nebelhorn: das müßte den Zeitpunkt, von dem an ihr der Fluß nicht mehr helfen könnte, hinauszögern. Sie trank ihren Schnaps aus, umkränzte das Glas mit abgezählten Münzen. Sie stieg die Stufen der Uferpromenade hinunter bis zu dem Dammabsatz, den bei höherem Wasserstand der Fluß überspülte; der Sommer hatte den Sandstein ausgedörrt, die schmutzigen Flußspuren waren getilgt. Die Frau war jetzt fast auf einer Höhe mit dem Fluß, riesig wirkte er, die Ausläufer der Wellen, die sich vom Gischt der Bugspriete zum Ufer hinwälzten, schwappten gegen die Steine. Sie war gern so nah beim Fluß,

124

hielt den Kopf gesenkt: so sah sie nur Steine und Wasser. Sie verkleinerte ihr Stück Fluß mehr und mehr, vergaß das andere Ufer mit den herbststruppigen Erlen, die Stadt im Norden und den von Süden her hartnäckig näher knatternden Kutter.

Jetzt konnte er die Frau erkennen, er sah sie auf dem schmalen Steinabsatz stehen. Niemand betrat ihn sonst, nur Kinder spielten auf ihm herum. Er sah die Frau, winzig und dunkel, ein Fleck auf dem Damm, es wirkte so, als könnte man ihn wegwischen. Er trat vom Bug zurück, kehrte sich ab, stieß einen Stiefel in den unordentlichen Ballen der Kurren.

– Los, an die Arbeit, rief er dem Kind zu. Mit der Stiefelspitze fuhr er ins Netzwerk, hob eine lange braune Maschenwand, an der die Korkschwimmer wie faulende Beulen hingen. Er zog die Stiefelspitze zurück, und das Netz fiel in sich zusammen, ein Senkblei klopfte auf die Deckplanke. Er trat in das Netz.

Jetzt konnte das Kind die Frau erkennen, auf dem Damm, so dicht am Wasser, ob sie noch auf dem Trockenen stand? Stolzes und beklemmendes Gefühl: er kehrte mit dem Vater zurück, Männer auf dem Boot, und da stand sie, sie war eine Frau, zum Warten gemacht, gemacht für den Abend im Hafen. Und es selbst mit dem Mann auf dem Kutter. Es eilte sich mit seiner Arbeit, zupfte die Maschen auseinander, riß Moosbüschel und Tangsträhnen, die sich ums Garn geschlungen hatten, aus dem Netz. Wie schnell es jetzt schon ging! Seine Finger waren geschickt, von Tag zu Tag konnten sie mehr leisten.

Wann würde es nicht mehr genügen? Wann würde sie hier stehen und vergeblich darauf warten, daß es ihr half? Der Fluß strömte von ihr weg, nie hielt er sich bei ihr auf. Die Kähne fuhren immer noch auf und ab, rot und grün blinkten die Karbidlampen auf; es fing an zu regnen, meistens regnete es abends im Umkreis des Flusses, Regen, und nur einen Schritt weg das Wasser, das wäre das Natürlichste: einen Schritt tiefer hinunter, um ganz naß zu werden. Sie sah das Boot unter den andern, schwarz und schäbig, erkannte den Mann hinter dem Ankerspill, das Kind mit seinen fahrigen unnützen Bewegungen hinterm Steuer.

Steht sie da im Regen, läßt sich von den Kahnmännern auslachen und angaffen, kein Verlaß auf sie, man könnte meinen, sie hätte was mit dem Fluß, das wäre so verrückt, wie es zu ihr passsen würde, Abend für Abend, andere Frauen haben abends ein Essen fertig.

Ich werde kräftig sein, schon jetzt kann ich das Beiboot herausziehen, winzige Frauen im Hafen, Kraft in meinen Armen, dicke Klumpen; fünfzehn Meter lange Kurren und eine kreischende Stahltrosse, das Meer endlos und unter meinem Kiel.

Jetzt fuhren die Boote in den Hafen ein. Die alten Männer hatten ihren Posten am Mast verlassen, sich nebeneinander aufgestellt, und so säumten sie die Mole: schwarze Wolljackenfront. Die Frau stand an ihrem Platz wie immer. Aus den ankommenden Booten sonderte ihr Blick das mit dem Mann und dem Kind aus. Die Lampen auf der Verladebrücke gossen einen Lichtteich auf das schmutzstumpfe Schwarz im Hafenbecken. Das Kind spürte seine unheimliche Kraft, spürte die Blicke von der Mole, den Lärm von der Verladerampe und das Licht, den Schmutz; es sprang von den Fierbäumen zum Ruder und wieder zurück, es hörte die Deckplanken unter seinem Hüpfen dröhnen. Der Mann stocherte mit der Stemmstange im Wasser, langsam drehte das Boot sich nach seinem Willen. Er wartete darauf, daß der Schiffsjunge vom Nachbarkutter fertig würde: dann warf er als letzter seine Trosse auf die Mole, senkte als letzter den Anker. Die Frau oben, schwarz in der schwarzen Front.

Die alten Männer sahen ihnen nach, wie sie zu dritt die Hafenstraße hinuntergingen.

Die Frau sagte: Schlechtes Wetter.

– Schlechte Fahrt, sagte der Mann. Und du? Wieder geträumt, am Fluß rumgestanden?

126

Zu dritt gingen sie nebeneinander vom Fluß weg auf die Silos zu, auf die Schlotfinger, zu den grauen Häusern.

– Ich warte gern auf euch beide, sagte die Frau.

– Das Kind ist zu nichts zu gebrauchen, sagte der Mann. Leider. Zu nichts.

Das Kind krampfte schnell die Fingerspitzen in den Stoff seiner Hosentaschen, so fest, daß es in das Fleisch seiner mageren Schenkel griff; später merkte es, daß es die schwerfälligen Bewegungen des Mannes nicht mehr nachahmte, es ging jetzt einen Schritt hinter dem Mann und der Frau und starrte die beiden schwarzen Körper an, es fühlte die sickernde tückische Kraft.

Nette anheimelnde Gegenwart

Jetzt erst fiel ihr das Kind auf, ein kleines dünnes Mädchen, das dicht an den Hausmauern die Kahle Straße hinunterging mit einem Vorsprung von ein paar Metern. War die Schule aus, und wo trieben sich dann die andern herum? Das Kind trug seinen Ranzen an einer Schlaufe aus hellerem, neuerem Leder; es ließ ihn gegen seine grauen Wollknie pendeln. Strähnen stumpfbrauner Haare wippten im Nacken. Es war ein Kind, das unter anderen nicht aufgefallen wäre. Sie starrte hin und konzentrierte sich, als müßte sie etwas ganz Altes aus dem Gedächtnis kramen. Endlich spürte sie erleichtert, daß sie anfing, sich von ihrem eigenen Vormittag zu lösen und das hochdramatische Ereignis nach dem Frühstück von sich abzurücken, so daß sie es sogar belächeln konnte: der Liebesbrief in der Rocktasche. Es war jetzt so weit weg, kaum noch mit ihr in Verbindung.

Sie empfand eine Mischung aus Rührung, Mitleid und Eifersucht, während sie auf das Kind blickte, auf seinen ziemlich formlosen Körper. Am Nachmittag das neue Kleid, Geburtstagsgesellschaft, Topfschlagen und Versteck mit Anklopfen, Meta, Tilli, Dorchen. Pfänderspiel und heiße, hellrote Würstchen. Noch nie so deutlich wie jetzt hatte sie gespürt, daß ihr eigenes Leben verdorben war. Alles besiegelt und das Angezettelte verewigt. Erwin für immer und bis zum letzten Atemzug Erwin, der sie nicht gern genug hatte. Nichts Neues war da zu erwarten, vielleicht würde er die Freundin wechseln, das vielleicht. Sie riß sich zusammen und blickte schnell wieder zu dem Kind hin, auf die strähnige Frisur, die gegen die Nackenwirbelknochen nickte. Wieder half es verblüffend gut und rasch. Kindervorstellung. In der pappigen Faust ein Geldstück für Eistörtchen während der Pause. Sie wußte, daß es ihr leichtfiel, sentimental zu werden. Auch verfügte sie über einen selbstgemachten Aberglauben. Wenn sie allein die Kahle Straße hinunterging, kreidete sie ihren Bekannten, dem hochnäsigen Kreis um Erwin, die Verhöhnung weicher Gefühle an.

Inzwischen hatte sie dem Kind freundliche Eltern und eine behagliche, vom Mittagessenduft warme Diele erschaffen, in der es seinen Ranzen wegschleudern, die häßliche Jacke abstreifen und unter den hübschen, nicht für den Schulgang bestimmten kleinen Stutzer hängen würde. Was für eine nette anheimelnde Gegenwart. Nachmittags der Lärm von Freundinnen, die sich alle danach drängen, auf den ersten Platz in der Rangordnung zu gelangen.

Sie vergaß abzubiegen, und als sie es merkte, gab sie sich Mühe, daran zu glauben, daß Erwin ohnehin die Rauchfangwürste nicht verdient habe, daß sie sich folglich nichts vorwerfen müsse, wenn sie lieber dem Kind auf der Spur blieb; es fiel ihr aber schwer, das gerecht zu finden, denn längst schon spürte sie, daß die Beschäftigung mit dem Kind das morgendliche Drama verwischte. Sie dachte: für ein Kind eine Welt schaffen, warm und voll Spielzeug, ein bißchen stickig. Mit dem Kamm durch Haare streifen, Haare mit Zukunft, Versprechen in seidigen Wellen, Lockenröschen auf den Ohren. Gegenwart voller Freundinnen, Kostümeinladungen, Kakao und Torte mit unwissendem Appetit.

Die Kahle Straße endete in einem Rondell, an dem die Straßenbahn ihre Schleife zog. Jetzt würde sie am Zeitschriftenkiosk für Erwin einen *Blauen Boten* kaufen – wie köstlich war Demut. Es war mittäglich leer und still zwischen den fleckigen dunklen Hausfassaden. Das Abstoßende des Vorortviertels quälte sie nicht mehr. Aber am Rondell war Betrieb, buntes Gewimmel, das hinter dem Warteverschlag der Stra-

ßenbahn und aus dem Versteck, das der Kiosk bot, hervor-
quoll: Freundinnen, Geburtstagsdorchen und Kostümanna,
Freundinnen, Freundinnen, dem Kind entgegenquellend,
dem Mädchen mit grauen Wollknien und geschmacklosem
Kleid, dem, das Freuden erwartete, ihm entgegen, kreischend,
lachend, alle auf dem ersten Platz in der Rangordnung der
Feindschaft. Das Kind war plötzlich umzingelt.

Wenn sie später davon erzählte – wobei sie ihre Gefühle
gesellschaftsfähig machte –, brachte sie jedesmal zum Ausdruck, daß sie sich kaum daran erinnern konnte, vorher
überhaupt einen Entschluß gefaßt zu haben. Fast schien es ihr,
als sei sie in die Menge der Kinder geradezu gestoßen worden,
auf jeden Fall war es nicht nötig gewesen, Mut zu fassen.
Mitten in der keifenden, zerrenden Fessel der Feindinnen
schlug sie um sich – eine ganz neue Erfahrung, erzählte sie. Die
Mädchen rannten davon. Das Kind hatte sich hinter den
Kiosk verkrochen, da fand sie es und sah in sein breites
sandfarbenes Gesicht. Sie lächelte ihm zu.

An dieser Stelle pflegte ihr Bericht aufzuhören. Zum
Abschluß sagte sie entweder: Ich hätte nie gedacht, wie
furchterregend ich wirken kann, schließlich hatte ich eine
Bande von etwa zehn Kindern vertrieben. Oder: da rannten sie
feig weg, die Frau im Kiosk hat überhaupt nichts gemerkt, wie
träge sind doch manche Menschen. Denn das erzählte sie
nicht: sie stand lächelnd gegen die Bretter des Kiosks gelehnt,
sie war froh, jetzt hatte sie bessere Medizin, Abwehrgift, jetzt
war Erwin besiegt. Sie lachte dem Kind zu, mit dessen Rettung
sie die eigene bewirkt hatte. Sie würde zusammen mit dem
Blauen Boten die Rauchfangwürste ihrem Besiegten zur
Versöhnung überreichen. Nein, sie erzählte es nicht, zwar
sagte sie manchmal mit bissigem Spott, den niemand an ihr
gewöhnt war: Verdient? Verdient hat diese häßliche kleine
Kröte es ganz bestimmt nicht, wer verdient schon irgendwas?

Aber sie schwieg nicht etwa aus Scham über ihre Demütigung, eher dem Kind zuliebe, aus Traurigkeit darüber, daß es gegen ihre Anteilnahme gefeit war. Immer wieder mußte sie es sehen: das unscheinbare Gesicht verzerrt von Abneigung, die Fratze des Hasses mit der herausgestreckten Zunge. Immer wieder hörte sie den häßlichen Laut, das endgültige Nein.

Das stärkere Geschlecht

– Ich war schon ziemlich weit, weißt du, in den Knien und so, da spürt man's zuerst. Weißt du, das war so 'ne Art Generalprobe mit einer ganz anständigen Zahl Tabletten. Hanne streckte ihr Gesicht vor. Ein herrliches Gefühl, weißt du. Neben mir liegt Max fett und schnarchend, und ich spür sein Schwitzen durch die Schlafanzugshosen, und dann die Finsternis, und die Uhr tickt, und die Knie werden richtig weich. Ach, du glaubst ja nicht, wie er mich plagt. Das ist schon ein starkes Stück, wie sich jemand auf seine letzte Stunde freuen muß, weil er so geplagt wird im Leben.

– Ich eß jetzt Torte, sagte Bella, kannst meckern, soviel du willst, und wenn ich noch so traurig bin. Die fette hübsche Hand schnickte nach der Kellnerin. Ich nehm' jetzt ein Stück von der Sahnetorte, sagte sie.

– Mir bringen Sie noch mal dasselbe, sagte Hanne und tippte an die Vollbierflasche. Sie kicherte sich bis vor Bellas warmes Ohr: die blonde Frisur hing wie eine Sichel über dem weißen gerundeten Profil. Und wenn ich die ganze Nacht laufen muß, sagte sie, es ist nun mal das beste Bier von der Welt. Und wenn ich hundertmal die ganze Nacht laufen muß. Sie zog aus der Lacktasche, die mit hochaufgerichtetem Henkelbogen neben dem Bierglas thronte, einen Stift und eine lila Puderdose, riß den Reißverschluß auf, benutzte die mehlige Quaste und starrte in den Spiegel: naß wölbte sie die Unterlippe vor, schob das schneckige Fleisch der Innenseite über die Oberlippe. Sie zog mit der Stiftspitze schwarze Ellipsen um die Augen.

– Komisch, sagte Bella, mit sanfter Gier betrachtete sie den dekorierten Sahneberg auf dem Teller, die Kellnerin zog einen rosa Zettel unter dem Teigboden heraus. Komisch, man legt bis zuletzt noch Wert drauf, ich meine, wie man aussieht und so. Ich hab' wenigstens vor, daß sie mich gut geschminkt und sauber und frisiert finden. Sie lächelte beschämt und sah verwundert aus.

– Warum aber du ausgerechnet es tun willst, ist mir noch nicht ganz klargeworden, sagte Hanne. Sie verstaute Dose und Stift in der Tasche, klickte den Messingverschluß zu. Ihr Mund tauchte in den Schaum des Biers; sie sah unzufrieden auf Bellas wohlgemuten Busen. Du hast doch, wenn man's recht bedenkt, überhaupt keinen Grund, wie?

Bella senkte den Löffel in die weiße Schaumwand der Torte.

– Ach du lieber Himmel, was hab' denn ich vom Leben, sag mir das nur mal. Als Witwe. Sie beugte den Kopf dem Löffel entgegen, die blonde glänzende Sichel schwappte nach vorne. Aber dich, Hanne, dich versteh' ich nicht, wozu hast du geheiratet, ihr könntet doch Kinder haben, dann würde vielleicht alles besser, Kinder retten doch oft die Ehe, 'ne Familie und so weiter, das hört man immer wieder.

– Kinder! rief Hanne. Wenn ich das schon höre. Damit sie's Maul aufsperren, wie, ihre Mutter bis auf die Knochen nackt machen, wie?

– Die ist auch so hell wie drei Glas Dunkle, sagte Moller und deutete in die Ecke, die Bellas großer Körper blond beleuchtete.

– Aber sieht noch gut aus, das kann man sagen. Der schlohköpfige Katter äugte hinüber. Besser als die magere Hanne von Max.

Grinsen dehnte Mollers biergeschwemmtes Gesicht.

– Sind beide nicht mein Fall, sagte er. Die Bella war eine frühere Freundin von meiner Frau nebenbei, hat Pech gehabt damals: zwei Wochen verheiratet, und der Mann stürzt vom

Bau, muß vor deiner Zeit gewesen sein. Meine Frau sagt immer, die Bella wäre 'ne gute Ehefrau und Mutter geworden, die hätt' das Zeug dazu gehabt, sagt sie. Aber dann hat sie sich mit dieser Hanne zusammengetan, und seitdem, sagt meine Frau, isses aus mit der Bella, aus und vorbei. Und deshalb, hat meine Frau gesagt, wollen wir Abstand nehmen vom Neujahrsbesuch. Sein Mund schwieg geschwätzig.

– Im Leben einer Frau, sagte Bella sahnig, spielt doch, meine ich, das Gemüt 'ne große Rolle. Das Leben einer Frau braucht doch irgendeinen Halt. Und wenn man keinen hat, so wie ich, ich meine, mit dem man mal reden kann, na ja, dann kann man vor die Hunde gehn.
– Na ja, sagte Hanne, sie betatschte in kleinen Abständen beide Flammenmale auf den Backen, aber denk nur nicht, wenn dein Mann noch lebte, wär's besser. Ich muß nach wie vor sagen: bevor ich heiratete, war mein Leben erfüllter. Sie hob das Glas, goß zwei Schlucke in den Mund; ein wimmerndes Gegacker rüttelte ihre Schultern. Nein nein, das kann ich dir sagen, Max ist ein Schuft, seelisch und so richtet der mich zugrunde, ein Sadist, das ist nun wirklich kein Leben mehr.
– Na und bei mir, sagte Bella, wehmütig schabte sie mit dem Löffel die letzte Schmiere vom Teller, bei mir gibt's nichts von dem, was eine Frau im Leben braucht, keine Aussprache, kein Verständnis, nichts.

– Den Verdacht sind wir Männer nie losgeworden, daß der Bella ihr Mann sich seinerzeit sozusagen, na ja, freiwillig vom Bau runter ... Mollers schadenfrohe Hand kurvte schnell durch den Qualm. Die vierzehn Tage sollen dem angeblich gereicht haben, hübsch ist sie, zugegeben, das Haar und die Figur, na ja, gut, aber hell wie drei Glas Dunkles.
Katter starrte hungrig hinüber ins blonde Licht von Bellas Ecke.
– Gewissermaßen eine schöne Frau, sagte er feucht.

134

– Und es ist ein richtig herrliches Gefühl, schon mit den paar Tabletten, sagte Hanne, sie schnickte die Bierflasche überm Glas aus, so richtig schläfrig wird man, und alles ist einem egal, wirklich, ich war kurz davor neulich.

– Seele wird heut' nicht mehr gefragt, sagte Bella. Such mir einen Mann, einen einzigen, der nach deiner Seele fragt, such mir mal einen.

– Üppige Blondinen, sagte Katter, er schmatzte Wurstfasern aus einer Zahnritze, die war'n schon immer mein Fall.

– Frauen bringen Männer um, sagte Moller, seine öligen Augen glänzten vor Neid, was weiß ich, wo Frauen die Männer hintreiben können.

– Das einzige, was einem leid tut dabei, sagte Bella, ist, daß man noch so jung ist mit seinen zweiundvierzig Jahren.

– Alle Menschen müssen sterben, sagte Hanne, alle alle Menschen. Besser, man tut's selber. Mir tut als einziges leid, daß ich nicht dabeisein kann, wenn Max sich grün ärgert und sich schämt und was weiß ich.

Mit kurzen Schritten kam die Kellnerin, sie beugte sich schnell zu Hannes Ohr, flüsterte.

– Ach du liebe Zeit, dieses Bier, rief Hanne, fängt schon an mit der Lauferei, was hab' ich dir gesagt. Sie stieß den Stuhl ab, schlurfte mit fahrigen Bewegungen der Toilette entgegen. Bella lächelte zur Kellnerin auf. Die Kellnerin neigte sich leicht, sie notierte die Preisziffern auf einem rosa Block, dann steckte sie die eine Hand unter die adrette Schürze, klimperte mit Münzen. Mit einer gleichmäßigen Stimme ohne Erregung sagte sie:

– Ihr Mann ist eben gefunden worden, im Bett. Selbstmord.

Der Beweis

Stimmen, Williams Lachen und das tiefere von Alfred, die hohen Rufe der beiden Frauen: Lena streckte den Rücken, hob mit dem nassen Wäschestück die Hände aus der dampfenden Lauge in der Bütte und sah auf. Durch den tänzelnden Blattvorhang blitzten Farben, helle bunte Kleider, die das Foliengewirr vor ihrem Blick in Fetzen riß. Williams Kopf kam und verschwand, tauchte wieder auf. Sein dunkles Haar schimmerte im Licht. Sie hielt den Atem an und sah andächtig hin.

– Ach, du liebe Zeit, ich hab' meinen Badeanzug oben liegengelassen, rief seine Frau.

Lena verstand nicht, warum sie darüber so spitz lachte. Es ärgerte sie ein bißchen.

– Wahrhaftig, ihr seid mir nette Kavaliere. Keiner dreht sich auch nur um von euch. Und vor allem du, William!

Wieder das Lachen. Lena verstand es jetzt besser, und etwas Neid vertrieb den Ärger: die Frau war verliebt in diesen ersten Wochen nach der Hochzeit.

Im grüngestrichenen Holzrahmen der Haustür erschien der große blonde Herr Stahl, Lena sah, wie er sich eine Zigarette anzündete.

– Was ist los, Kinder?

– Meinen Badeanzug, ich hab' ihn liegenlassen, sang Williams Frau, es schien ihr Mühe zu machen, ordentlich zu sprechen: die Wörter glucksten, kicherten. Keiner nimmt mir den Weg ins Schlafzimmer ab, treppenscheue Männer, wie finden Sie das, mein Lieber?

Lena ließ das schwere Wäschestück zurück ins Wasser klatschen und spürte die heißen Spritzer am Kinn und an den Armen, durch den dünnmaschigen Kittelstoff über dem warmen Bauch. Langsam rieb sie die Hände an den Hüften entlang, starrte durchs Lichtgeblinzel der Blätter.

– Ich finde, daß ihr ein bißchen Bewegung guttut, rief William, sie wird mir zu fett sonst.

– Hör dir das an! Nein, diese Männer! Die beiden Frauen keuchten vor Lachen. Marion beugte den Oberkörper, stützte die eine Hand auf den Schenkel, mit der andern griff sie nach Williams Frau. Ihr Rücken zuckte kurz und schnell, der Körper federte in den Kniegelenken wie bei einer Turnübung.

– Sie ist müde, mein guter Bill, du solltest sie mehr schonen, sagte Alfred.

Lena hörte die tiefe Stimme weitersprechen, sie verstand nichts mehr. Sie sah, daß William ging. Sein weißes Hemd zuckte durch die knorrige Baumspalte wie ein kleines verblassendes Licht. Sie griff in die seifige Brühe. Fertig werden, fertig werden. Die legen sich in den Sand, ihre nackten braunen Körper, sauber, ölig. Immer so weiter das Lachen, ihre sinnlosen lustigen Gespräche. Sie spürte ihr eigenes klebriges Haar, ihre geschwollenen Füße, zwischen den Zehen Feuchtigkeit. Ihr Kreuz brannte, als sie sich aufrichtete mit dem schweren Eimer, in dem die ausgewrungene Wäsche lag. Der Metallhenkel schnitt in ihre vom Wasser aufgeweichte Handmuschel. Seitlich gekrümmt schlurfte sie über den Sandweg zur Wiese, der Eimerrand rieb kühl an der Wade. Sie arbeitete schnell und geschickt. An der Fähigkeit, etwas hinter sich zu bringen, ob sie nun bedrückt war oder nicht, empfand sie jedesmal so etwas wie Freude und Sicherheit.

Sie schlenkerte mit dem leeren Eimer, stellte ihn ab auf den rotbraunen Fliesen vor der Baracke: der verbeulte Boden kratzte hart über den Stein. Die Küche war schwarz. Lenas geblendete Augen erkannten die plumpe Silhouette der Mutter vorm Herd. Sie ging nicht hinein, sie rieb die Hände am Kittel, obwohl sie trocken waren.

– Ich hol die Milch, rief sie mit ängstlich geschwinder Stimme und wartete nicht auf Antwort.

Im Stall war die Wärme weicher, sacht schnaubte der Atem der Tiere, leise patschten die Schwänze, dumpf, gegen die festen Leiber. Lena stellte sich hinter Romans Schemel, ein sämiger Milchstrahl zischte sanft gegen die Zinkwand der Kanne. Sie betrachtete Romans kräftigen Rücken: gebeugt, mit stetig bewegten Schulterblättern, die den blaugestreiften Hemdstoff hoben und senkten. Im bewachsenen Nacken die wulstigen Fältchen. Sie betrachtete es, das glatte, verschwitzte Haar, die bloßgelegten Unterarme, milchig bleich und stark, flaumlos, gewellt von Adern. Sie kannte seinen Körper mit der dicken weißen Haut, nur Gesicht, Hals und Hände waren braun, arbeitsbraun, unvergnügt. Die Gäste im weißen Ferienhaus hatten eine andere Haut, auch solang sie blaß war.

– Feines Badewetter für heut' abend, sagte Roman.

Lena sah ihm zu, wie er wieder farblose Creme in die Hände rieb, ins weiche Fleisch des Euters, vorsichtig. Glattes, klangloses Klatschen.

– Ja, sagte sie, aber schöner wär's, wenn man jetzt raus könnte, jetzt bei der Hitze. Sie blinzelte in die Lichtsträhne. In eine steile Bahn von der Luke zum zertretenen Stroh hinunter. Es war ein und dasselbe Licht, in dem sie draußen badeten und ihren Unsinn schläfrig weitertrieben, und in dem sie hier stand, neben Roman, bei den Kühen. So ein Wetter, und man muß hier schuften, sagte sie.

Weich schoß der Sahnestrahl unter Romans Händen in den Milchspiegel, bohrte eine kreisende Mulde in die weiße Oberfläche.

– Wie's Vieh muß man sich alles gefallen lassen, fuhr sie fort: es war nicht genau das, was sie sagen wollte, aber es übersetzte den Eindruck von stummem Dulden, den die stillen Tierleiber auf sie übertrugen.

138

– Na na, sagte Roman, du hast ja eine üble Laune heut'. Er lachte kurz und gleichgültig.

Sie bückte sich zu den Henkeln ihrer Kannen und nahm sie in die brennenden Hände.

– Keine Spur, sagte sie. Na, ich geh' mal weiter.

Draußen schob sie die Unterlippe vor und blies mit dem warmen Atem eine Strähne aus der Stirn. Sie trug einen Teil ihres Tagewerks, zwei lebendige Gewichte, die an den Schultergelenken zerrten. Sie beschleunigte ihre Schritte.

Ihr Tag hatte kleine Ziele: zu bestimmten Zeiten nahm sie ihren Wachposten am Waschplatz ein, auf dem sie durch Stämme und Blätter die Gäste des Ferienhauses kommen und gehen sah und still, mit einer Mischung aus Andacht und Widerstand, den gebrochenen Eindruck der fremden Welt in sich aufnahm. Einsilbig, sonnenbetäubt kehrten sie alle gegen Mittag zurück. Lena spürte ihre Gereiztheit, eine Lähmung durch einen Streit, dessen Ursache und Hergang sie sich vorzustellen versuchte. William ging nicht neben seiner Frau, er sah mit einem höhnischen uninteressierten Lächeln in die Baumkronen, sein Kinn war erhoben. Lenas Blick erwischte durch das zuckende Tupfenmuster der Blätter, zwischen den Baumstämmen, das Orange seines Bademantels. Die Frauen liefen am Ende, zerzaust und glanzlos waren ihre Haare. Sie blickten auf den Weg, auf ihre weißen Strandschuhe. Herr Stahl hielt ihnen allen, dem einzelgängerischen, böse trottenden Trupp, die grüne Haustür auf und schlug sie hinter sich ins Schloß. Lena atmete tief, ein und aus; der Hauch aus ihrem Mund war fiebrig und dick. Langsam ging sie zurück, und bevor sie die Küchentür erreichte, beleckte sie mit der klebrigen Zunge die Lippen.

– Die Gäste sind schlecht gelaunt heute, sagte sie beim Essen.

– Woher weißt du das schon wieder?

Die weichen Falten der Mutter, Hautringe im Hals, ein von Schlaffheit verborgenes Kinn. Die Kinder waren schmutzig und laut. Lena sah widerwillig auf die kleinen grauen Händepaare.

– Ich sah sie zufällig, als sie vom Strand kamen, sagte sie und beugte ihr Gesicht über die riechende Suppenwärme im Teller. Die Suppe war undurchsichtig braun in die abgesplitterte Steingutumrandung eingesperrt. Sie starrte in den dichten Brei und sah darin das helle Zimmer mit dem runden Tisch, die fünf verstimmten Gesichter.

– Hat Roman dir gesagt, ob er heute die Hecken schneidet?

– Nein.

– Aber er sollte es heut' nicht wieder vergessen, sagte die Mutter, ihre zaghafte Stimme war hoch.

Den ganzen Nachmittag über dachte sie an die Mißstimmung im Ferienhaus. Ihren Ausguck im Versteck hinter den Waschtrögen und niedrigen Büschen bezog sie zu den gewohnten Zeiten. Sie sah Alfred und Marion zum Strand gehen, sie sah den großen Herrn Stahl mit dem Tennisschläger den Weg zum Dorf einschlagen, auf seinem hellblonden Kopf trug er eine weiße Mütze, deren grüner Zellhornschirm einen Schatten in sein Gesicht kleckste. Sie sah ihn ganz aus der Nähe, aber sein lippenloser Mund, seine dunkelbetupften Wangen, die benachteten Augen antworteten auf keine ihrer Fragen. Sie starrte zum Haus hinüber. Als die Flügel der Terrassentür sich bewegten, wußte sie nicht, ob eine wirkliche Hand oder nur die Anstrengung ihrer Einbildungskraft am Werk war. Sie erkannte William. Er rückte den Liegestuhl unter den rotweißgepunkteten Sonnenschirm, verschwand hinter der Bastwand.

Eine Weile blieb sie noch reglos am Platz hinter der Bütte. Sie strengte sich an, etwas zu denken, zu folgern. Der Mann unter den fünf Fremden, der Mittelpunkt ihrer Sehnsucht, lag allein da, nur getrennt von ihr durch ein paar Meter, durch eine dünne Wand aus widerstandslosem Stroh. Sie erkannte nur diese Tatbestände. Sie brachte es einfach nicht fertig, etwas aus ihnen zu machen.

140

Später stand sie neben Roman, der die Hecke schnitt. Sie war so sicher, daß heute ein besonderer Tag sei.

Aber bis zum Abend wußte sie noch immer nicht, was sie tun sollte. Sie saß im Gras auf der andern Seite des Waschplatzes und paßte auf.

Auf der Terrasse war die Bastwand entfernt worden, die vier Korbsessel standen neben dem Liegestuhl um einen kleinen Tisch herum. Alfred trat aus der Tür, lehnte sich gegen die Hauswand. Lena sah das rote Glutpünktchen seiner Zigarette aufflammen. In die Stille tröpfelten Stimmen aus dem Zimmer, von den Geräuschen der Dämmerung zerhackte Gespräche, Lachen. Marion: ihr gelbes Kleid, mondlichtig, ihre Hand lag auf Herrn Stahls Arm. Die drei setzten sich in die Sessel. Alfred hatte ein Windlicht auf dem Tisch angezündet. Gläser standen herum. Lena hörte ein klangloses Klirren, als sie anstießen. Sie vergaß zu atmen, zog die Knie eng an den Oberkörper und umklammerte sie. William und seine Frau, der Streit. Ihre Füße klebten am Lederfutter. Es gab ein kratzendes Geräusch, als sie sich in den Boden stemmte.

– Ich hoffe, die beiden werden heut' noch erscheinen, sagte Marions helle Spottstimme.

Was die Männer sagten, konnte Lena nicht verstehen.

– Sie scheint das zu brauchen, man könnte denken, sie macht's absichtlich. Marion lachte, und Lena sah, wie sie sich im gelben Kleid vorbeugte.

– Auf jeden Fall ist's ihnen nicht langweilig da oben, sagte Marion.

Das dunkle Männerlachen wurde langsam und träge.

In der offenen Flügeltür erschienen jetzt William und seine Frau. Sie hatten ihre Bademäntel an. Lena sah, daß sie sich umschlungen hielten. Wieviel kleiner und schmäler die Frau war!

– Na, wollt ihr den Beweis sehn, ja? Wollt ihr? Die Frau küßte William.

– Genug, genug, kreischte Marion, wir brauchen nur nach

der Uhr zu sehen, um es euch auch ohne Beweis zu glauben! Alfred, wenn ich morgen meinen Badeanzug liegenlasse, weißt du, warum.

Lena umklammerte ihren rechten Schuh, nahm ihn zwischen ihre Knie und sah regungslos zur Terrasse.

Die Antwort

Das war Trudys Hochzeit, niemand von uns allen wird je diese
Stunde vergessen. Fast bin ich der Meinung, indem ich es
erzähle, könnte ich das Schaudern ein bißchen weiter von uns
wegscheuchen. Aber ich will alles der Reihe nach schildern:
Da saßen sie steif in den kahlen Kirchenbänken, erbärmliche
kleine Verwandtschaft, bejammernswert sahen sie aus: Papa
so ungeschickt als Trauzeuge, ach, bis er endlich seinen
feierlichen schwarzen Wanst in die erste Reihe gepreßt hatte,
links von Ma, die einen würdigen Ausdruck im verweinten
Gesicht hatte, bestimmt würde sie die Predigt überhaupt nicht
genießen können nach all den Aufregungen mit dem Mittagessen und dem Reißverschluß an Trudys Brautkleid. Und
Tante Lina schniefte schon, als noch gar nichts los war: dieses
besonders weiche Gemüt würde man bei ihr nicht vermuten,
denn sie ist Papas Schwester und sieht ihm ähnlich, jetzt mit
den neuen Locken muß man, ob man will oder nicht, an eine
aufgedonnerte grimmige Bulldogge denken. Wie grämlich die
kleine Runde: als läge die Ahnung des Unheils über ihr; und
sich vorzustellen, daß das, mich eingerechnet, schon alle von
Trudys Seite waren. Aber rechts vom Gang saßen auch nicht
viel mehr: Georgs stumme hingebungsvolle Zeugen. Seine
Mutter klein und schrumplig und furchtsam, schwarz wie zu
einem Begräbnis; auch von seinem Vater ging diese Totenfei-
erlichkeit aus, der geschorene Rübenkopf stand starr über dem
eckigen Anzug. Neben ihm Georgs Bruder: mickrige Karikatur von Georg; seine Frau glänzte neugierig aus dem Brautkleid vom letzten Jahr. Alle saßen sie gelähmt von der

Demütigung der Kirche, vom Ansinnen der festlichen Stunde, die sie in gute Kleider gezwängt hatte.

Zum Glück schritt dann noch würdevoll Tante Schmitt-Obermann durchs Kirchenschiff: sie hatte doch wirklich so etwas wie eine Pelzboa um die Schultern, und ihr Busen changierte imponierend, und ich war froh für Trudy; daneben Onkel Schmitt-Obermann wie ein Spielzeughundchen, sein betroffenes Hundegesichtchen wußte genau: ich bin ein Hund, ein scheußlicher dreckiger komischer kleiner Hund. Er wollte sich gleich hinsetzen, aber als er dazu den Rücken schon krümmte, sah er, daß sie noch breit und betend stand, und er hob sich wieder in tiefdunkler Scham, gebeugt in wortloses Flehen.

Und dann kamen, dem Himmel sei's gedankt, noch ein paar Gäste: Eberhard, weich wie Butter, Jugendsünde; der schwärzliche Backenbart hing gramvoll – vorbei, vorbei. Drei neidische rührselige Schulfreundinnen. Ein geschiedenes Ehepaar aus Trudys unpassender Bekanntschaft; ich war stolz und wütend darauf, daß sie gekommen waren – mit ihren undurchsichtigen Gesichtern. Eine nuschelnde Greisin schlurfte als letzte noch herein. Die Kirche war kühl. Am übermannshohen Kreuz aus grobem Holz hing schlaff ein lehmfarbener bäurischer Christus mit zu kurzen Extremitäten, die Messingleuchten waren wie bei Schmitt-Obermanns, nur größer, über den Altarstufen lag der weiße Flausch eines Schafwollteppichs – fast so wie der in Trudys Aussteuer, für den sie so lang sparten –, und ein Kniebänkchen stand unterm Tisch mit der Bibel; mich erinnerte alles an die Photos aus Georgs Zeitschrift *Schönes Heim.*

Am Altar hantierte der Küster, schlüpfte hin und her und musterte uns mit seinen geschäftigen unfrommem Augen. Der Gemeindepfarrer öffnete die Relieftür der Sakristei, zeigte sein beleidigtes Gesicht und verschwand wieder, um mit diesem Professor der Theologie zu reden, der Georg trauen wollte, weil er bei ihm das beste Examen gemacht hatte. Und wir saßen da und warteten auf irgendeine Erregung; nur Tante Lina brauchte nichts weiter als diese Kirche, um sich schneuzen zu können, so eine gemütvolle Bulldogge. Dann brüllte endlich die Orgel los. Es tat fast weh, als das so losbrandete und uns überschwemmte. Georg und Trudy schritten vorbei in einem anscheinend ganz neuen Verhältnis, fremder und würdig und so traurig wie die Verwandten. Ach, warum war es so traurig? Weil die verschleierte Trudy den fetten kleinen Arm in den von Georg steckte. Denn sonst fiel ihr das nicht ein, sonst war sie ihm immer haushoch überlegen, ihre eleganten Freunde, selbständige kleine Frau, pflegte Tante Schmitt-Obermann zu sagen. Oder war die Orgel das Schlimmste, sie gab Georg und Trudy so ein schwülstiges Ansehn, als wären sie Tristan und Isolde oder sonst ein berühmtes Paar – die Orgel machte sie so wichtig, als hätten sie nicht genau wie wir auch den Knoblauchgeschmack von Mas guter Soße im Gaumen; da schritten sie geradeaus auf den Professor zu wie Todeskandidaten.

Der Professor-Pfarrer sah aus wie ein Heiliger: mager und feurig und sanft; schwarzschlappendes Gewand. Vor ihm beugte das Paar die Köpfe: Georg in braver akademischer Andacht – wahrscheinlich fand er es erhebend, oder ob er das andere schon spürte, o Gott – und Trudy, ein feistes weißglänzendes Tönnchen, ihre Schweinchenbeine schimmerten durch den Tüllnebel, goldene Verheißung. Wie schrecklich rührend mußte Ma es finden: *ihr* Tüllrock, *ihr* Satinunterkleid, mußte sie sich jetzt nicht an das fieberhafte Rupfen und Zupfen und Strecken und Schneidern der letzten Tage erinnern, ach, *ihr* Trudytönnchen! Als der Reißverschluß kurz vor der Abfahrt in die Kirche krachte, von Tag zu Tag wurde Trudy ja fetter, und mußte sie nicht dem Himmel danken, daß sie nun da oben stand neben Georg und ihm angetraut wurde, weiß Gott, das war gut und mußte sein, und das war ein Segen, daß sie jetzt ihren protzenden Verlobungsbauch nicht mehr verstecken mußte.

So feierlich und steifgefroren hörten wir die pathetischen Vokale des Pfarrers, die schmeichelnden Konsonanten – und dann geschah es, das ganz Schreckliche, das wird niemand von uns allen je vergessen. Es war, als der Pfarrer sich an Georg wandte und ihm die bewußte Frage stellte, ob er Trudy und so weiter und so fort, das, was jeder kennt und erwartet und komischerweise mit Neugier erwartet, denn es kommt wohl selten vor, daß einer, Mann oder Frau, auf diese Frage mit Nein geantwortet hat. Und doch wartet man in einer starren Spannung, die sich auf den Klang der Stimme zuspitzt. Der Pfarrer hatte zu Ende gefragt und sah seinen besten Schüler an: Georg, willst du Trudy, willst du, *willst* du, sag es endlich, *sag* es! Das war schon kein Warten mehr: durch diese stumme Pause spannte sich Entsetzen. Trudy starrte zu Georg hinauf, wir sahen ihr rotes Profilchen: Georg, denk an Gras im Mondschein, an Schafwolle und an die kleine freche Spielschuld deiner gewissenhaften Einsätze, o Georg! Ich sah, daß Papa seinen Wanst aus der Bank quetschen wollte: los Junge, verdammt – denn das dauerte doch zu lang, bis Georg endlich zu wilden Armbewegungen ein Röcheln ausstieß, keiner verstand es damals, es brauchte noch eine ganze Weile, bis jeder begriff, daß Georg nicht mehr sprechen *konnte.* Nie mehr konnte er sprechen. Bis heut nicht. Stumm. Arme Trudy, die richtige Antwort hat er dir nie gegeben, die Schmach. Der arme Georg tut uns allen leid, gewiß. Aber schlimmer ist doch wohl Trudy dran. Wer weiß die Antwort?

Konversation

– Et sur les Champs-Élysées, il y a beaucoup de grands magasins, plaudert Madame Meunier. Ihre reduzierte Greisinnenstimme schwankt, flattert zitternd. Die vielgefältete Kehle wird in der Mitte zusammengerafft durch ein lindgrünes Samtband, das schnürend ein ehemaliges Maß angibt. Nichts bewahrt so ein altes Gesicht, nichts kann es mehr vortäuschen. Einmal war ihr Kinn ein Absatz.

– C'est aussi d'un magasin des Champs-Élysées, erzählt Madame Meunier, tippt kokett auf das unerbittliche Samtband.

– Très joli, sagt Fräulein Tippel unaufrichtig. Zustimmendes Gemurmel der anderen, beifällige, ehrfurchtgetränkte Blicke: kommt aus Paris, echt Pariser Verkäufer legte es um echt Pariser Hals. Französisches Fleisch, gekrönt durch ein Band von den Champs-Élysées.

– Ce que portez-vous, s'il vous plaît? erkundigt sich die begrenzte Stimme geschäftig.

Wieder die Garderobe. Ich trage jedesmal dasselbe. Frau Setter rafft sich auf: verlegen lächelnd gibt sie das intime Mysterium ihrer Kleidung preis: blauer Rock, gelbe Bluse.

Unanständig wegen Herrn Fill, der sich die Kleider wegdenken würde. Aber Herr Fill ist noch nicht da. Wo bleibt er nur? Ich habe den Sessel links von mir freigehalten. Peinliche, aber reizvolle Angelegenheit: französische Konversation im gemischten Kreis. Man plätschert dahin wie im Familienbad, redet Unsinn, weil man noch nicht so viel kann. Hört sich alles so frivol an auf französisch: Chambre à coucher; je porte une jupe bleue.

147

– Et des souliers. Frau Setter wirft einen verschämt neckischen Blick auf ihre deutschen Füße in den soliden Straßenschuhen; bruns, entscheidet sie mit beziehungsreichem Lächeln.

Madame billigt ernsthaft, wohlwollend. Jedes Jahr ein neues Fältchen in die Lippen. Werden immer mehr, Runzeln und Gravierungen, bis wir sterben. Wäre zweckmäßiger, wenn wir ausgewachsen und verrunzelt auf die Welt kämen, als deformationslose Embryos stürben. Kleinere Särge. Nicht soviel Ernährung. Appetitlicherer Tod.

– Alors, Monsieur Kanewski!

Das »Monsieur« treibt ihm eine leichte Röte in die ausgehöhlten Backen. Ambitionierter Exfeldwebel. Will mit seiner Frau vierzehn Tage nach Paris. Kinder bleiben bei der Oma. Süße kleine Enkelchen; wenn die vierzehn Tage um sind, hat sie die Nase voll von ihnen. Alles an Herrn Kanewski ist dunkelbraun. Er ist rasch fertig, verächtlich, geringschätzig. Kleidung interessiert ihn nicht. Weiberkram. Lenkt auf ein anderes Gebiet: Restaurants. Er liebt Nieren, so bringt Madame ihren uralten Scherz an: reins und rognons, Nieren, die man hat, und Nieren, die man ißt. Gekicher. Herr Kanewski will wissen, wo er am billigsten essen kann. Alles Nepp in diesem Paris. Kennt es von früher, aus der Glanzzeit der Besetzung.

– Rapportez de Paris, Mademoiselle, animiert mich Madame, da ich im letzten Herbst an der Seine war. Mühsam stottere ich mich durch meine schäbigen Erlebnisse. Es wird entgegenkommend gelauscht. Paris: Stadt der Städte, Eldorado der Künste, der Liebe, deutscher Fernwehsentimentalität. Rechts neben mir der aufmerksam-geduldige Speckarm, ganz weiß, aderlos und frisch gebadet, von Fräulein Tippel. Einmal im Leben mit dem Kugelschreiber auf ihm malen dürfen.

Mitten in meiner stockenden Reisebeschreibung geht die Tür auf, Herr Fill bricht ein.

– Excusez moi, mais . . ., beginnt er siegesgewiß, stockt. Das

148

deutsche Hirn denkt deutsch weiter. Solange er nicht da war, hatte ich ihn lieber. Mit einem Lächeln dirigiere ich ihn neben mich.

– Bon soir, Monsieur, sagt Madame höflich, französisch.

Herr Fill setzt sich, vollendet seinen Satz:

– Mais j'ai reçu une lettre importante. »Lettre importante«: macht sich immer gut, die Privatsphäre. Andeutungen verraten den wichtigen Mann: muß noch ein Telegramm aufgeben, übermorgen dringende Besprechung mit Doktor X in Köln. Egal, daß er der Fußarzt ist, der so geschickt die Hühneraugen wegnimmt.

Weiter plaudert der Fältchenmund, wabern die kuhhäutigen Fleischlappen an der Kehle. Abends hat sie einen roten Streifen an der Stelle. Tut nicht weh, der richtige Hals liegt tief innen verborgen.

– On peut lire: »Five o'clock tea à toute heure«, sagt die überhöhte Stimme empört, die französischen Damenäuglein funkeln vor Zorn. Wir alle erregen uns über eine so diskrepante Aufschrift: Angelsachsen beeinflussen gallisches Leben in der Metropole, Amerikanismen drängen sich ein: milk-bar, chewing-gum, blue jeans, tz, tz.

Herr Fill darf noch seine Kleidung beschreiben:

– Un veston gris et vert et brun.

Geschmackloses graugrünbraunes Produkt der Textilindustrie. Kleinen Fleischbezirk rechts unterhalb des Mundes, zernagt von sorgenvollen narbigen Linien und Furchen, möcht' ich küssen. Rasierspuren. Winzige graue Stoppeln. Zaghaft aber die Oberlippe: rechts eine kleine Ausbuchtung, eine Schwingung nach oben, kurvig. Ein unbeherzter Mund.

Den nackten Arm von Fräulein Tippel, weißspeckig und ungeizig, überziehen kleine kreisförmige, harte Erhebungen: Frierknötchen. Mit dem Kugelschreiber blaue Markierungen auf die Pünktchen setzen, Krönchen; mit dem ungehinderten Stift über das haarlose Fleisch gleitend Muster malen, Figuren; Wege einzeichnen.

Wir gehen zu *Hogidor* über: ein rührseliger Roman mit einer dezenten Liebe.

– »Il l'embrasse avec passion«, liest Herr Fill artig temperiert. Ob er an mich denkt? Fräulein Tippel errötet, und tief unter dem hellen schweren Busen tut ihr unverwöhntes, leichtbewegliches Herz ein paar kräftigere Schläge. Das Fräulein aus *Hogidor* zittert, glüht, schämt sich sehr, aber läßt sich weiter vom standesgemäßen, leicht unsoliden Nachbargutsherrn küssen, erschauernd. Gleich wird die Szene wechseln: auf dem unbedruckten, taubstummen Papier zwischen zwei Kapiteln vollzieht sich die unterschlagene Hauptsache.

– »Elle l'embrasse aussi et...«, liest Herr Fill, unbeeindruckt bis auf die Kurvenlippe.

– La leçon est terminée, sagt Madame Meunier liebenswürdig pünktlich, kurz vor dem Ende des Kapitels. Keine unbezahlte Minute. Außerdem kennt sie *Hogidor* auswendig und weiß, daß nichts Spannendes mehr kommt.

– Au revoir, Madame, au revoir Mademoiselle...

– Grand merci, sage ich hochtrabend, sinnlos. Bezahle sechs Mark für die Stunde. Hab' ich was gelernt? Hat Herr Fill was gelernt: »Il l'embrasse?«

Wir ziehen auf dem engen Vorplatz unsere Mäntel an, störend unterstützt von hilfreich ungeschickten Männerarmen. Lächeln, kichernde Koketterie, erstes Blödeln nach einer ganzen Stunde Ernst. Herr Kanewski hilft Frau Setter in »votre joli manteau«; Fräulein Tippel stülpt ein gestricktes Babyjäckchen über den unverbrauchten Speckarm, patscht mehrmals ohne Erfolg nach dem anderen Armloch, ist schon ganz rot im Gesicht. Herr Fill hilft unglücklich höflich, wird – o pardon – am Kinn gekratzt.

– Enfin! N'est-ce pas? ruft sie, froh über den Einfall.

Herr Fill begleitet mich. Derselbe Weg. Einmal in der Woche abends, seit drei Monaten. Der narbige, gefurchte, stoppelige Fleischdistrikt unterhalb des Mundes: will ihn küssen. »Il l'embrasse?«

150

– Eine zu schöne, klangvolle Sprache, sagt Herrr Fill.
Langweiliger, fader Kerl. »Elle l'embrasse aussi et . . .«

– Aber gewaltig schwer, fährt er fort. Schreiben und Lesen ist
noch gar nicht einmal . . .

An der Ecke hinter der Pferdemetzgerei umschlingt wie
jeden Donnerstagabend der hackfleischgesichtige Gehilfe sein
gedunsenes Mädchen aus der Bäckerei.

– L'amour, die Liebe, äußert Herr Fill und räuspert sich
geistreich. Die zaghafte Oberlippe stellt sich fragezeichenartig,
zögernd bereitwillig in ihre Kurve.

– Un amour, *eine* Liebe, sage ich und will ihn nicht
mehr.

Warum denn?

Warum bist du denn mit dem Taxi gefahren. Warum schreibst du denn so rasch. Warum schreibst du denn nicht rascher. Warum glaubst du denn dem Feuerlöscher nicht: Ruhe bewahren. Warum hast du denn einen Hals. Warum setzt du dich denn bei Küchenarbeiten nicht auf einen Küchenhocker. Warum informierst du denn den Veranstalter nicht genau genug. Warum nimmst du dich denn vor dem einheimischen Wild in acht. Warum läßt du denn die Gegend nicht bei einem dummen dicken Apfelbaum aufhören. Warum hast du denn einen Kehlkopf. Warum denkst du denn nicht an den andern. Warum denkst du denn an den andern. Warum hört denn dein Blutkreislauf nicht auf. Warum überhaupt – sag mal. Warum bist du denn mit dem Taxi gefahren. Warum redest du denn so verquasselt. Warum hast du denn eine rechte Hand – begründe mal. Warum orientierst du dich denn nicht mittels eines Stadtplans. Warum versprichst du dich denn so oft. Warum nutzt du denn den Platz für einen Küchenhocker mit einem Bierkasten zweckfremd. Warum gar nicht. Warum mehr und weiter. Warum. Warum gibst du denn eine eidesstattliche Erklärung ab. Warum ist denn die Rechnung so hoch. Warum hast du denn noch Geld übrig. Warum bist du es denn. Warum hast du denn keinen Beleg. Warum glaubst du denn dem Feuerlöscher nicht: Feuer von unten bekämpfen. Warum nimmst du denn nicht so viel Butter wie dein Schwager. Warum hintergehst du denn die Oberpostdirektion. Warum immerzu. Warum bist du es denn nicht – sag mal. Warum bewegt sich denn dein Augenlid – erklär mal. Warum setzt du

denn ein Bein vor das andere. Warum willst du denn
irgendwohin. (Wohin denn jetzt schon wieder/Wohin eigent-
lich/Wohin überhaupt/Wohin gar nicht.) Warum hören sich
deine Berichte denn immer so erfunden an. Warum nimmst du
denn der Diskretion ihre Unschuld. Warum läßt du denn die
Gegend nicht bei einem dummen dicken Hügel enden.
Warum soll es denn nicht so eindeutig sein. Warum soll denn
die Gegend nicht aufhören. Warum denn bei Regen. Warum
denn nicht bei Regen. Warum hast du denn einen Nacken und
ein Kinn und. Warum atmest du denn noch immer. Warum
gehst du denn. Warum nimmst du dir denn schon zum
drittenmal davon. Warum nimmst du dir denn heraus. (Was
denn/Was schon wieder/Was überhaupt nicht.) Warum setzt
du dich denn. Warum hast du denn kein Kopfweh. (Was soll
denn dein Haar/Was soll denn dieser Tatort: dein Dasein/Was
sollst du denn.) Warum bist du denn da. Warum bist du denn
nicht da. Warum denn. Warum eigentlich und alles. Warum
bist du denn ein Irrtum. Warum hast du dich denn erfunden.
Warum antwortest du denn gar nicht. Ich antworte: Warum
denn.

Auf der Sonnenseite

Ein träger Nachmittag mit zerdehnten Augenblicken. Sie ging an Karl Schwells Souterrainfenstern vorbei; da stand er wieder bei seinem Kaktus und legte das Lineal an die sonnenhungrigen Blätter, zupfte besorgt am gelben Absterben der zusammengerollten Spitzen. Sie seufzte. Was für ein Leben, fand sie, und er denkt sich nichts dabei, es macht ihm Spaß. Sein lichtloses Lächeln, mit dem er sie durch die geschlossene Scheibe gegrüßt hatte – meine Beine, dachte sie amüsiert, eigentlich hat er den Beinen guten Tag gesagt –, schimmerte im Weitergehn durch ihr Bewußtsein, nicht lang. Zwei Mädchen liefen schräg über die Straße auf ihre Seite, Rotgold neben Blond, und sie konnte ein paar Meter lang an ihrem Gespräch teilnehmen. »Und da hat er gesagt, du lieber Gott, was meinst du, was er gesagt hat? Guten Abend. Ich frag' ihn, was wollen Sie? Da sagt er, ich will nur guten Abend sagen...« Kichern und Tuscheln; die Worte versickern, vermischen sich mit den Straßengeräuschen.

Sie lächelte. Einer von diesen Aknejünglingen, dachte sie und sah ihn vor sich, wie heroisch er den Abendgruß herausgebracht hatte; sonderbar, daß doch jeder, dem man's nicht zutraut, seinen Kontrahenten findet. Ihr Lächeln schrumpfte; nein, nicht jeder, mußte sie sich verbessern, weil Herrn Schwells müdes Gesicht, seine pedantischen Finger am Kaktus, wieder schattendünn auftauchten. Nein, nicht jeder, er nicht, er fand niemanden, und Fräulein Haas, wie langweilig wäre ihr Leben für einen Romancier. Wenn man solche Leute fragte, dann gibt es keine Klavierlehrerinnen, die immer

weiter Klavier spielen, tagaus, tagein, Jahre während, die nicht
aufhören an einem wuchtigen Kulminationspunkt: ein Mann,
illegales Kind, verrückte Sehnsucht, die ein unerhörtes
Schicksal vortreibt – nein, für die gibt es nur das Besondere,
Außergewöhnliche. Der runde Körper von Fräulein Haas
schob sich neben den Schattenkopf von Karl Schwell in der
Positur auf dem schwarzlackierten Drehstuhl, in der sie ihn zu
sehen gewöhnt war. Ihr Denken löste zum erstenmal die
Klavierlehrerin ihrer Kinder aus dem weiblich eingerichteten
Musikzimmer: sie empfand das mit einem Anflug von Reue,
erinnerte sich an die scherzhaften Verhöhnungen der Kinder,
die sie nicht verbot. (Man sollte es nicht zulassen, Kinder
sollten sich nicht lustig machen.) Sie sah Robbys drollig
verzerrtes Gesicht vor sich und den gesteiften kleinen Körper,
wenn er die Haltung der Lehrerin nachahmte. Sie konnte sich
nicht dagegen wehren, daß seine Kopie sie sogar in der
Vorstellung noch erheiterte.

Mit etwas Groll betrachtete sie die Auslagen der Käfer-
mannschen Buchhandlung. Sie überflog die fetten Titel auf
den bunten Umschlägen, gab sich recht. »Nacht ohne Erbarmen« (wieviel Erbarmen mit Fräulein Haas' sattgegessenem
Körper würde gebraucht?); »Das Schicksal«, »Wo die Pfade
enden« (sie enden nicht, vielleicht ist das schon die Hölle für
Fräulein Haas); Etüden und Tonleitern, Beethovenmenuetts
und die ersten drei Bachpräludien, klebrige böswillige Schü-
lerfinger auf den Tasten, endlos.

Sie ging mit dem Groll weiter. Für mich ist das Leben nicht
gerade die Hölle, entschied sie, ohne sich einer sachten
Genugtuung zu schämen, aber auch nicht der Himmel, sicher
nicht. Sie hob die Lider, sah mit flinken Blicken – über die
Augen legte sie ein unsichtbares Netz von Gleichgültigkeit
und Eile – in die Gesichter der Passanten. Erstaunlich, fand
sie, wie wenige es gibt, mit denen man Lust hätte, ein Wort zu
sprechen. Es kam ihr so vor, als sei das nicht gutzuheißen.
(Man sollte sie lieben, besser gesagt, gern haben, das ist weniger

pathetisch und ehrlicher, denn es müßte sich verwirklichen lassen. Wirklich, vielleicht rede ich mir das nur ein, daß ich sie nicht mag, aus Snobismus oder aus Angst, daß sie mich nicht mögen. Als ich mir früher in der Straßenbahn oder im Eisenbahncoupé, im Theaterfoyer die Männer betrachtet und sie sortiert habe in die, mit denen ich gern, weniger gern, ungern und unter keinen Umständen was zu tun haben wollte.) Eine Erinnerung, die sie von sich schob. (Du liebe Zeit, wenn später ein Mädchen dasselbe mit Robby machen sollte, ihn katalogisieren und zu denen unter »ungern« stellen!)

Sie trat durch die offene Tür in den Obstladen, sog den gärigen warmen Fruchtgeruch ein. Gehorsam stellte sie sich hinter die Wand der Wartenden vor der Theke: Mantelrücken, Kleiderschultern, Frisuren. Der Duft und die Enge, die Köpfe (wie stark riecht Haar) versetzten sie in einen Zustand von Betäubung, dumpf; sie fühlte sich schwach plötzlich, schwindlig-schwer. (Den Zettel hinlegen und gehn, laß sie's schicken.) Sie kramte das Papier aus der Tasche, überlas die mit Bleistift gekritzelten Buchstabenreihen, streckte den Arm aus, durch eine schmale Öffnung in der Frauenmauer, streifte an Stoff. Verzeihung, oh, lächelte sie, wedelte mit dem Zettel, bis die Hand hinter der Theke ihn annahm.

(Bitte sehr, ja, selbstverständlich), Wörter umschmeichelten sie, als sie draußen tief atmete (wie liebenswürdig sie war, sie unterschied mich von den andern); frei fühlte sie sich wie ein Kind, bei dem der Entschluß, die Schule zu schwänzen, sich so gefestigt hat, daß er keine Angst mehr auslöst. Wenn sie nicht so riechen würden, dachte sie. Sie war jetzt gern überheblich, und außerdem hatte sie wirklich eine empfindliche Nase. (Jeder riecht wieder anders, jeder ganz persönlich, jeder Geruch ein kleines vertrauliches Privateigentum.)

Sie hatte nichts mehr zu tun in der Stadt, aber das Haus lockte sie nicht. Schuldbewußt spürte sie den leisen Widerwillen bei der Vorstellung, sie müsse die Haustür aufschließen, die gepflegte Vorhalle durchqueren und die Treppe hinaufsteigen, Schritt für Schritt, in eins der Zimmer gehn (in welches nur?), in irgendeins der ruhigen hellen Zimmer. Liz würde kommen mit den Vokabeln, nein, nein, sie schauderte beim Anblick der blaubeschriebenen Heftseite mit dem feinen roten Strich in der Mitte. So ist es mit allem, dachte sie, über dem, was man lernen und wissen muß, liegt immer eine Schicht Widerstand. Dirty, silly, immer fehlen die Analogien. Die runden dicken Buchstaben von Liz, das gedankenschwere Schweigen, wenn sie nach einem Wort gefragt hatte – nein, nein, sie wollte jetzt noch nicht nach Haus, auch nicht wegen Robby, der sich heute endlich überwunden hatte, einen Schulkameraden einzuladen.

Sie ging weiter, genoß das Gefühl der freien Verfügung über die Straßen und Plätze, das vieltönige Lärmgesumm der Menschen und der Fahrzeuge, sie tauchte ein, wurde anonym – sie hatte kein Ziel mehr, keinen Laden, den sie betreten würde, wenn sie nicht wollte; ja, aber wenn sie wollte, könnte sie etwas kaufen – der Gedanke belebte sie –, einen kleinen Augenblickswunsch, beim Verweilen vor einem Schaufenster entstanden, sich erfüllen. Geld hatte sie ja in der Tasche – sie überschlug rasch, wieviel es sein mochte –, sicher genug, um etwas Hübsches zu erwerben, wenn sie nur wollte. Das beschwingte sie. Sie lächelte einer Frau zu, bedauerte sie wegen der vielen frischgebrannten Locken, wegen des glühenden Gesichts, das die Hitze des Trockenapparates gedunsen hatte. Wie entrechtet man sich vorkommt während des Heimwegs vom Friseur, dachte sie. »Würden Sie Ihrer besten Freundin sagen, daß Ihnen ihre neue Frisur nicht gefällt?« Nein, bestimmte sie mit der gleichen Sicherheit wie am Abend vorher, nein, ich würde es nicht, niemals. Wie nett und blödsinnig diese Tests doch sind, wie gespannt man, obwohl man nichts davon hält, seiner eigenen Charakteristik zuhört, geschmeichelt sich herauspickt, was einem zu passen scheint.

Sie stellte sich dicht vor das spiegelnde Glasfenster der

157

Modevitrine, prüfte, überlegte: für einen dieser Schals würde ihr Geld reichen, und sie brauchte ja auch einen, es wäre kein leichtsinniger Luxus. Aber es fehlte ihr ein gewisser Mut, ihre Wünsche, die in der sacht schläfrigen Straßenlaune so gut gediehen waren, der Offensivstimmung einer Verkäuferin auszusetzen. Träge Scheu, Kraftlosigkeit. Stimmen, Autohupen, Motorengebrumm, ein Taumel aus Lärm umringte sie, während sie weiterging, an den blitzenden Glasscheiben der Geschäfte entlang. (Wie gern ich sie alle abends bei mir habe, warum, will ich nicht allein sein mit Alfred? Nein, ich hab's einfach gern, und es war besonders nett gestern, auch Heinz hat diesmal nicht ewig-unaufhörlich doziert, und Paulo konnte seine Utopie von der idealen Demokratie loswerden, ich sah doch, wie sehr es Heinz reizte.) Sie fand das alles ein wenig lächerlich: Männer, die diskutierten, sich an widersinnigen Behauptungen ergötzten (die Anarchie soll die friedlichste Staatsform sein, er ist schon ein bißchen verdreht), alles Männliche: ihre Prahlerei mit Logik und deren Alleinrecht, ihre Phantasielosigkeit, die Gespreiztheit ihrer Bewegungen, wenn man sie einer hübschen Frau vorstellte. Aber es machte ihr Spaß, sie liebte es. (Und als Gäste sind sie angenehmer als die Frauen, nicht so kritisch und kleinlich, tasten nicht jeden Gegenstand ab, viel angenehmer, gesetzt den Fall, sie reden nicht endlos. Wirklich eine gute Idee, das Testbuch zu kaufen; natürlich kann man's ihnen nicht gleich am Anfang servieren, wenn sie noch vollgestopft sind mit Themen. »Würden Sie sich einmischen, wenn Sie sähen, daß ein Kind geschlagen wird?« Es machte mir Spaß, nein zu sagen, nein, vor ihnen allen.)

Sie sah mit Abneigung hinüber auf die andere Straßenseite. In einer Toreinfahrt spielte sich die häßliche Szene ab, die sie am vergangenen Abend hatte konstruieren müssen: eine Frau schlug ihren kleinen Sohn, redete laut und heftig auf ihn ein, überkreischte mit spitzen Tönen der Wut sein Jammern und Schluchzen. (Nein, ich mische mich nicht ein.) Sie hatte vor den Gästen mit Nachdruck – als sei sie über sich selbst verwundert, aber geduldig mit den rätselhaften Wegen ihrer Psyche – hinzugefügt, daß sie niemals eins ihrer Kinder geschlagen habe, jede Prügelstrafe für Unfaireß und, mehr noch, für einen Verstoß gegen die persönliche Freiheit des einzelnen halte. Aber sie folge dem gleichen Ideal, wenn sie sich nicht einmische. Sie erinnerte sich jetzt ungern an ihren kleinen selbstgefälligen Vortrag. Es ist nicht gut, sich so ein- und abzusperren, dachte sie und warf einen Blick zurück auf das Kind in dem düsteren Schlauch zwischen Hausmauern. Es stand nun allein da, und sie hörte noch seine kurzen Klageglucker, verwirrte, hilflose Laute, die mehr Reflexe waren und keinen bewußten Kummer ausdrückten.

Es ist Unrecht, seine Lebensansichten nur in der eigenen kleinen Welt zu praktizieren, dachte sie, jedes weinende Kind sollte mir so wichtig sein wie Robby. Das einzig Richtige wäre, so wußte sie plötzlich, mit der Passivität aufzuhören, jetzt in diesem Augenblick. Ein Strudel von Hoffnung und Liebe, in den sie geriet; sie betrat blindlings, schwachgliedrig, aber von innen her gestärkt durch den Willen zu einer Tat, den Bäckerladen, vor dem sie stehengeblieben war. (Nur mit einem Taschentuch und freundlichen Worten könnte ich es nicht.) Sie kaufte eine Tüte Kekse, tippte noch hier und da mit der Fingerspitze gegen die Glasscheibe der Kühltheke, um ein besonders verlockendes Backwerk zu bezeichnen. Viel zuviel, dachte sie, und der erste Rausch war schon verflogen. Sie verstaute ihre Einkäufe, zwei bis oben gefüllte Tüten, verließ mit der Tasche den Laden. Hatte sie nicht jetzt ein wenig den Bereich ihrer nachmittäglichen Freiheit verlassen? Aber es schien ihr unwürdig, dem selbstsüchtigen Schweifen nachzutrauern. Wir haben kein Recht dazu, indifferent zu sein, dachte sie beim Überqueren der Straße.

Die trübselige Einfahrt in den grauen Hinterhof, Angst und Abwehr empfand sie: steile dunkle Mauern, eine eng an der andern, Balkongitter, gegen die ein paar beulenschwielige

Tonnen lehnten, auf einem Stuhl saß ein dösender alter Mann, der stumpfsinnig in den graugepflasterten Abgrund starrte.

Der kleine Junge hockte auf der untersten Stufe einer ausgetretenen Treppe, sein verschmiertes Gesicht war zu Boden gesenkt. Sie ging ein paar Schritte auf ihn zu: zwischen den Hauswänden war es dunkel, und sie konnte ihn nicht genau erkennen, aber wie er da saß, ein kleiner gekrümmter Schatten, verkörperte er eine fremde Welt. Sie spürte seine neugierdurchsickerte Feindschaft allgemein und gedankenlos auf sich gerichtet. Langsam schlenderte sie durch den Schacht und tat so, als interessierte sie sich für die Namensschilder neben der Haustür. Im Rücken spürte sie das Kind. Als sie sich dann umdrehte, sah sie das kleine kalte Gesicht. Sie hatte Angst, fühlte sich durchschaut. Anklage oder Bettelei – sie wußte es nicht. Eilig lief sie weg.

Auf der Sonnenseite der Straße beruhigte sie sich wieder. (Unmöglich, ihn anzusprechen, zwecklos, es zu versuchen.) Ja, sicher war er anders als Robby, unzugänglicher als die Kinder aus ihrer Welt. Schmutzig, dirty, dachte sie und sah die blauen Reihen der Vokabeln, den roten Trennungsstrich, sie hörte Liz' angestrengtes Schweigen und sah das helle Zimmer, sah sich mit dem Heft am Fenster, Liz am Boden auf einem Kissen – sie roch, atmete die Helligkeit. Das saubere, feine Gesichtchen von Liz, Robbys zärtliche, kleine Lippen: sie sah es alles vor sich, sah sich die gepflegte Vorhalle durchschreiten, dem Mädchen zulächeln. (Ich lächle ihr zu, sie hat's gut bei mir, aber ich wäre an ihr vorbeigegangen, wenn ich sie getroffen hätte wie den kleinen Jungen.) Der graue Bordstein und die tausend tanzenden Pupillen, Anklage oder Bettelei. Sie streckte den Rücken gegen die unsichtbare Bedrohung. (Wie dumm sind diese törichten Theorien. Wie dumm, sich hinreißen zu lassen, sentimentales Getue. Er wird lernen, zurückzuschlagen, zu werden wie die andern.) Die Kritik in ihrem Rücken, der trübe Schimmer im erinnerten Gesicht vor

160

der grauen Hauswand, das gepunktete Zucken der schwarzen Pupillen.)

Sie legte den Kopf zurück und spürte die Sonne im Gesicht, an der linken Schulter zog das leichte Gewicht der Tasche. Sie sah sich den Kindern die Tüten überreichen (jedem eine. Liz die mit den Keksen), sah sich lächeln (das Mädchen bekommt den kleinen Nußkuchen), lächeln. Sie spannte die Lippen und versuchte es schon jetzt: lächeln.

Der Ausflug

Zehn vor drei: sie sind pünktlich wie zum Schulbeginn, das steckt ihnen noch in den Knochen. Es ist das alte viersitzige Auto von der Firma, vor morgen muß Norbert es nicht abliefern. Steif sitzt er hinterm Steuer, sein Arm liegt im offenen Fenster, den Ellenbogen streckt er ins Freie. Sein geschorener Kopf ist rosig unter weißflimmerndem Flaum; aus dem Pullover quillt am Hals wie ein Kropf das locker geknotete Seidentuch: Bia hat es ihm geschenkt. Sie sitzt hinter Norbert, im Fond. Die Männer vorne hin! Ihre Kleidung ist auf das ländliche Vorhaben abgestimmt: dicke Schuhe, noppenrunzliger Mantel. Man weiß nicht, wie das Wetter wird, ein grauer diesiger Behang verbirgt die Sonne, die Birkenblätter bewegen sich nicht, in der Nacht und am Morgen hat es geregnet. Bias kleines rundes braunes Gesicht ist aufmerksam geschminkt, für die Lippen nimmt sie eine sehr dunkle fettige Farbe, eine Abendfarbe. Sie hat einen kleinen Mund, eine aufgestülpte kurze Oberlippe. Das schwarze Haar ist rund um ihr Gesicht in gebogenen Zipfeln auf die Haut geklebt, das macht die Fläche um Mund und Nase noch knapper.

– Kein schlechtes Wetter, sagt sie.

– Und auch kein gutes, sagt Norbert.

Es gibt kein Kichern, keine Tuerei zwischen den beiden. Sie sind ruhig, gleichmütig. Sie sehen aus wie Kinder und haben das Wesen alter Leute.

– Regenspaziergänge können reizvoll sein, sagt Bia.

Ihr Parfüm ist schwer. Es paßt zu der glänzenden Schminke. Das alles für den unerschütterlichen Norbert.

Um drei hält das Auto dicht am Bordstein vor der Pension Frida Freude; im gleichen Augenblick tritt Oliver aus der Tür mit dem verzierten Eisengitter. Er trägt nichts in den Händen, die an seinen langen Armen rot und ratlos baumeln; er hat eine speckige Lederjacke an, die niemand an ihm kannte, und auch ganz fremde Hosen, Breeches, als wollte er reiten, ja richtig: das ist seine Reitausrüstung, und er sieht ein bißchen albern darin aus auf der stillen grauen Sonntagsstraße, ohne Pferd. Hat er etwa krumme Beine? Die Männer vorne hin.

– Wirklich, Bia? Willst nicht du…? Olivers Stimme klingt sämig; ungespülter Schlafmund; aber seine Haut im linken Profil ist zerbissen vom Seifen und Rasieren, und sein dunkelbraunes Haar riecht nach kaltem Wasser.

– Das Wetter kann noch werden, sagt Oliver.

Das Auto rast durch die vereinsamten Vorstadtstraßen, rüttelt auf dem holprigen Theo-Bicker-Weg auf den Waldrand zu. Rechts und links die anmutslosen Gärten des Vereins der Gartenfreunde. Drahtgitter trennen öde Beetreihen, Kohlkopfzeilen, Beerengebüsch. Ab und zu ein bunter Klecks: Gartenzwerg oder ein in die Arbeit gekrümmter Rücken. Beim letzten Grundstück muß Norbert aussteigen, um die Barriere zu schließen.

– Oh, ich hab' richtig gebummelt, sagt Oliver, das hätt' ich doch auch…

Bei der schnellen Fahrt über die Asphaltstraße wird es kühl.

– Zu kalt? ruft Norbert nach hinten.

Bias ruhige näselnde Stimme sagt:

– Nein, noch nicht.

– Du fährst gern? fragt Oliver.

Norberts knochige Kinderhände krallen sich ans Steuerrad, er ruckt hoch und setzt sich wieder gerade zurecht, sagt:

– Na ja, schon.

Sein Ellenbogen im blauen Pullover zeigt spitz aus dem Fenster, spaltet den Fahrtwind.

– Die Umgebung ist herrlich, sagt Bia.

– Es ist ideal, wenn man so rausfahren kann, sagt Oliver. Er dreht sein hageres eifriges Profil, wendet sich nach links zu Norbert: Du fährst gut.

Norbert hüpft ein Stück hoch und setzt sich neu; dauernd schiebt und dreht und wägt er am Steuer, es sieht aus wie ein Geduldsspiel, als wollte er das Rad auf den Millimeter genau in irgendeiner Einstellung zum Stillstand bringen.

– Darin ist die Firma großzügig, sagt Norbert.

Mit Wagen leihen und so weiter und so fort.

– Es ist schön, wenn man mal rausfahren kann, sagt Bia.

– Tut ihr das oft?

– Leider nicht. Bias Stimme scheint, was sie auch sagt, die gleiche, mäßige Freundlichkeit auszudrücken.

Norbert sagt:

– Jetzt wollen wir mal den Großstadtdunst hinter uns kriegen.

– Heut' ist kein Mensch unterwegs, sagt Oliver, alles hat Angst vorm Regen. Ich hab' mich den ganzen Morgen über gefragt: ob's wohl aufhört, ob sie wohl kommen? Ich finde, es ist vernünftig, daß wir ein bißchen rausfahren.

– Wir haben Schirme mit, ruft Bia nach vorne. Oliver dreht jetzt das Profil ganz nach links herum, lächelt zurück; er kann sich nur so weit umwenden, daß er gerade Bia sieht. Sein Haar wirkt jetzt heller, als wäre es staubig. Er hat kleine stechende graue Augen, die Bia zulächeln, ohne Bia zu meinen; daß sie etwas meinen, ist aber ganz sicher.

– Laß uns nicht allzu lang fahren, sagt Bia zu Norbert. Sie hat den rechten Arm ausgestreckt, ihre mulattenhäutige Hand mit den zugespitzten Fingern tippt gegen den blauen Pullover. Hat schon jemand Hunger?

– Ja, sagt Norbert, ich.

Oliver lacht.

– Ich auch.

– Was gibt's denn?

164

Bia raschelt in der Tasche, die sie auf dem Schoß hält.

– Abwarten. Erst in der Natur.

Natur: rechts und links von der Straße, schweigsam; dann von einem Dorf scheckig aufgestört; vorbei; eine blasse Gruppe starrender Kühe, denen Oliver zuwinkt und dabei die Zunge rausstreckt – ein heller dicker ungenutzter Lappen, viel Vorhaben. Der Sommerweg überwuchert von Gräsern, die riechen würden, rauh kitzeln; Rinde, die kreidig wäre, wenn man sie anfassen könnte; ein Schatten, in dem man vielleicht fröre, Schatten: plötzlich gibt es Helligkeitsunterschiede, Norbert reißt das Schiebedach zurück. Die Wolkendecke ist an einer Stelle zerrupft.

– Ich kenne einen netten Platz, sagt Norbert, weißt du, Bia, hinter dem Sequinbrunnen rechts rauf. Er macht seine Stimme tief, drückt das kleine helle Kinn in den Seidenschalkropf: Die Stätte unserer Verlobung.

– Ah! ruft Oliver. Da müssen wir hin! Vielleicht eine suggestive Stelle? Er lacht schräg nach rechts: der gezerrte Mund ringelt drei kleine Falten in seine harte Backe.

– Zutritt verboten, sagt Norbert. Gepachtet. Aber es gibt noch mehr nette Möglichkeiten in dem Eck. Gute Gegend.

Gelächter. Ein Huhn schreckt kreischend auf die Böschung zurück. Der Platz am Brunnen ist feucht und schattig. Norbert hilft Bia nicht beim Aussteigen. Bias Rock rutscht über die Knie zurück, hellbraune Knie, Norbert sieht es ohne Ungeduld.

– Alter Kavalier! ruft er Oliver zu.

Oliver ist zuvorkommend und ungeschickt.

– Also, komm uns nicht ins Gehege, sagt Norbert.

Bia gibt Oliver die eine der beiden Tüten.

– Viel Spaß!

Norbert und Bia wandern gemächlich den Pfad entlang, der nach links in ein dichtes grünes Gehölz abzweigt; wandern in einer Gelassenheit, die nach Langeweile aussieht. Zufriedenstellende, angenehme, beruhigende Langeweile.

Nach der andern Seite zu ist der Weg überwuchert von niedrigem Kraut. Der Weg führt durch eine Schonung, junge Kiefern, eine besondere Sorte mit leuchterartig aufgereckten Nadelbüscheln. Zwischen den Kiefern steht flachstieliges Binsengras und viel Ginster. Man könnte nicht gut durch die Schonung gehen, wenn nicht jemand schon vor längerer Zeit einen Pfad vorbereitet hätte. Oliver läßt seine Hände an den abgespreizten Armen links und rechts durch die Büschel gleiten, manchmal rupft er sich ein paar Ginsterschoten. Seine Hände sehen so aus, als wären sie kalt und naß. Die Jackenärmel sind zu kurz, er hat ungewöhnlich lange Arme, die ihm etwas Affenartiges geben. Seine Schritte werden langsamer, absichtsvoller, beklommener. Gute Gegend. Plötzlich ein Holundergebüsch mitten in der Schonung und eine Art Lichtung. Olivers Hände tasten übers Gras, jetzt sieht man die Nässe silbrig auf der roten Haut glitzern. Er setzt sich, seine Knie pressen sich gegen die enge Hülle der Breeches; er stemmt die Hacken in die Erde. Von rechts, von Norbert und Bia kein Geräusch, kein Zeichen; gewiß hocken sie vorsichtig auf der Decke, und Bia schält Orangen, und später küssen sie sich, genau bemessen.

Oliver rupft eine Ginsterschote, klemmt die Daumennägel in die Naht. Es gelingt ihm nicht, die Hälften abzulösen; seiner Vorsicht gelingt es nicht, die Schote so aufzuschlitzen, daß die feuchte Innenhaut unverletzt bleibt. Seine roten kalten Finger werden ungeduldig und zerreißen die Hülse.

Jetzt kann ich es aufgeben: Stehenbleiben, abwarten, vor Nässe und Kälte Angst haben. Jetzt kann ich meine nackte frierende Haut dem nicht für mich bestimmten Augenblick ausliefern.

Auf der Fähre

Abends fahre ich manchmal rüber nach Betzdorf und geh' ins Nizza, dort verkaufen sie den Whisky fast um ein Drittel billiger als in sämtlichen Lokalen auf meiner Seite des Flusses. Und außer den Preisen sind auch die Leute dort angenehmer, zwar könnte ich nicht sagen, inwiefern. Wegen des Whiskys lohnen sich die Zweizwanzig für die Fähre und wegen des Blicks über den Fluß von der Terrasse aus: das andere Ufer liegt schwarz und flach da, man sieht nur die Lichter von Helleberg, eine kleine Milchstraße mit ihrem zerrinnenden Spiegelbild im Wasser. Schon von jeher war die Fahrt ins Nizza für mich eine wichtige Unternehmung, da ich nun einmal hie und da einen Whiskyabend brauche: das Leben hat mir nie was geschenkt. Nur einen Fluß zur Gesellschaft, rasch wegspülendes Nachtwasser, das von seinem Ziel angezogen wird, während ich sitzen bleibe. Früher bildete ich mir ein, der Whisky mache mich zu allem möglichen fähig, ja, nach dem dritten wußte ich: ich kann den Fluß noch in dieser Nacht dazu bringen, daß er mich mitnimmt an sein Ziel. Aber dann, nach dem fünften, war es immer vorbei, ich war schlaff wie der Mond und an mich selbst geschmiedet, fast nicht mehr kräftig genug, um das Nizza zu verlassen, damit ich die letzte Fähre nicht versäumte, das war, früher, mein einziges Dilemma. So täuschte mich der Whisky von Schluck zu Schluck, schüttelte Denken und Fühlen in wirre Kaleidoskopmuster. Früher war eben alles anders, früher, das heißt: bevor er auftauchte.

Auf einer der Heimfahrten sah ich ihn zum erstenmal. Ich lehnte an der niedrigen Reling und fühlte meine sanftmütige

167

Betrunkenheit wie einen Schleier, der die Deutlichkeit der Farben und Stimmen mildert. Kaum zwei Meter weg, auch an der Reling, aber mit dem Rücken zum Fluß, stand er, und mit der Zeit nahm mir seine Ruhe etwas von der meinen, keine Ahnung, woran das lag, denn obwohl er zu mir hinübersah, machte er keinen Versuch, mit mir anzubändeln. Von da an sah ich ihn regelmäßig. Er gehörte auf die Fähre, war aber nur dazu da, die Barriere zu bedienen, bei einer anderen Tätigkeit habe ich ihn niemals beobachten können. Es war mir auch ziemlich gleichgültig, was er noch für einen Zweck hatte außer dem, meine nächtlichen Rückfahrten still zu bestarren. Es fiel mir leicht, zu glauben, daß ich ihn nie auf den Hinfahrten sah, auch nie an Land, er existiere nur nachts, auf den Rückfahrten, nur an Bord der Fähre, ohne Heim, ohne Besitz, Flußfahrer, Fährenfahrer.

Ich fing ziemlich bald an, mir Gedanken über ihn zu machen.

Nachts bin ich fast immer allein mit den Leuten, die die Fähre bedienen. Ich habe meinen Stammplatz dicht beim Führerhaus, durch dessen offene Tür gelbes Licht sich über die Bohlen zur Reling hingießt. Früher pflegte ich mich in einem Zustand zu befinden, in dem ich mir unbesiegbar vorkam. Aber obwohl hier bei uns der Fluß breiter ist als irgendwo sonst, dauert die Reise nicht lang, und meine Kühnheit schrumpfte im gleichen Maße wie der Fluß, von meinen Erwartungen blieb nichts übrig, wenn der Fluß zwischen Fähre und Steinböschung zum Rinnsal wurde und ich jedes der bieder wachenden Helleberger Lichter erkennen konnte, die Bootsmeisterei, Kohnes Feine Konfitüren, die Laternen der Hauptstraße mit den schwimmenden Vollmonden der Sing-Sing-Bar, in der sie den teuren Whisky verkaufen. Da konnte ich mich gerade noch freuen, daß ich mich dort nicht hatte übers Ohr hauen lassen.

Früher trank ich auf der Terrasse des Nizza. Aber nachdem ich den Barrierenwächter entdeckt hatte, kamen keine Zwiegespräche mit dem Fluß mehr zustande. Zuerst dachte ich, es läge am Whisky, bildete mir ein, er sei zu süß. Dann schob ich es aufs Wetter, auf das gärende Ende des Sommers, das viel Unlust und Beklommenheit auf dem Gewissen hat. Aber auch das war es nicht, denn später im Jahr gelang es mir genausowenig, in meine alte Stimmung zurückzufinden. Von dem Auftauchen des Barrierenwächters an schmeckte der Whisky immer ein bißchen gewöhnlich, der Fluß hatte mir wenig zu sagen. Nie mehr seitdem mußte ich rennen, um die letzte Fähre zu erreichen: das Ziel der Hinfahrt war die Heimfahrt.

Ich nahm mir aus Neugier vor, ihn einmal auf der Hinfahrt zu erwischen, doch es gelang mir nicht, so spät ich auch in Helleberg abfuhr. Der Grad meiner Bemühung zeigt sich darin, daß ich den teuren Whisky meines eigenen Flußufers kaufte bei nicht sehr netten Leuten, wie sie nun einmal diesseits wohnen, und ihn so aus der Flasche auf dem Weg zur Fähre trank, nur um einigermaßen imstande zu sein, ihn an der Reling zu erkennen: Whiskyfahrer. Aber es glückte nicht, obwohl er doch, zu welcher Zeit des Rückwegs es auch sein mochte, früh oder spät, vom Abstoßen am Südufer bis zum Anlegen am Nordufer, während der ganzen Heimfahrt an der Reling lehnte, nicht weit von mir weg und doch entfernt, zu mir blickend, doch ohne Zudringlichkeit, in der sommerlichen, noch angespannten Lässigkeit des Nachtarbeiters. Es war ein Geheimnis, das mich bald richtig quälte. Schließlich fuhr ich täglich, um endlich das Rätsel zu lösen, diese Suche zu beenden, auch um meiner Gesundheit willen, der die Begleiterscheinungen – das Trinken: mehr pro Tag als früher pro Woche – keineswegs zuträglich waren.

Die Nacht kam, in der ich es wagte. Ich hatte mich mit der letzten Fähre nach Betzdorf übersetzen lassen und war ihm nicht begegnet und stand auf der Steinschwelle des Anlegers, um die zehn Minuten bis zur Abfahrt der Fähre hier Wache zu halten. Ich hatte alle hoffnungweckenden Schlucke der

Flasche getrunken und war bis zu denen – niedrig überm Boden – vorgedrungen, die apathisch machen. Das selbstbewußte Stadium hatte ich hinter mir: ging etwa deshalb alles schief? Windstill, lau, ein später, erschöpfter Sommer. Im Morgennebel fiele schon angerostetes Laub, vom Fluß herauf würde sich ein herbstlicher Qualm in den leeren Himmel räkeln. Ein Auto summte auf die Planken der Fähre, Holzscheppern, zwei Stimmen – aber nicht seine, er konnte mir nicht entgangen sein. Ich ging langsam hinter dem Auto her, mit dem festen Entschluß, der Sache auf den Grund zu gehen. Ich lehnte mit dem Bauch an der Reling und wartete eine Weile damit, hinüberzusehen zu dem Platz, an dem er sonst stand. Heute konnte er ja nicht da sein. Dann sah ich hin, und er stand da, und obwohl ich viel getrunken hatte, riß mir das Staunen beinah den Boden unter den Füßen weg. Er stand da, dicht und weit entfernt, abgekehrt vom Fluß, lehnte mit dem Rücken an der Reling und sah zu mir hin, alles wie immer.

Die Fähre mußte erst abgefahren sein, bevor ich den Mut faßte, die Flasche, die noch nicht leer war, ins Wasser zu werfen und mich von der Reling zu lösen und zu ihm hinüberzugehen, zu ihm, der nicht da sein konnte, der nicht existieren konnte, hier und jetzt. Ich wollte ihn anfassen, um Sicherheit zu bekommen, aber das Pech ist, daß ich ein bißchen zu betrunken war. Ich erinnere mich nicht genau, doch wird es so gewesen sein, daß ich, bevor ich bei ihm ankam, hingefallen bin: dem Himmel sei Dank, aus Helleberg gibt es dafür keine Zeugen, die Männer von der Fähre halten den Mund, und ich hüte mich, sie zu fragen. Aber es scheint so, daß ich hingefallen bin. Ehe wir anlegten, fand ich mich in der engen Kabine wieder und über mir derbe grinsende Augen, die mich komischerweise beruhigten. Ich kann aber nicht so sehr hinüber gewesen sein, daß ich nach ihm zu forschen vergessen hätte: er war nicht unter den Männern, die sich um mich gekümmert hatten, und ich stand auf, konnte auch aufrecht hinausgehen, suchte die Fähre ab, die leer war bis auf das Auto, die zwei Fährmänner und mich.

Heutzutage fahre ich wieder in regelmäßigen Abständen hinüber nach Betzdorf und geh ins Nizza, jetzt im Spätherbst, wenn es zu kühl ist, sitze ich im Saal am Fenster. Zwar schmeckt der Whisky nie mehr ganz so wie früher – ich kann's mir fast nicht anders denken, als daß sie eine schlechtere Qualität ausschenken –, und der Fluß ist kein schwarzgläserner Nachtweg mehr, und auch sein Ziel scheint er verloren zu haben. Die Leute kommen mir nicht mehr so besonders nett vor, aber doch noch netter als die Leute auf meiner Flußseite. Aber was ich nach jener unerfreulichen Nacht nie erwartet hätte: er fährt mit auf den Rückfahrten, meistens. Er lehnt an der Reling, starrt mich an. So ist er also nicht in den Fluß gesprungen, damals, während meiner Ohnmacht. Zwar war er etwas, das nicht standhielt, wenn man es prüfte, das man mit Nachforschungen zerstörte. Aber er ist wieder da, nach wie vor, und wird dableiben, wenn ich mich ruhig verhalte. Ich fasse das als Ermutigung auf und werde mich hüten, je wieder mehr zu verlangen.

Böse Streiche

Jahrelang Frieden und dann in einer einzigen Woche diese beiden ganz abscheulichen Fälle, die sich nicht mit den üblichen Methoden aufklären ließen. Denn wo gab es das: ein viereinhalbjähriges Kind, sonst ein recht vernünftiger und etwas schwerfälliger kleiner Bursche, läuft plötzlich mitten in den Verkehr, und zwar offensichtlich nicht, um über die Straße zu gelangen, sondern eben nur auf die Straße und unter die Räder von Pabsts Limousine. Ein Kind von viereinhalb Jahren läßt sich doch nicht freiwillig und absichtlich überfahren. Also konnte es kein ganz normales Kind gewesen sein, so wenig sich das auch seither verraten hatte.

Oswin Buss meinte:

– Das sind die ganz Heimlichen, die verstecken's so lang, bis keiner mehr Verdacht hat, und dann lassen sie's raus.

Wie niederträchtig: folglich war der träge kleine Kerl raffiniert gewesen.

Herr Tobis äußerte aber, daß man öfter von ganz plötzlichem Ausbruch einer Geisteskrankheit höre.

– Das Kind stand immer an der Straße, sagte Frau Extra, dort vor dem Gitter des Grundstücks, das es mal erben würde.

– Erwartet nur nie Dankbarkeit von Kindern, sagte Hans Buss.

– Vielleicht hätte es nicht immer an der Straße stehen sollen, sagte Frau Extra. Sah immer die Autos vorbeifahren, hinauf, hinunter, immer den Verkehr.

Und der andere Fall: fast noch listiger. Das Bakker-Ehepaar,

172

das friedfertigste von allen, war auf dem schönen weichen Teppich im stillen molligen Wohnzimmer tot aufgefunden worden, vormittags, nachdem sie die ganze Nacht über so da gelegen haben mußten, entstellt und verschrammt von Verwundungen, die sie offensichtlich einer dem andern beigebracht hatten, denn neben ihren platt hingestreckten Körpern lagen zwei schmierige Mordmesser. Als man sie so fand, ließ sich nur schwer begreifen, daß diese zwei, mit starren, unter den Wunden unversöhnlichen Gesichtern, Mann und Frau, vom Ausbruch des Hasses vernichtet, mit jenem Ehepaar identisch sein sollten, dessen von Zank nichts ahnende Einigkeit die Redensart »Seid nett wie die Bakkers« geprägt hatte. Bevor das mit ihnen passierte, waren, wie jeden Abend, die beiden ruhigen fetten Halbmonde ihrer einander zugekehrten Profile durch die blanken Fensterscheiben des Wohnzimmers von mehreren Passanten, die zwischen Rathaus und Freiheitssäule flanierten, gesehen worden; wie immer nach einem ihrer öden Tage, von Licht und Schatten verschont, wie immer ohne das mindeste, Schäbigste an Gespräch. Jetzt reichte die Dämmerung schon bis in den zweiten Gang ihrer Abendmahlzeiten, und bald wäre es wieder so weit, daß sie ihr Bier im Tageslicht und am offenen Fenster austrinken könnten und ihr Verdauungsviereck abschreiten würden, noch ehe die Straßenlaternen angezündet waren. Jemand behauptete, vom Straßenbahnpavillon aus erkannt zu haben – nachdem er auf die Wartebank gestiegen war –, daß Gustav Bakker noch während der Mahlzeit, nämlich als er die Stehlampe holte und vor den Tisch rückte, in der einen Hand die Abendzeitung hielt; und dieser Berichterstatter, wahrscheinlich Schmeisser II, wollte außerdem noch wissen, daß die Zeitung auf eine Weise geknifft war, die Seite vier nach oben brachte, Seite vier mit den Gerichtsnotizen. Nun hatte Seite vier dieser Ausgabe in fetten häßlichen Lettern von einem unerhörten Streit zwischen Eheleuten berichtet, den blutrünstiges gegenseitiges Morden beschloß. Und jetzt sickerte so nach und nach durch, daß irgend jemand, man tippte auf Doyen, die Bakkers mehrfach und immer wieder scherzhaft aufforderte, doch wenigstens einmal versuchsweise und als Spaß sich zu streiten.

Doyen wandte ein, daß selbst, falls er sie zu solchem Spiel angeregt hätte – woran er sich nicht zu erinnern vermochte –, doch der Vorwurf, damit ihren Tod verursacht zu haben, ganz und gar abwegig sei, denn gewiß wäre er der letzte, der zu dem Tip, mit Küchenmessern aneinander herumzuschnippeln, imstande sei. Das glaubte ihm jeder. Es wurde gegen niemanden Anklage erhoben, so wenig im Fall Bakker wie in dem mit dem Kind.

– Wo hört man, daß ein Kind Selbstmord begehen will, sagte Oswin Buss. So was gibt's doch gar nicht.

Seine Worte richteten sich gegen Frau Extra, die von der Hypothese plötzlich ausgebrochener Geisteskrankheit nichts wissen wollte und beharrlich die Schuld auf das ewige Herumstehen an der Straße, das ewige Anstarren des Verkehrs schob.

– Da stand er immer rum mit seinem kleinen Dreirad.

– Nie hat man vorher gesehen, daß er so schnell laufen konnte.

– Zufällig sah ich ihn auf die Straße rennen, den behäbigen kleinen Kerl, genau im richtigen Augenblick, um gegen den schwarzen Rüssel von Pabsts Limousine zu prallen.

– Was für ein liebevolles Heim haben seine Eltern und die Großmutter ihm bereitet.

– Er hatte doch auch die Katze gern, warf Frau Tobis ein und erinnerte damit jeden wieder an den Bakker-Fall: Wie die sich immer mit ihrer Goldammer angestellt haben, keine Reise wollten sie machen, weil sie fürchteten, der Vogel hätte Heimweh. Na und jetzt?

– Da sieht man, was all das Gerede über Tierliebe taugt, sagte Herr Tobis. Bei den meisten Menschen nichts als Fassade. Mit einem Stück Schokolade verlockte er seinen Dackel dazu, schleifenden Bauchs, auf knipsenden Pfoten sich zum Sessel zu schleppen, von dem aus Tobis als der Gebildetste die unangenehmen, der Aufklärung dienenden Gespräche leitete. Häßliche Vorgänge: ein Kind verließ seine Katze, seine Verwandten und ein ansehnliches Grundstück; ein Ehepaar, aus frivoler Spielerei, setzte seinen Vogel fremder Pflege aus, hatte Jahrzehnte hindurch eine ganze Stadt hinters Licht geführt.

– Und da wird geredet und geredet und geredet von Tierliebe et cetera pp., sagte Herr Tobis, streichelte den im Schnaufen zuckenden Bauch des Dackels. Und von Menschlichkeit.

Sie saßen steif in ihren Sesseln. Was für ein anmaßender Makel. Wie geschmeidig diese Scheinsanften in ihre Sünderrollen geglitten waren. Alle starrten den Dackel an, der rastlos träge das abstoßende Geräusch des Knipsens im Zimmer verteilte; in der Dämmerung sah er wie eine vollgefressene alte Ratte aus. Es fiel ihnen auf einmal schwer, den Arm nach dem dunklen, sich stetig von Sessel zu Sessel wälzenden, übelriechenden Gebilde am Boden auszustrecken, den heißen spekkigen Nacken mit den Fingerspitzen zu berühren. Als hätten sie Angst, er würde sie beißen! Das sanftmütigste Tier in der ganzen Stadt!

Doch wie konnte man, wenn das artigste Kind, das friedlichste Ehepaar gegen ihre eigenen Gesetze verstießen, sich von nun an noch auf die eindeutigsten Beweise verlassen? Sie alle stimmten darin überein, daß böse Streiche ihnen die Gewähr ihrer Alltage insgeheim, unaufspürbar, entzogen hatten.

Doppelkorn

Die Mutter wollte es ihm gar nicht sagen: wie schrecklich kahl das Land war, mager und gelb zum schwarzen Waldrand hingespannt, so trostlos.

– Das da, sagte er, das gehört alles noch dazu. Sein Arm wischte einen weiten Bogen.

– Das ist viel, sagte die Mutter. He, Bella, ist es nicht viel, rief sie nach hinten, ist es nicht viel?

Auf dem Rücksitz saß Bella zwischen hohe alte Koffer gequetscht. Über dem schwarzen Mantel war das flache Gesicht weiß und ausdruckslos, der näßliche Wind klebte das Haar in fettgelbe Strähnen und kehrte sie schräg über die Stirn. Sie rief:

Ja, sehr viel.

– Oh, es ist verdammt viel, sagte er vorne neben Bellas Mutter, verdammt viel, rief er zu Bella zurück, und schön, was? Leise sagte er zur Mutter: Das ist besser als die Stadt, da vergißt sie's leicht.

Der offene Wagen schepperte über die Furchen. Bella saß da hinten von ihnen abgekehrt.

Die Mutter rückte dicht zu ihm. Sie hielt den Mund nah an seine körnige Backe, vor sein Ohr:

– Das Land hilft da wenig, verstehst du!

Er schnickte den Kopf hoch.

– Das macht viel aus, sagte er, die Luft schon, und alles ist so weit.

Sie hielt sich so dicht bei ihm, bei seiner harten Haut am Ohr.

176

– Es muß was anderes sein, sagte sie. Irgendwas andres, worüber sie's vergißt und drüber wegkommt.

Bella sah den runzligen Rücken der Straße hinter dem Wagentritt in eine braune Freiheit fließen, links und rechts dehnte sich abgefressenes Land gegen die schwarzen Gitter der Wälder wie in einem langen gelben Gähnen. Korn. Da überall hat Korn drauf gestanden.

Er spürte eine Spannung in den Armen und im Bauch. Der Wagen fraß sich langsam ins Land: das alles gehörte ihm. Ihm entgegen rutschte die Straße, eine herausgestreckte Zunge. Hier ist's gut für sie. Zum Vergessen von so was.

Die Mutter hielt sich hartnäckig bei seiner festen Backe. Es war so ein schrecklich kahles Land. Von da käme für Bella keine Hilfe, fand sie.

Vom Boden stieg jetzt ein grämlicher Nebel auf. Der Abend schlich sich an. Die Mutter verkrampfte die Finger im Futterstoff der Manteltaschen. Sie könnte es ihm nicht sagen. Es war nicht seine Schuld. Er hatte sich das so ausgedacht. Sie drehte sich nach der Tochter um.

– He du, rief sie zurück, wie findest du das, Bella, he? Bella blieb steif zwischen den Koffern, eingeklemmt in ihre paar Besitztümer.

– Bißchen zuviel auf einmal, rief er, lachte kurz, viel ist's, was?

– O ja, sagte Bella. Sie sah, wie unter ihren Schuhspitzen das Kieselband wegrollte, zurück, zurück, in das Land zurück.

Das Haus war grau verputzt und schmucklos, es stand vor der leeren Weide wie ein Klotz. Er führte sie durch die Zimmer und zeigte alles.

– Das gibt sich noch, sagte er, das Kahle.

– Das kommt mit der Zeit, sagte die Mutter.

Bellas Gesicht war ein teilnahmsloser Teich.

Er machte eine Schranktür auf: Hier, genug Geschirr. Es war

kein schlechter Kauf, das kann niemand behaupten. Er deutete auf eine hohe Flasche. Da, Bella, sieh da, Doppelkorn, das gibt's manchmal für ein braves gescheites Mädchen.

Die Mutter stieß ihn vorsichtig an und kreischte furchtsam auf.

– He du, sie knuffte die Tochter, he, was der redet, dein Mann, hörst du!

Bella wickelte den schwarzen Mantel eng um ihren Körper. Sie ging langsam voraus, über den Gang, sie stellte sich in die offene Haustür: draußen dunkelte es durch die Nebelflocken. Ein Land ohne Korn, kornleer, verbraucht.

Er kam hinter ihr über den Gang, stellte sich neben sie in den Windfang und legte den Arm um ihre Schultern.

– Hier ist's leicht, sagte er, merkst du schon, hier draußen ist's leicht, den Schnaps zu vergessen, glaub's mir.

Die Mutter trat zu ihnen, sie schob sich vorbei, stieg die zwei Stufen vor dem Eingang hinunter und blieb auf dem kiesigen Zufahrtsweg stehen. Der Himmel war tief, Nebelhimmel. Sie könnte es ihnen nicht sagen: wie schrecklich kahl alles war. So aussichtslos. Es müßte was anderes sein. Das Land und das Haus und der Mann – es müßte irgendwas anderes sein.

Schlachten

Was Elsa anging: die war ganz und gar dagegen, daß sie das Kind mitnahmen. Doch konnte sie gegen den Vater nichts ausrichten, weil das Kind selbst darum bettelte, mit einem trotzigen Ernst, der sie abstieß.

– Metzgersblut, sagte der Vater. Das steckt ihm in den Adern. Außerdem handelt es sich um das Handwerk seiner Zukunft.

Gegen das Pathos des Vaters, ihres Herrn und Liebhabers, konnte sie erst recht nichts machen, und zwar weil sie es bewunderte und weil sie nicht nur der weichen, in Fett gewälzten Stimme, sondern auch den salbungsvoll-schicksalsschweren Worten, die diese zu finden pflegte, hörig war.

– Armes mutterloses Geschöpf, sagte sie, bevor sie das Kind aus dem Druck ihrer Umarmung in den Lieferwagen entließ, wo es, eingekeilt zwischen Vater und Gehilfen, scheu dem Gangknüppel ausweichend, auf der Fahrerbank Platz fand. Aber sie sagte das hauptsächlich, weil es sie mit ähnlich andachtsvollem Schauer berieselte wie die Äußerungen des Vaters; nichtsdestoweniger war sie dagegen, ganz und gar, ohne etwas für die Schweine übrig gehabt zu haben, das über normale Tierliebe hinausgereicht hätte, ohne gegen den Schlachtvorgang als solchen das Geringste einwenden zu wollen, nur mochte sie es nicht als Schaustellung und dann besonders nicht für ein Kind.

Das Kind sah nicht zurück zu Elsa, es blickte mit den Männern geradeaus durch die hellbraunen Tüpfel auf der Windschutzscheibe. Beim Abladen hielt es sich immer in der

Nähe seines Schweins auf. Es erinnerte sich daran, wie es ihm am Mittag des vorangegangenen Tags die letzte Mahlzeit verabreicht hatte, an sein gründliches, aufklärendes Vorgehen bei dieser Beschäftigung. Es fühlte jetzt etwas, das der Schadenfreude glich; als es den Ausdruck beleidigter Furcht im schnupfigen Gesicht seines Schweins wahrnahm – denn warum hatte das Tier gestern mit unachtsamer Gefräßigkeit, ohne Verständnis für Gesten, die jetzige Schicksalsstunde zu leugnen versucht?

Es hielt sich an sein Schwein, unter Hunderten hätte es sein Schwein erkannt. Voll mitleidiger Verachtung sah es zu, wie es sich von der Grobheit des Metzgers zum Schuldigen machen ließ, wie es wehrlos blieb, als hätte es ein Verbrechen begangen. Es duldete die Schlaufe am linken Hinterbein, trottete in den Schlachtraum, begehrte nicht dagegen auf, daß man es an den Eisenring band und den Schußapparat gegen seine schwitzende Stirn setzte. Das Kind fühlte Enttäuschung, als sein Schwein, vom Schußbolzen getroffen, betäubt und stumm fiel; der Atem bewegte den blassen Wanst kaum noch. Aber es verweilte nicht bei langatmigen Empfindungen, es achtete darauf, daß ihm nichts entging; später erzählten sie von ihm, es hätte niemals herumgestanden, sei niemandem im Weg gewesen; es blieb mit geschmeidiger Beharrlichkeit im engsten Kreis der Vorgänge um sein Schwein, es kümmerte sich um nichts anderes. Es sah dem Metzger zu, der, sein linkes Knie gegen den Brustkorb des Tieres gedrückt, seine linke Hand um den linken Huf preßte und sein Messer seitlich der Gurgel in die Hauptschlagader des Halses säbelte. Jetzt schoß das Blut in fettem Strahl in die Schüssel, die ein Lehrling hinhielt; neue Schüsseln, Eimer: das Blut seines Schweines ließ sich rechts- und linksherum schlagen. Der verschmierte wunde Wanst schwebte indessen an einem Flaschenzug in den großen Bottich und hielt dort, auf den Rücken gebettet, eine fast zufrieden wirkende Ruhe. Pechpulver puderte Ausschlag über die Bauchunterseite, stülpte dem Kopf eine furchterregende Maske auf, wickelte dunkle Socken um die Haxen. Dampfendes Wasser klatschte gegen die Schwarte, das Schwein sah verkommen aus in seinem Überzug aus nassem Pech. Mit einer Kette, die quer im Bottich lag, wendeten die Metzger und die Gehilfen das Schwein, es wälzte sich träg auf den Bauch und ließ sich nun den verschrammten Rücken einpulvern und brühen.

Das Kind stand dicht neben dem Gehilfen, der den Ohren und dem Schwanz die Borsten abrupfte, aber es streckte seine Hand nicht aus, um zu helfen. Die Glocke schabte Haxen, Bauch und Rücken ab: dem Kind hatte seit langem schon der Name dieses Werkzeugs gut gefallen, und jetzt gefiel es ihm sehr gut, wie leicht die Glocke ihre Arbeit erledigte, es sah gern zu. Der Metzger zog das jetzt fast nackte Schwein auf den mächtigen Holztisch, bespritzte es mit kaltem Wasser, rasierte den letzten Flaum weg: das Messer strich in spitzem Winkel über die Haut. Eine gründliche, gewissenhafte, von keiner Nervosität gestörte Vorbereitung. Das Kind spürte große ruhige Zufriedenheit. Nach der Demütigung der Einleitungsszene schien es ihm jetzt eher um Befreiung zu gehen. Würde und Erlösung wuchsen bis zur endgültigen Zertrümmerung in blutiger leidenschaftlicher Steigerung. Die Gehilfen rissen fahle Sehnenstränge aus den geschlitzten Beinen; dem hängenden Schwein schien heftig daran gelegen zu sein, sich den Bauch aufschneiden zu lassen, damit die bunte Unruhe der Därme, all die feuchte Plage der Innereien hervorquellen könnte; den Schlund und sein kleines näßliches Herz spuckte es erleichtert weg.

Erst beim Auseinanderhacken packte das Verlangen nach Betätigung die Arme des Kindes. Es griff sich ein Beil und schlug in die stark duftende, glänzende Masse; es achtete so wenig auf die andern, war so sehr damit beschäftigt, seinem Schwein zu dienen, daß es ihnen später, als sie es der erschauernden Elsa erzählten, nicht glauben wollte: es ganz allein habe das Tier zerhackt, sie alle hätten darumgestanden, gebannt und belustigt von diesem wütenden und doch nicht nach planloser Zerstörung trachtenden Eifer.

– Gute Arbeit, Metzgerverstand, sagte der Vater.

Das Kind verließ die Küche, ging über den Hof in den Stall, wanderte auf und ab im Gang zwischen den Koben und brauchte lang mit der Wahl desjenigen Schweins, dessen Weg zur Befreiung es diesmal von Anfang an mit besonderer Aufmerksamkeit verfolgen würde.

Der Fetisch

Im Herd prasselte das Feuer, die Mutter warf die Eisenklappe zu, vor die orangeroten Flammen, in deren Widerschein ihr Gesicht wohler ausgesehen hatte. Sie reckte sich mühsam hoch und verschob auf der schwarzen Herdplatte den Milchtopf und den Wasserkessel.

Eve streckte unterm Tisch die Beine aus, dehnte vorsichtig den verschlafenen Körper und fühlte Wärmewellen zögernd in die feuchtkalte Küchenluft sickern. Die Wachstuchdecke war kühl über den Handgelenken. Eve zog an ihren schwarzen Jackenärmeln, zog sie bis zur Mitte der Hände und beobachtete ihr träges Zurückkriechen. Vor der Tür schlurfende Sohlen; sie sah, daß die Klinke sich senkte.

Laura trat ein, weiß und verschwollen war die Höhle ihres gähnenden Mundes.

– Schläft er noch? fragte die Mutter. Sie stand am Schrank, holte Teller und Tassen und stellte sie auf den Tisch zwischen die Krümel, die angekrusteten Suppenkleckse.

Laura gähnte laut: tiefes Gurgeln, das unfrischen Geruch wegtrieb. Sie hob die Hände und fuhr mit Fächerfingern durch das struppige Haar über den Schläfen.

– Ja, sagte sie. Sie setzte sich auf den Stuhl neben dem Herd und hielt die Hände mit gespreizten Fingern in die steigende Hitze oberhalb der Platte. Der Morgenrock klaffte über dem verblichenen Pünktchenmuster ihres Nachthemds. Ich laß ihn auch ruhig noch schlafen, sagte sie. Ihr Lachen vergluckste.

– Wisch doch mal den Tisch sauber, sagte die Mutter zu Eve. Laß dich nicht immer nur bedienen.

Eve stand auf und ging zum Spülbecken: auf dem roten feuchten Sandsteinboden lag das Wischtuch, ein schwarzer, von Nässe schwerer Klumpen. Unvergnügt nahm sie ihn mit zwei Fingerspitzen. Sie ließ ihn auf die Wachstuchdecke klatschen.

– Wann hat er denn heut' Dienst? fragte die Mutter.

– Ach, erst um elf, glaub' ich, sagte Laura und betrachtete ihre gedunsenen Finger, ihr sachtes Warmwerden. Ich laß ihn mal schlafen, er hat's nötig. Sie lachte diesmal ihr leises gehässiges Lachen zu Ende.

Eve zog den Lappen über die Decke, hob Tassen und Teller, die Bestecke, und ließ unter ihnen die feuchte kalte Spur gleiten. Sie sah nicht zu Laura hin, hörte nur das verstimmte Geräusch ihrer Heiterkeit. Sie fühlte sich erregt und gereizt: Lauras zerknittertes Nachthemd. Ihre weißen schläfrigen Waden. Sie sah sich wieder am vergangenen Abend dem fremden Zöllner gegenüberstehen, sah sein blasses, rasiertes Gesicht, den spitzen, ausgezackten Stein in seinem Hals rucken, den olivgrünen weitmaschigen Wollschal. In den Augen sein Lächeln für Laura.

Sie warf den schmutzigen Lappen ins Spülbecken und setzte sich wieder an den Tisch, nahm ein Stück Brot und bestrich es langsam, schmierte die rote Marmelade in die Poren.

– Warum hat er's denn so nötig? fragte sie und starrte auf ihr Brot, das sich unter dem Streichen des Messers färbte.

– Hör dir das an, rief Laura, der Kindskopf will wissen, warum ein Mann müde ist, wenn er mit mir zusammen war!

– Halt den Mund, sagte die Mutter. Sie goß das kochende Wasser in die Kaffeekanne und stellte die Milch vom Feuer.

Malzig-dumpfe Wärme: Eve sog sie ein, empfand angewidertes Wohlsein. Der Zöllner, sein blasser, wundrasierter Hals in den Kissen: sie versuchte, sich das Beben des kantigen Steins, sein Pochen gegen die Haut vorzustellen.

– Ja, sagte Laura, stand gähnend auf. Ich muß mich wohl mal anziehen. Sie streckte sich, schräg ab nach oben spreizte sie die Arme. Die Hände waren weiße runde Fäuste, rosig spitz schimmerten die Knöchel. Sie stellte sich vor den Tisch und sah auf Eves Teller: Na, sei lieb, Kleine, gib mir die Hälfte ab. Sie nahm selbst das Messer und zog die rotbeschmierte Schneide durch das Brot. Sie nahm sich ihr Teil in die bettweichen Finger. Schenk mir schon Kaffee ein, damit er abkühlt, rief sie, bevor sie die Tür hinter sich ins Schloß warf.

Die Mutter rieb, während sie aß, mit der geballten Hand den Wollstoff über ihren Rücken.

Eve schluckte Kaffee zum trockenen Brotbrei im Mund.

– Ist es schlimmer heut'? fragte sie.

– Das kann man sagen. Bergab geht's, das kannst du mir glauben, sagte die Mutter. Der Atem, den ihr Seufzer zu Eve wehte, war übellaunig und dick.

Sie aßen und tranken schweigend, lauschten dem Klirren und Schlurren und Wasserspritzen von Lauras Ankleideprozedur.

– Da irrt sie sich, wenn sie glaubt, daß der sie heiratet, sagte die Mutter.

Der fährt eines Tages schön still wieder weg und läßt sie hier sitzen. Der läßt nichts mehr von sich hören, wenn er mal weg ist.

Eve kaute stumm die zähen süßen Bissen und weichte sie im Gaumen ein in die zuckrige Flüssigkeit, von der sie achtlos große Schlucke trank. Sie blickte angestrengt auf den sandbraunen wappenden Kaffeespiegel in der Tasse und versuchte, ihm das Bild des Zöllners einzubohren. Seine Haut hatte gegen das schlammige Olivgrün seiner Uniform blaß und wehrlos ausgesehen. Diesen Eindruck bewahrte sie, ohne zu wissen, womit sie ihn rechtfertigen konnte. Das Zucken in seinem Hals, wundmalgesprenkelt. Sie sah ihn jetzt deutlich. Hell und scharfkonturiert hob er sich von dem undurchsichtigen

Getränktümpel ab, der bewegliche Klumpen Angst in der Kehle.

– Er ist nichts für sie, sagte sie in das schwimmende Bild hinein, ihr Atem zerfetzte ein wenig seine festen Umrisse, fächelte den braunen Kaffeespiegel.

– Was sagst du da?

Eve sah auf. Die Mutter hatte mit Reiben und mit dem Klopfen gegen den Schmerz im Kreuzbein aufgehört.

– Sie passen nicht zusammen, sagte sie, er hat recht, wenn er weggeht. Sie nahm eine Brotscheibe aus dem Korb.

Die Tür ging auf, Laura kam herein und fragte in der Mutter unzufriedenes Lachen:

– Was ist los, was hat Eve sich schon wieder geleistet? Sie setzte sich, trank gierig kleine Schlucke, die Tasse umfaßte sie mit beiden Händen. Ihre hellblonde Frisur war ordentlich geringelt, duftend. Eve sah es ohne Vergnügen, sah die frischen Lippen, die sauber gewaschenen Wangen.

– Er paßt nicht zu dir, sagte die Mutter zu Laura. Aber laß dir das besser von Eve selbst erklären.

– Ach, was der einfällt, sagte Laura. Ihre Stimme war, das wunderte Eve, spottlos und traurig.

Laura aß schnell und stand auf. Sie kippte die Tasse und setzte sie mit leisem Geklirr ins Spülbecken.

– Bye-Bye, rief sie in der Tür, und holt ihn mir aus dem Bett, wenn's Zeit ist.

Eve schob im Sitzen den Stuhl zurück und sah die Mutter an.

– Ich mach' die Wohnung fertig, leg dich ruhig hin. Aufmerksam beobachtete sie den steifen Rücken der Mutter bei seiner langsamen Bewegung. Sie hörte ungeduldig das Schaben und Schleppen der Pantoffeln, ihren trägen Rückzug. Als sie allein war, ließ sie ihr Herz fiebern, ohne es zu dämpfen. Sie ging mit dem Geschirr leise um, lauschte ängstlich dem Stillsein der Mutter, dem Schlafen des fremden Mannes. Die borstigen Besenhaare strichen sacht über den

186

Küchenboden. Eve hockte sich und setzte behutsam die Blechschaufel auf die Steinplatten, kehrte den grauen Schmutzhaufen zusammen. Sie war flink und geschickt. Schnell hatte sie die Küche gereinigt.

Auf den Zehenspitzen lief sie über den schmalen Gang und stellte sich vor die Schlafzimmertür. Sie stand abwartend still. Ihre Handmuschel hielt den kalten Eisengriff der Klinke. Dann drückte sie ihn nach unten. Sie trat ein und schloß die Tür hinter sich. Links von ihr das bleiche Getürm der zerwühlten Bettwäsche, der Atem des Schläfers: sie wagte keinen Blick dorthin. Auf dem Stuhl neben dem Schrank fand sie die ungeordnete Schicht der gelbgrünen Uniform und den Schal, der von der Lehne herab auf den Boden hing. Sie nahm ihn schnell und verließ das Zimmer.

Sie hielt den Schal fest, hielt ihn dicht vor Mund und Nase: auf dem dämmrigen Gang sah er dunkler aus, und weißer, wunder schien ihr die Haut zu sein, die unter dem Wollnetz sich barg, die sie zu sehen glaubte, nackt und verwundbar. Zu spüren meinte sie das ruhelose Hüpfen des spitzeckigen Brockens in der Kehle. Sie grub ihr Gesicht in die weichen Fasern und atmete ein. Sie stand im düsteren Schacht zwischen den schweigenden Zimmern und fühlte eine unbegreifliche Veranlassung, zu lächeln.

Wie man sich bettet

– Und nach jedem schönen Erlebnis kommt doch der Katzenjammer, sagte Helena. Sie hatte noch große schwarze Pupillen von den vielen Beruhigungstabletten.

– Das kann man ja auch wieder nicht sagen. Werner Miller wiegte den fetten schlauen Kopf. Ich meine, es gibt doch gewisse Werte, also ich will mal sagen, gewisse höhere Dinge und so, an die man schöne Erinnerungen behält. Ich persönlich kann nicht klagen. Er grinste intim. Und auch wohl mal hie und da ein gewissermaßen leichteres Abenteuer.

– Ach was, sagte Helena, es ist mit allem wie mit dem Trinken, am Morgen kommt der Katzenjammer, das heulende Elend. Es gibt nichts, es bleibt nichts.

– Waren Sie auch im Krieg? fragte Franz Kahl, er streckte sich in Millers Richtung.

– Na, und ob, sagte Miller.

Hinter der Theke schwenkte Schmetter duldsam den Shaker und füllte die Glasbecher mit brauner Tröstung.

– Aber mir isses immer gut gegangen, sagte Miller, er leckte flink über die geschickten Lippen, ich kann nicht klagen, ich persönlich.

– So wirklich? eiferte Kohl. Na kann ich nicht behaupten von mir, wahrhaftig nicht. Er starrte Miller an, auf seinen konkaven Backen flammte der Wunsch zu erzählen.

– Wenn ich da noch dran denke, sagte Miller, er kicherte naß. Von einem Wildfremden hab' ich mir im Bahnhof Zivilausweis und Zivilmantel gepumpt, um eine Fahrkarte nach Haus zu kriegen. Und als das geschafft war, die letzten

Lebensmittelmarken verfressen im Bellevue, Seeblick und Tanzmusik, na na. Und dann in die Bahn, und als die Kontrolle durchging, durch den Zug, von hinten fingen sie an und ich saß ganz vorne, stieg ich aus, und als sie nah rankamen, schlenderte ich übern Bahnsteig und stipste noch 'ne nette Blondine an, vergeß ich nie, und dann hinten wieder rein. Und das alles mit einem Marschbefehl für die entgegengesetzte Richtung in der Brusttasche.

– Na bei uns, sagte Kahl, da gab's keine Drückerei und so was, die war'n scharf, oje.

– Noch einen, sagte Helena.

Schmetter blickte sacht.

Sie holte Atem.

– Nichts hat Wert, auf der ganzen Welt, sagte sie. Man kotzt doch nur in der Gegend rum. So was von verkorkster Liebe. Ich frag mich nur, warum ich mich eigentlich nicht umbringe.

– Die Kleinen, sagte Kahl, die werden immer behumst. Die gucken immer innen Mond. Unsereiner. Ich hatte immer den Rücken krumm, im ganzen Krieg.

Miller schniefte fröhlich.

– Ich könnt' nicht klagen, sagte er. Mir isses immer prima gegangen. Und da hat auch Mut dazugehört, zum Drücken und so, zweifelsohne.

– Ich hab' genug Zeug zu Haus, um's zu machen, sagte Helena, Tabletten, Tropfen, was weiß ich was alles.

Schmetter wandte den Blick ab.

Sie schwiegen, tranken. Vom Flaschenregal her strahlte das Radio, prunkte in goldener Wärme.

– 'ne Lösung finden, hat er gesagt, so hat er wortwörtlich gesagt. Helena hieb mit der Faust auf die Bartheke. Na ja, hab' ich gesagt, was denn lösen, es ist ja nichts, gar nichts.

– Manche bringen's zu nichts, sagte Kahl. Er saugte den braunen Satz aus dem Glas. Aber auch nie. Wer Pech hat und 's Maul nicht aufmacht. Die Kleinen, die Bescheidenen. Nur zum Beispiel, mit meiner Frau jetzt, in dieser Erbschaftsangelegenheit, blutsverwandte Tante von ihr, und sie macht's Maul nicht auf, und alles Zeug geht an die andern.

– Soso, sagte Miller, na ja der Krempel, soviel ich weiß, war's nichts Wertvolles, ich meine, wenn ich recht informiert bin?

Kahl war beleidigt.

– Darum geht's ja nicht. Nur um die Gerechtigkeit, verdammt noch mal. Einfach ungerecht isses, wenn immer die andern alles einheimsen, und immer sind wir die Behumsten, die Anständigen. Uns können sie alles bieten. Gerechtigkeit! Seinen Ruf zerrülpste der Schnaps, trüb roch sein Zorn über die andern weg.

– Ach was, Gerechtigkeit, sagte Miller, jeder muß sehn, wie er's schafft und zu was bringt. Kleine und Große, gibt's ja nicht.

Schmetter füllte die Gläser.

– O ja, rief Helena, es gibt Ungerechtigkeit, doch doch. Wenn das nicht ungerecht ist, daß eine Frau 'nen Mann hat, ganz für sich, ich meine im Haus hinter Tür und Riegel und mit Kindern und Trauschein und allem Drum und Dran, und selbst wenn der Mann hundertmal hinter 'ner andern her ist, der Feigling, diese Frau hält ihn fest, und er geht nicht fort, der Schlappschwanz. Lösung! Daß ich nicht lache. Was denn lösen? Alles dasselbe: Trinken, Liebe, und am andern Tag Katzenjammer. Sie starrte in Schmetters Gesicht: sanfte Indifferenz.

– Immer und ewig hintendran, sagte Kahl. Da krebst einer rum, ehrlich und rechtschaffen, und kein Lohn.

– Herrje, rief Miller, mir geht's gut, ich kann nicht klagen, man muß eben sehn, wie man's schafft.

– Meine Frau, sagte Kahl, die ist vielleicht stur bei ihren Verwandten. Eine Frau muß zu ihrem Mann halten, das ist meine Meinung.

– Wie man sich bettet, so liegt man, sagte Miller, leckte die

190

frechen Lippen. Und was halten Sie davon? Hm? Er grinste fett in Helenas Blick.

– Stimmt, sagte sie, ist nichts dagegen zu sagen. Jeder kann ja tun, was er für richtig hält. Und wenn ihm der ganze Kram nicht mehr paßt, kann er ja einen Haufen Pillen nehmen und schlucken und fertig. Ihre Pupillen schwammen. Schmetters Augen mischten sich sanft ein.

– Jaja, rief sie, stimmt schon, ich hab' mich wieder mal mit ihm getroffen, ganz recht, kann's nicht lassen, ich hab' aufem schmutzigen rauchigen eiskalten Bahnhof auf ihn gewartet, und dann kam er an, und man weiß dann gar nicht mehr, ob man noch will, wenn man einen so ankommen sieht, ich hatt' nur immer Bauchweh vor Aufregung, und wir sind ins Hotel gelaufen, und da haben wir uns nicht raufgewagt, saßen unten, stumm, tranken Schnaps, immer stumm, und dann redete er schließlich von seiner blödsinnigen Lösung.

– Die Menschen sind schlecht, sagte Kahl. Die Menschheit.

– Und dann gingen wir raus, an den Fluß, er stemmte mich an die Mauer, preßte sich auf mich. Sie streckte ihren mageren Arm vor. Gib mir 'ne Zigarette.

– Jeder muß sehn, wie er zurechtkommt, sagte Miller, ich persönlich kann nicht klagen. Und da gehört auch was dazu, sich durchzusetzen und so weiter.

Schmetter kippte den Shaker.

– Das ganze Erbteil geht weg, sagte Kahl, wird verschleudert, und wir Kleinen gucken in den Mond.

– Und der Mond sah so mickrig aus, sagte Helena, richtig verhungert. Und unten das Flußwasser. Nichts bleibt übrig. So mickrig war der Mond.

Angst

Die Angst verdirbt mir sogar das Alleinsein. Die Hügel sind heimtückisch, bald zu flach, bald zu hoch, ich weiß nicht, was besser ist: versteckt zu sitzen in einer der Sandmulden der Abbruchhänge – aber da gibt es alle Möglichkeiten, die der Hinterhalt meinen Verfolgern bietet, sie können plötzlich auftauchen, unangekündigt, – oder auf der Höhe zu wachen, mit dem Blick auf das Haus hinter der Umzäunung, aber dann wäre ich nicht richtig allein. Ich entscheide mich für das Versteck. Lieber möchte ich entlarvt und überwältigt werden, wie gestern, wie heute, wie morgen, als den Anblick des Hauses aushalten. Ich habe Angst, aber ich bin immer noch leichtsinnig. Ich wage mich dicht an das Verbotene. Wie unverfroren: ich unternehme einen Blick über die Wiesen, der das Meer erreicht, der das Boot, besegelt, erfindet, der fast das andere Ufer sich ausmalen kann. Frech und kühn: ich beschäftige mich mit dem Sanddornblatt vor meinen Zehen, ich lasse mich vom Zweig zum Ast und vom Ast zum Stamm verlocken, ich leiste mir einen Wunsch: der Sanddorn wäre groß, oder ich wäre winzig, der Sanddorn wäre mein Baum, schönster Baum – wenn er ein Baum wäre, ich winzig, es gäbe keinen schöneren Baum, es gäbe keinen schöneren Schatten.

Die Angst wird klumpig, langsam, sie sieht einer dieser Wolken ähnlich, schleppt sich mit ihnen vom Flugplatz weg auf mich zu, sie bekommt das plumpe Gewicht jener Kuh, die Bolzenkraft des Telegraphenmastes mit dem bösen Messingwarnschild. Gewiß: die Angst warnt mich. Sie ist nichts

Schlechtes, sie bereitet mich vor. Das Haus! Sie werden bald ihre Köpfe über den borstigen Hang des Hügels stecken und mir mit allem möglichen die Hände und den Schoß füllen: Kuchen, Salben, Jod für meine Verwundungen, Butter, Saft, Puder, Verbandszeug, dicke Jacken, Decken. Ich finde keinen andern Platz mehr, zu weit darf ich mich nicht entfernen. Unter meinem Versteck, auf dem dunklen Aschenweg vom Flugplatz ins Ostviertel, streben die Ausflügler den gedeckten Abendessenstischen zu. Kann ich diese Frau gut leiden: das schwarze Täschchen klappt gegen die Hüfte, der linke Fuß stellt sich einwärts bei jedem der großen kratzenden Schritte, das rote Gesicht ist allein – ich müßte es lieben, ich müßte sie gern haben. Hier oben geht mich das alles nichts an: das Gelächter der Flugplatzkerle, das Scheppern der Milchkannen, der Knall des Fußballs, der durchs Johlen der Spieler seine braune kugelnde Spur zieht.

Bevor sie mich holen, bevor sie mich ins Haus zurückschleppen, bevor sie mich verbinden, mich füttern, mich lieben, riskiere ich es jetzt schnell, mich mit Gras und Sand und ungastlichem grauem Wind ein für alle Mal zu verständigen.

Auf der Seite von Zolle

Früher war Zolle ein richtiges Seebad, und zwar eins von den teuren und sogenannten vornehmen, mit einem Anstrich von Kultur abends, ab und zu kamen wirklich berühmte Leute und gastierten im Strandhotel vor dem gelangweilten Sommerferienpublikum.

– Zum Beispiel so ein Geiger, sagte Wed Vingel, der alt war und sich noch an manches erinnern konnte; aber auch die Alten wußten schon nicht viel mehr als ein paar Namen und ein paar Anekdoten, die nach und nach ihre Pointen verloren.

– Wie hieß er? fragte ich.

– Was weiß ich, sagte Wed Vingel, irgendwas Biblisches.

– Ein Jude, sagte Posse hell, spuckte in den Wind, und die Spucke kam natürlich zurück und hockte dann häßlich auf seiner blauen Leinenhose.

Das ganze Leben in Zolle bestand aus alten Namen und aus Steintrümmern, war ein Friedhof von Erinnerungen, deren Glaubwürdigkeit mit den Jahren immer zweifelhafter wurde. Sogar das Meer hatte jetzt einen grabähnlichen Charakter; wieder lag es heute fast stumm unter dem grauen tiefen Himmel. Am Ufer zog sich in langen glasigen Streifen die niedrige Brandung von Westen nach Osten, züngelte auf die Steine der Befestigung: ein fortwährendes vergebliches Lekken. Über den fernen Endquadern der Buhnen trafen sich seicht übereinanderschwätzend zwei Strömungen.

– Ja, ein Jude, sagte Wed, ein ganz großer Geiger, damals wurde viel über ihn geschrieben und geredet, so einer von den ganz Großen. Und von der Sorte gab's in einer Saison mehr als jetzt in zehn Jahren drüben.

»Drüben« war Zollst; entstanden aus »Zolle-Ost«, denn früher war es nicht mehr gewesen als ein östlicher Ableger, der keinen besonderen Namen brauchte; dort wohnten die schlechteren Gäste in den billigen roten Ziegelsteinpensionen, weit weg vom Strand; und abends lief alles eine halbe Stunde, um zu den Lichtern von Zolle zu kommen, die lockend in der Westnacht schwammen, alles lief zum Strandhotel und zur Wandelbahn mit ihren gelbgrünen, im Wind schwingenden Ampeln.

– Solche Leute wie diesen Geiger damals kriegen die drüben nicht, sagte Wed. Ich erinnere mich: dieser Mann zog mit einer Frau rum, auch eine Jüdin, soviel ich weiß, die haben ja so ein gewisses Aussehn, große Augen und schmale Nasen, na, sie war ohne weiteres eine Schönheit, aber nicht eine, wie man sie hier sieht.

– Rassig, sagte Maul I. und grinste.

– So Leute kriegen sie nicht nach drüben, sagte Wed.

Damals hatte die große Sturmflut den feinen Sand von Zolle weggespült und Zolle-Ost zugetragen, dieser schäbigen Dependance, die in der Folge allen üppigen Reichtum von Zolle aufzehrte, sogar den Namen. Von Zolle gab es dann keine Prospekte mehr, auf neuen Verkehrskarten wurde es gar nicht eingetragen. Verleugnet; alt und mürbe vom Wohlleben ins Meer gesunken. Im Sommer kamen ein paar Gäste von Zollst aus Neugier herüber, bei schlechtem Wetter, wenn sie dort am Strand doch nichts versäumten, stakten über die Steintrümmer der zerstörten riesigen Mole und stocherten mit angeschwemmtem Reisig ziellos umher in dem Schmutz, den die Flut heraufschleuderte, in den modernden Faschinen und in den Spalten zwischen den Buhnenquadern, in denen es schlüpfriges unappetitliches Zeug aus dem Meer gab – ja, richtig unappetitlich war dieses Zolle geworden, das einstige Weltbad, die Seite von Zolle war jetzt die schwarze Rückseite der Ferien. Überlebter Glanz, weggeglittene Feste, Musik, farbiger Schimmer, alles lag tot unter dem Raunen von schwappenden Tanghaaren und klebrigem Muschelpolster. Die Ausflügler aus Zollst glitschten über die moosigen Steine und tasteten mit den Fingern die scharfgrünen Muster der Farnalgen ab; die Kalkgehäuse der Seepocken knirschten unter ihren Sohlen – einen öden Zolle-Nachmittag lang.

– Die Juden, sagte Wed, haben oft viel los, damals waren hauptsächlich die Juden große Künstler, hier in Zolle, berühmte und begabte Juden, von denen alle Welt redete und in allen Zeitungen geschrieben wurde.

Schon wieder trieb ein Regenschauer vorbei, zuerst sahen wir nur draußen überm Meer die hellen Striche, schräg und schnell vor dem Westwind, und das Wasser versuchte sich in ein bißchen Auflehnung; und dann kam der Regen auch zu uns und fuhr gegen die Zeltplanen; gut, mit Wed und den Mauls und Posse und den andern und mit der Anisschnaps-flasche im Bauzelt zu sitzen.

– Schön war sie, sagte Wed, diese großen, etwas hervorquel-lenden Augen, immer naß wie vom Weinen, ich glaube schon, daß es irgendwas Trauriges gab in dieser Geschichte zwischen ihr und dem Geiger.

– Wie hieß er denn, fragte ich.

Alte Namen und alter bemooster Stein. Altes, ausgewasche-nes, an die Ewigkeit gewöhntes Land, in vorläufiger Bezäh-mung starr unterm Himmel. Alte Brandung, alter Sturm.

– Wie hieß er denn, fragte ich, dieser Geiger.

– Ich weiß nicht, sagte Wed. Ein ausgefallener Name. Damals war er jung, und ich glaube, er spielte auf einer der wertvollsten Geigen, die es überhaupt gab, alle waren sie hingerissen, übrigens kam er zwei oder drei Jahre lang im Sommer, aber diese Frau war nur das erste Mal bei ihm oder beim letztenmal.

Sie gaben die Flasche herum; ich sah Wed beim Trinken zu, in seinem Gesicht lag etwas Gespanntes. Mit den Männern und dem Schnaps war es fast behaglich im Zelt, auch mit dem Regen, der gegen die Leinwand klopfte und vorbeiflog. So ein Nachmittag, an dem man viel durcheinandertrank, denn an jeder Arbeitsstelle gab es wieder was anderes; Bier, dumpf und ungewöhnlich bitter; Wacholder an der Westbuhne; die vorne am Anleger hatten faßdunklen Whisky, lind und moorig wie die Erinnerung an einen Schmerz. Ich konnte sie alle ganz gut leiden hier in Wed Vingels Zelt, wenn wir miteinander tranken, dem Abend von Zolle entgegen, der Nacht entgegen, die naß und schwer vom Westhorizont sich heraufbauschte.

– Nachmittags saufen ist bekömmlicher, sagte Jeppe, er hatte jetzt die Flasche. Weitaus bekömmlicher als abends vorm Einschlafen. Das hat mit dem Kreislauf zu tun, heißt es.

– Weiß denn keiner mehr den Namen von diesem Geiger, fragte ich.

Alter Name und alte Zeit, spröde vom Genuß, unter dem Schutt müder Jahre. Ich trank und sah hinaus, weil da Schritte vorbeigeschurrt waren, und dann beugten sich auch die andern vor, und wir konnten draußen den Mann im Regenmantel sehen, mit hochgestelltem Kragen, er lief nach Westen und verschwand bald hinter der Mauerbiegung, da, wo das Ufer nach Süden verläuft.

– Ein Fremder, sagte Maul I.

– Na, früher, sagte Wed Vingel. Sein Gesicht war bläulichrot und hart, voll fester steifer Wülste, ölig gegen den Wind wie Möwengefieder. Er trank.

– Früher war sowieso alles anders. Unser feiner breiter Strand war so weiß und so zart wie Samt. Da lagen sie alle braun und lackiert vom Öl, und Zolle-Ost war nur ein dreckiges Dorf, ein Pfad aus roten Ziegeln führte hin, rauh wie Bimsstein, daran machten sie ihre Schuhsohlen kaputt, wenn sie hier herauskamen nach Zolle, denn hier waren die vornehmen Gäste, die sie angaffen wollten. Aber nicht nur solche mit Geld, nur wirklich vornehme Leute waren's, und

dann die Künstler, dieser berühmte Geiger, der die merkwür-
dige Frau in dem einen Sommer bei sich hatte, eine russische
Jüdin, soviel ich weiß, und irgendwas Schreckliches muß ihr
wohl bevorgestanden haben. Ja, und abends die Konzerte, das
war wahrhaftig feierlich, ich möchte sagen: es war schön.
Wenn die Flut gegen die Wandelbahn klatschte, Gischt so
weiß wie sonstwas.

– Das war was ganz anderes, sagte Maul I., mit einer
richtigen Promenade für die Gäste, ein ganz anderer
Betrieb.

– Wart's ab, sagte Posse hastig, die werden drüben eines
Tages auch eine bauen.

– Unsinn, sagte Maul II., die geben ja an mit ihrem
Naturstrand.

– Ach, was ist das denn mit so einem Pfad hoch in den
Dünen, sagte Wed, was merkst du da oben schon vom Meer,
bei Wind kann man nicht laufen vor Sandwehen, ich hab's
doch selbst mal erlebt. Und von da oben sieht selbst bei Sturm
die See friedlich aus, aber auf unserer Betonpromenade hatte
man was vom Meer, das wollen doch die Gäste aus den Städten
mit ihrem lahmen Klima. Die Flut hat wütend dagegenge-
spuckt, das kriegen die nicht hin auf so einer erbärmlichen
Dünenpromenade.

Jetzt hörten wir wieder die Schritte draußen und drängten
uns alle zum Spalt hin: da ging der Mann vorbei, vom Wind
gestoßen und ostwärts gepeitscht; kein junger Mann mehr, er
hatte ein faltiges, abwehrendes Gesicht.

– Vielleicht einer von früher, sagte Wed, einer, der früher
hier war und es jetzt wiedersehen wollte, so kommt er mir vor,
kein Neuling, die nehmen sich ja keine Zeit mehr.

Ich bekam wieder die Flasche und trank, sah hinaus auf die
Steinschüttung, moosgrün und kantig dunkel vor dem Grau-
en. Ich sah hinüber zu den beiden Buhnenpflöcken, die in
endgültiger Einsamkeit aus dem wegflutenden Ebbewasser
ragten, plump und formlos unter dem Aussatz der Muschel-

polster; vom Zelt aus wirkten sie wie Menschen, steinstumme, steinreglose Menschen, Mann und Frau, für immer nah und für immer getrennt; dorthinüber sah ich, denn dorthin war der Fremde gegangen, stemmte sich gegen den Wind, sein Körper sah wie eine dunkle scharfe Sichel aus im Wind, er stand jetzt ganz still vor den beiden Pflöcken, starrte hin.

– Bestimmt ist das einer von früher, sagte Wed.

– Mich sollte's nicht wundern, sagte Maul I., wenn's einen wieder herzieht.

– Und dann sehn sie das jetzt, sagte Jeppe.

Wed Vingel nahm die Flasche, trank sich pathetische Kraft in die Stimme:

– Die Sommer waren stark, und die Winter waren stark. Nicht so Nieselwetter wie heutzutage. Einmal habe ich ihn gehört, Gäste nahmen uns mit zum Konzert, ich weiß, es war im Sommer, in dem er diese Frau bei sich hatte, sie saß auch im Saal vom Strandhotel, es war die erste Saison nach dem Ausbau, ihr Mauls werdet euch erinnern. Ich hatte eigentlich keine Lust mitzukommen, aber komisch, als der Geiger spielte, mußte ich einfach zuhören. Es war wirklich richtig schön, aber fast unangenehm. Und diese beiden Pflöcke, die ihr da seht, die bildeten damals die untere Begrenzung der Buhne. Der Geiger und diese Frau hatten sich draufgesetzt nach dem Konzert, wir beobachteten sie von hier oben, stundenlang saßen sie auf den Pflöcken, er hier, sie dort, und starrten ins Meer. Ich weiß es noch so gut, weil keiner von den Zuhörern nach dem Konzert nach Hause wollte, alle strichen sie noch um die beiden da unten herum.

– Vielleicht ist der dort dein Geiger, sagte Maul II.

Da stand immer noch der Mann, zur dunklen Sichel gebogen und regungslos vor den Mann-und-Frau-Pflöcken, und dicht vor ihm zerbrach der schmale gläserne Strich der Brandung, die sich aus der versteinerten Meerfläche wölbte und heraufschwamm, die blauen Steinquader abschleckte. Klotzig und einsam lag das Geröll der Schüttung unter der

Mauer. Nachts käme die Flut, heuchlerisch sanft, als gäbe sie zu, bezwungen zu sein.

– Der steht und steht und steht da, sagte Jeppe.

– Ja, die Sommer, sagte Wed, der Blauhalm roch, und was war das für ein Gebrüll bei den Badezeiten. Und die Winter, erinnert ihr euch an das Treibeis, und wie sie später mal mit dem Lastauto übers Meer fuhren und die Flut sie erwischte?

– Ja, die Flut, sagte Maul III. Er redete zum erstenmal, er war mäßig im Trinken und in allem, zum erstenmal nahm er die Flasche, in allem war er verläßlich, einer, von dem man immer, wenn er sich endlich äußerte, etwas Grundsätzliches erwartete. Die Flut hat Zolle die Nordbuhne genommen und die Mole, jetzt können sie unten am Anleger noch Jahre schuften, da kommt kein Leben mehr rein. Das ist tot, einmal tot ist für immer tot.

Schwarz, gebogen, stand der Mann im Regen, wartete, tot im Stehen, tot im Wind und im Regen; tot im toten Zolle. Mann und Frau, die Pflöcke, ragten aus dem zurückziehenden Wasser. Der Fremde stand vor ihnen.

– Und so stark war die Flut damals, sagte Maul III., daß sie Zolle alles genommen hat, die Juden und die Gäste und was Wed da alles erzählt hat. Da gibt's nichts zu hoffen.

– Bestimmt ist das einer von früher, sagte Wed Vingel. Was man hat, sind die Erinnerungen.

Wir tranken alle schnell hintereinander.

– Spiel deine Geige da unten, du Toter, rief Jeppe leise.

200

Immer wieder entschlossen

Ich habe mich dazu entschlossen, als es gestern wieder anfing zu regnen. Ich sprach mit einem Mann, der mir riet, damit fortzufahren. Das Leben ist manchmal nicht besonders liebenswürdig, aber seit immer Herbst ist, wenn ich mich aus meinem Fenster beuge, kann nichts mehr mich beunruhigen; das sind Tropfen, die vertrauenerweckend wirken, auf diesen Wind kann man bauen, er schüttelt die Äste, und meine Akazie braucht nie mehr unterm Laub zu ermüden. Mein Rabe wird nicht frieren, ich werde ihn mit gespreizten Flügeln festrammen können, plumpes schwarzes Kreuz am Himmel. Der Mann sagte zu mir: Schnee blendet nur, es hat keinen Sinn, vom Schnee etwas zu erwarten; und so wird keiner fallen, und ich vermute daraufhin, daß keine meiner Mäuse Hungers sterben muß. Es ist nichts Gefährliches, etwas hat sich angebahnt, aber es ist nichts Gefährliches. Jeder hat seine Geschichte; es gibt keine, die sich nicht vergessen ließe.

Als Kind fuhr ich mit meinem Bruder und mit Hedda in der Straßenbahn ans Meer, sie hingen in ihren ledernen Halteschlaufen, die beiden, grinsten sich an, dachten sich irgendein Dünenversteck aus, ich war noch zu klein. Ich hielt mich am Bremsrad fest und dankte es meinem Bruder, daß er daran gedacht hatte, mir meinen Stammplatz auf der Aussichtsplattform zu verschaffen, obwohl ich eine Last war, ihm und ihr, diesen beiden. Ich entschloß mich dazu, ich weiß nicht, zum wievielten Mal. Wie nasses Holz sich anfühlt, das habe ich in den Krallen meines Raben aufbewahrt, ich höre ihn rufen. Ich versuche immer wieder, das wenig ansprechende Lied zu singen, das er mir, hüpfend, auf die Zweige schreibt.

Mit der Straßenbahn fuhren wir ans Meer, dorthin, wo unser Fluß seinen Geifer aus den beiden schwammigen Böschungen in die erschöpfte Mähne des Ozeans spuckt, kaum beachtet. Das war das Ziel vieler unserer Ausflüge. Mein Bruder brachte immer Weißbrot mit, für die Möwen oder für die Fische? Ich konnte nie sehen, daß es weggeschnappt wurde. Ich konnte aber sehen, daß die Bröckel sich schnell aufschwemmten und daß sie braun wurden, wenn sie sich mit den Tangbärten verfilzten und in die öligen Pfützen zurückfielen, zwischen die Molenquader, aus kurzem Wurf gegen den salzbewehrten Wind, ehe die Vogelschnäbel sie packten, ehe geschah, was mein Bruder mit ihnen vorhatte. Ich war noch zu klein, mein Bruder vergaß nicht, Seesterne für mich aufzuheben und mir den winzigen Fisch zu zeigen, der dumm zwischen den Fangfäden einer Qualle zappelte, mein Bruder mit dem Weißbrotbeutel, es klappte damals nicht mit ihm und der Hedda, sie verstanden es nicht im zuverlässigen Herbst mit nassem Sand, die Schnäbel wußten besseres Futter, und ich war schuld daran, ich wich ihnen nie von der Seite.

Jener Mann hat mir glücklicherweise klargemacht, daß von nun an wahrscheinlich die Tropfen an den Zweigen hängenbleiben, bis sie in einem Augenblick abfallen, in dem wir nicht hinsehen; wir brauchen also nichts zu befürchten oder doch außerordentlich wenig. Was sich anbahnt, ist ungefährlich, vielmehr wird es ruhig bleiben; mein Bruder war ein netter Kerl, es kommt nur darauf an, wie man es formuliert, alles hängt von der Auslegung ab: jener Mann riet mir, es positiv zu nehmen, und so kam es, daß ich mich dazu entschloß, am Leben zu bleiben. Zwar zweifle ich nicht daran, daß ich in die Tangwildnis zurück soll, aus der ich vorgeschwemmt wurde, verschmäht wie die Weißbrotbröckel an manchem Sonntagsausflug, immer war ich zu klein. Doch jetzt weiß ich zum

Glück, wie ich aus meinem Raben etwas machen kann zum Dranglauben und Anbeten.

Diese Akazie muß sich nicht mehr vor Frühjahr und Sommer ängstigen.

Dieses befiederte Kreuz steht schwarz vorm Mond und wird mich vor Unbesonnenheiten warnen wie zum Beispiel vor Traurigkeit; Querleiste aus Flügeln, Schwanzstamm, geschnäbelte Krone – wie viel man fertigbringt mit gutem Willen, mein Rabe ist brauchbar.

Erde und glitschige Rinde und Laub, fauliger rostbrauner Schlaf, und sogar den Geschmack meiner Haut habe ich den Krallen anvertraut, um das Verlangen loszuwerden, wenn es sich um ziemlich hohe Äste handelt: von jeher war ich zu klein.

Zugvögel

Die beiden waren nicht gerade die angesehensten jungen Männer in der Stadt. Ihr Auftreten war ein Affront. Jokers rote Hosen sollten erschrecken, und über Paolos breitkrempigen schwarzen Hut durfte man nicht lachen. Ihre Stimmen hatte niemand gern.

– Die Sache klappt auf alle Fälle, mit dem Ed werd' ich leicht fertig, sagte Joker. Er kicherte schnell und hoch. Er war hellhäutig und hager, sah schwächlich aus. Nur im sämigen Licht der Gaslaternen wirkte sein Gesicht scharfkantig, die Nase schroff. Trotz ihrer Unliebenswürdigkeit hatten seine Züge nichts Zorniges; ihre Magerkeit machte sie leblos.

– Mit Ed, sagte Paolo, meinst du wirklich? Der ist gerissener als du denkst, möcht' ich annehmen.

Paolos Körper war klumpig. Er paßte nicht zu seinem Gang, der alles andere als unverschämt war: zögernd bewegte er die Beine, hielt die Arme an den steifen Rumpf gepreßt; die Augen, wie die seines Freundes jetzt weit aufgerissen, waren auch nicht mutiger. Er sah pedantisch aus, doch nicht böse.

– Daß du den Ed mal nicht überschätzt, sagte Joker. So großartig, wie er tut, ist er noch lange nicht. Nebenbei, mein Bester, seine Stimme war gierig, leise, ich hab' grad vorhin, kurz bevor wir uns trafen, aus ziemlich sicherer Quelle gehört, daß die Chose sich lohnt. Auch für dich, mein' ich.

– Ach was, sagte Paolo, es klang ihm nicht gleichgültig genug. Sein kleiner harter Körper strich gegen den des Freundes. Na, nun sag bloß, aus was für einer Quelle, sag mir nun bloß einen einzigen in der ganzen erbärmlichen Stadt, der so was behaupten kann, wer wagt sich denn schon an die ran, die Sanna, na, sag mir das mal.

Es fing wieder an zu regnen, ohne Übergang, als würde die schleichende Luft, die matt im Häuserschacht der Straße hing, plötzlich flüssig.

– Nein. Du glaubst's ja doch nicht, sagte Joker, seine Stimme war verdrießlich. So ein Drecksregen, knurrte er. Er haßte Regen, und er haßte Kopfbedeckungen, haßte das eine, weil er das andere haßte. Seine Frisur liebte er, aber er roch aus dem Mund.

– Na, zier dich nicht, sagte Paolo. Entweder ist was dran, und dein Gerede hat Hand und Fuß, und dann kannst du auch sagen, wer der Kerl war. Oder du gibst offen zu, daß du Blech geredet hast. Na?

– Wer sagt denn, daß es ein Kerl war? Jokers Ton wurde liebenswürdig vor Freude über die Neugier, die er erregte.

– Etwa was Weibliches? fragte Paolo. Doch wohl keine Frau, he?

Schneller, dichter floß jetzt der Regen. Jokers linker Arm schoß vor, winkelte sich spitz und schob das Handgelenk nah unter die Augen.

– Noch gut Zeit, sagte er, reichlich Zeit. Könnte vorerst mal im Bunker pausieren.

– Das sollte Schröder nicht hören, daß du immer Bunker sagst, neulich auch zu Peters Omnibusgesellschaft, die tragen das weiter, mein Freund, sagte Paolo.

– Nun bleib bloß sachlich. Die Muschelbar ist nun mal ein ehemaliger Bunker, sieht aus wie ein versteinerter Güterwagen, sagte Joker.

Der alte Schröder stand in seinem schmuddligen braunen Knickerbockeranzug hinter dem Bartisch. Wie immer klaffte das Hemd am Hals und verbarg nicht die bärtige lose Haut, die um die Knochen lappte. In ewigem sinnlosem Grinsen war sein Mund aufgesperrt. Beim Anblick von Jokers roter enger

Hose und Paolos breitem schwarzem Hut teilte Schröders Stimmung sich in Angst und Freude, denn das Eintreten der beiden bedeutete auch eine gute halbe Flasche Whisky oder dies und jenes in noch größerer Menge, auf jeden Fall Geschäft.

– Guten Abend, sagte Joker, er war immer der erste, der den Mund aufmachte.

Während Schröder spähend, unsicher hinter der Theke zögerte und die Freunde nicht auf den hohen Hockern, sondern an einem der Tische Platz nahmen, öffnete sich die schmale Küchentür in der Flaschenregalwand, und Anni erschien in ihrer schwarzchangierenden Bardamentracht mit winziger weißer Dreiecksschürze: über der kurzen schrägen Stirn wölbte sich in einer hoch aufragenden, glatten Rolle ihr fettdunkles Haar; ihre Kiefer sprangen vor, und die dünnen Lippen schienen mit Mühe einander entgegengezerrt zu sein, die geringste Bewegung stellte das violette Zahnfleisch bloß.

– Na, die Herren, sagte Anni, sie kam zum Tisch, ihr Gesicht war ernst, fast feierlich: man munkelte von ihrer Vergangenheit als Weissagerin. Doch ihr Ton war ordinär, sie sagte: Mal wieder da, die Herren, den Durst stillen, was?

Joker streckte seine dürren giftroten Beine – er legte sie immer so lang vor sich, damit er die Hosen an den Knien nicht ausbeulte – und quälte einen forschen Klang in seine Stimme:

– Heute wollen wir mal sehn, schöne Frau, was Sie sich in die Locke da gesteckt haben. Er tippte sich gegen seinen filzenden Haaransatz.

Paolo kicherte ängstlich und neugierig.

– Herrgott, sagte Anni, ihr zwei habt auch nicht an euerm Hirn zu schleppen. Sie lächelte nicht, ihr Gesicht war starr.

– Was wünschen die Herren zu trinken, mahnte Schröder von der Theke her. Seine kleinen blauen flüssigen Augen lauerten; er tat aber heiter.

206

– Dreimal darfst du raten, rief Joker.

Paolo betrachtete ihn bewundernd und verstohlen: wie aufgekratzt der Freund heut' abend war, ausgerechnet heut' abend. Ein kühner Kerl. Er fror plötzlich, zog die Schultern hoch, was den Eindruck, er sei halslos, abrundete.

– Mit W fängt's an, sagte Joker.

Anni ging zur Bar zurück, blickte auf Schröders zittrige Hand mit der braunen Flasche.

– Immer verschüttest du die Hälfte, raunte sie ihm zu. Sie nahm die hohen Gläser und trug sie durch den leeren Raum an den Tisch der jungen Männer.

– Naß heut' draußen, sagte sie.

– Genau wie gestern, sagte Joker, da bleibt einem nichts übrig, als sich auch inwendig naßzumachen.

– Und wie vorgestern, sagte Paolo, lachte hastig und fühlte sich einsam.

– Wann hat's in den letzten Wochen mal nicht geregnet, sagte Joker. Verdammtes Sauwetter. Der echte Zorn über die Nässe stimmte sein helles Organ heller; schon färbte der Whisky sein fahles dürres Gesicht.

– Das bringt manche Leute auf dumme Gedanken, sagte Anni. Sie drückte ihre dicken weißen Fäuste in die seidenglatten Kurven oberhalb der Hüften. Paolo roch ihren Schweiß und spürte wieder das Frieren. Er trank schnell.

– Soso, machte Joker, geht dir das in deinem Alter noch so, dumme Gedanken, wenn nur die Kerle auch auf so einen dummen Gedanken kämen, mit dir noch was anzufangen.

– Na, du nimmst den Mund reichlich voll, sagte Anni, heut' abend seid ihr noch frech, aber laß mal morgen sein, wart' nur, wir sprechen uns morgen.

Sie ging langsam weg. Schröder rief:

– Die Herren haben leer, die Herren haben doch leer.

Anni drehte um; nahm die Gläser von der Tischplatte – dicht an der Kante hatten sie gewartet –, ging zurück.

Wieder fühlte Paolo seine Verlassenheit. Die Luft im

Barraum war klamm. Auf den weißgekalkten Wänden sahen die mohnfarbenen Muster des Schimmels aus wie Hautausschlag. Er packte sein neugefülltes Glas, schüttete die warme Beize in die Mundhöhle und spürte darin ein aufgeregtes Erwachen. Dicht an sein Ohr schob sich Jokers unfrohe, ruhelose Stimme:

– Eh du dir etwa die Hosen vollmachst wegen Annis Gequassel, will ich dir nochmals versichern, daß sich die Chose lohnt, was deinen Anteil an der Arbeit angeht, wohlgemerkt. Und ob.

– Ach wo, sagte Paolo.

Jokers Lippen kniffen sich schmäler.

– Na, hat man so was schon mal gehört, so was von Undank, sagte er grob. Man überläßt dir das Erfreuliche, macht sich selber die Finger schmutzig – das ist der Dank, na. Können ja tauschen, wie du willst, ganz wie du willst.

– Ach du Schreck, rief Paolo halblaut, erregt, jetzt haben wir uns ein halbes Jahr lang vorbereitet und hundertmal alles durchgekaut und was weiß ich nicht alles. Und außerdem, gut fünfundzwanzig Minuten brauchst du für den Ed, hast du gesagt, und das seh' ich auch ein, ich könnt's nicht schneller, aber so lang kannst du ja nicht die Frau beschäftigen, noch keine fünf Minuten.

Beleidigt schwieg Joker. Die Eingangstür flog auf, und aus dem nassen Rechteck Nacht trieben drei Männer in die Bar. Anni ging gemessenen Schritts, mit gekränkter Feierlichkeit, den Ankömmlingen entgegen, und die beiden Freunde schoben, als sie bei ihnen vorbeikam, die leeren Gläser über die Tischplatte. Anni nahm sie mit Daumen und Zeigefinger oben an den Rändern, sie tat es verächtlich und hielt die Lippen noch fester zusammen als sonst. Paolo sah ihr nach. Sie half den drei Männern ohne Freundlichkeit aus den nassen Mänteln. Die Männer stemmten sich auf die hohen Schemel an der Theke; ihre Ellenbogen fielen aufs Holz. Mit den Handtellern rieben sie über die nasse ı geröteten Gesichter, sie besannen sich. Schröder sabberte erwartungsvoll gegenüber, die Augen schickte er schnell hin und her von einem Mund zum andern: ein guter Abend.

– Verdammt, ich nehm's zurück, sagte Joker. Geh du zu ihr. Paolo nickte. Sie griffen nach den Gläsern, jetzt tranken sie nicht mehr so hastig, und weiter starrten sie Richtung Theke.

– Gut, daß die gekommen sind, sagte Paolo, jetzt können wir den Plan noch mal durchgehn, in Ruhe noch mal – und so.

– Verdammt, lallte Joker, der Ed ist nicht so hart, wie er sich gibt.

Paolo grinste. Er petzte das Backenfleisch zwischen die Kiefer und biß fest zu: das genoß er.

– Na, daß du den fertigmachst, ist doch klar, sagte er. Wir sind ein verteufelt gutes Gespann, wie?

Sie lachten beide still und glücklich und sahen sich an, gaben es aber rasch wieder auf.

– Los, trink, Partner, rief Joker. Mach dir die Lippen geschmeidig!

Sie tranken, und jetzt holperten die Gläserfüße über die Tischplatte, es gelang ihren Händen nicht mehr, sie glatt und gerade die ebene Strecke zum Rand hinzufahren.

– Gute Reise, sagte Paolo, öffnete die Handmuschel und ließ das Glas über die Kante hinunter auf die Dielen fallen. Es zerschellte beinah leise. Paolo lachte herzlich. Dann kam Anni, böses Verstehen in ihren Augen. Paolo verstummte gekränkt.

– Na, ihr Brüder, sagte sie. Ihr seid zwei Feine, nichts könnt ihr vertragen, seht euch bloß vor, solang es nur Gläser sind, die ihr kaputt macht, na ja.

– Komm mal her, sagte Joker. Mit seinen Fingern um ihr Handgelenk hielt er sie. Pack mal aus, was wird denn hier gespielt, wer spioniert denn hier andern Leuten nach, he?

– Laß los, du Idiot, ich bin's nicht, die sich an Handschellen gewöhnen muß, sagte Anni und setzte sich. Sie lächelte und sagte sanft: Ihr seid zwei, ach, seid ihr zwei versoffene Ganoven, ewig saufen.

Na, mach's wahr, sagte Paolo, den Gaumen und Kehle quälten, bring was zu trinken, mach's wahr.

– Für wieviel Personen, fragte Anni.

– Na, für drei, sagte Joker. Freunde muß man schmieren.

Sie sahen ihr nach: mit verächtlichem Gleichmut ging sie zur Theke und nahte sich Schröders witterndem Blick und der bereitgehaltenen Flasche. Die drei borstigen Schädel der Trinker drehten sich nach rechts, dahin, wo Anni stand und in böser Geduld Schröders Zittern abwartete, während ihre steilen Nüstern mit dem alten Schwimmbadgeruch der Bar beschäftigt waren. Die drei Schädel richteten sich zurück und geradeaus. Einer der Männer sagte:

– Das Sommerschlußfest fällt dieses Jahr auf einen vierundzwanzigsten.

Eine zweite Stimme sagte:

– Genau wie Ostern. Ostern war auch an einem vierundzwanzigsten.

Und die dritte:

– Nein, das war kein vierundzwanzigster, meines Wissens. Soviel ich weiß, war's der zwanzigste.

Die erste Stimme sagte:

– So ein Schmutzwetter hatten wir wer weiß wie lang nicht, zum Sommerschlußfest.

Die zweite:

– Diese Feiertage. Nichts als Feiertage.

– Und immer Regen, sagte die dritte Stimme.

Anni kam zurück mit den Gläsern, die sie auf einem grauschillernden Tablett trug. Sie setzte sich.

– Nachher kriegen wir noch einen Kaffee, sagte Joker.

– Aha, machte Anni, damit ihr wieder klare Köpfe kriegt für die Arbeit, wie?

– Na und ob, sagte Joker. Das Trinken hatte sein kalkiges Gesicht rot gefleckt, es sah aber nicht lebendiger aus als vorher. Du hast ja so einen gewissen Riecher, wie mir scheint, schöne Anni. Für spannende Geschichtchen, he, hast du einen gewissen Riecher, wo es was zu erleben gibt, he?

– Seit wann duzen wir uns denn? fragte Anni nach dem langen gewissenhaften Schluck, den sie genommen hatte. Lächeln entspannte wieder die scharfgeritzten Fältchen der Lippen, zurrte das Fleisch hoch; auf ihren Zähnen blutete die Schminke.

– Der Whisky macht Freunde, sagte Paolo weich.

Sie tranken. Paolo starrte in Annis Lächeln.

– Auf was für'n Wochentag fällt denn der Tag der Nation, rief einer der Trinker an der Theke, na, sagt bloß nicht, auf einen Donnerstag, das ist der freie Tag meiner Frau, weiß Gott.

– Vor zwei Jahren hatten wir auch um diese Zeit rum schon so ein Dreckwetter, daß ihr euch mal nicht täuscht, sagte der zweite.

– Meiner Meinung nach, sagte der dritte, wenn ihr mich fragt, gibt's überhaupt keine richtigen Sommer mehr. Für dieses Jahr ist das sowieso vorbei und Schluß, das hab' ich schon vor drei Wochen gepredigt.

– Früher war das was, sagte der zweite. Pfingsten beispielsweise, du lieber Himmel, Pfingsten ist man rausgefahren.

– Nach Bellevue, sagte der dritte, das waren Zeiten, vor Menschen hat man kein Gras mehr gesehen.

– Sagt bloß nicht, der Tag der Nation ist ein Donnerstag, rief die erste Stimme, Donnerstag ist verdammt noch mal der freie Tag meiner Frau, macht mich bloß nicht wild.

Schröder rieb die Pantoffelsohlen über den Fliesen ab und rieb seine Frostbeinchen.

– Immerhin, sagte Joker langsam, der Ed ist nicht ungefährlich. Paolo soll sich unterdessen mit Sanna befassen. Glück für unsern Paolo, den Frauenliebling!

Anni trank, blickte ohne Güte, doch ihre ordinäre verständige Stimme gurrte:

– Ei, Ei, hört, hört. Gibt's denn so was in unserer armen Stadt noch?

Paolo fühlte wieder den weichen furchtsam-genußvollen Schauer; er kicherte. Unter dem breiten schwarzen Hut spürte er seine schwitzende Kopfhaut.

– Wie ist sie denn, fragte er zart. Bei näherer Betrachtung, die Sanna, he? Man muß ja schließlich bißchen Bescheid wissen und so weiter. Er starrte auf Annis gefletschtes Gebiß. Na, sag schon. Die bestimmten Damentypen haben so ihre Vorlieben –. Er schloß die Augen und hörte den Singsang seiner Betrunkenheit: wie ist sie, wie ist sie: blond, schön und ungenießbar – besser bei Anni bleiben.

– Sowohl der Ed, sagte Anni dunkel, als auch die Sanna, beide sind Klasse, so ist das nicht, wenn man die aufs Kreuz legen will, muß man schon wissen, wie man's anstellen soll.

– Ja, diesmal blas' ich ihn aus, sagte Joker.

Anni stand auf.

– Ich bring' euch die zwei Kaffee, wie? fragte sie. Zeit, daß ihr euch auf den Weg macht.

– Schon gut, sagte Joker. Er schnellte sein Handgelenk unter die Augen; Zeit, wahrhaftig, daß wir gehn, los los, Partner. Das schaffen wir noch ohne Stimulantien, wie?

Paolo stellte sich, drückte hart die Knie durch. Als die beiden durch die Bar schritten, würdevoll ihre Unsicherheit auf die Dielen stampften, drehten die drei Männer ihre Köpfe zurück. Schröder, mit Jucken und Frostbeulen an einen seiner wollüstigen Höhepunkte gelangt, nickte zerstreut. Anni blickte wieder seriös, ihre Lippenmuskeln zerrten das Fleisch von oben und von unten in die Mitte. Joker und Paolo, Hochhager und Stumpfkurz, rote Hose und schwarzer Hut, verließen die Bar.

– Solche gab's früher auch nicht, sagte der erste Trinker, der links außen saß.

– Ich wette, die laufen am Tag der Nation nicht anders rum, rote Hosen! sagte der Mittlere.

212

– Früher, sagte der dritte, er saß rechts außen und streckte den Arm aus, aber seine Hand scheute vor der Glanzseidenhüfte von Anni, die unerwartet lächelte und sagte:

– Nicht mehr lang, und die seht ihr in Quergestreift, die zwei Ganoven.

Paolo atmete tief. Er ließ die Zunge aus dem Mund hängen und spürte die hellen kalten Stiche, die Regentropfen. Dann hörte er Schlappen und Rauschen über seinem Kopf. Er sah in die Höhe.

– Zugvögel, sagte er. Er stand still und hielt Joker am Arm fest.

– Wildenten oder so was, sagte Joker.

Sie standen und hielten die gedunsenen erschöpften Gesichter schräg unter den Regen. Schwarze, vorübereilende, langgestreckte Kleckse; der Himmel dahinter sah nicht mehr so dunkel aus.

– Daß die nachts fliegen, sagte Paolo.

– Na, bei dem Regen, sagte Joker, seine Stimme war tonlos. Die denken: Nur weg von dem Regen. Nur weg.

– Fliegen da, sagte Paolo steif und bestürzt. Ein komisches Gefühl machte sich über ihn her. Fliegen da oben durch die Nacht. Neben ihm regte sich Jokers Handgelenk. Paolo erkannte das blasse Gesicht der Armbanduhr.

– Zehn nach, sagte Joker, er roch stark. Zu spät, paar Minuten. Da haben wir uns verdammt verbummelt.

– Na ja, sagte Paolo, da haben die zwei aber Glück gehabt.

– Zu spät, diesmal, sagte Joker.

Gleichzeitig kehrten sie um. Sie liefen stumm und hastig durch den Regen zurück, am Bunker vorbei.

Ein Mann zu Besuch

»Aber damals, vor nunmehr elf Jahren, ahnten Mutter Viola Calcarata und ich (Mutter Sanguisorba) noch nicht, daß eine wahre Schwesterngemeinschaft aus unseren Gebeten hervorgehen dürfe, daß Er sie wünsche und begünstige...« Mutter Sanguisorba hob den verschwitzten Kopf, blickte mit salbungsvollem Lächeln zur weißgekalkten Decke und von da zum Sgraffito an der Wand: ein stilisierter Baum mit üppigem Astwerk, blattlos. Jeder Zweig stellte einen Finger dar, einen stumpfen, richtungweisenden Finger. Das Lächeln auf dem fetten heißen Gesicht wurde starr, ein Zug des Unwillens bettete sich in die glänzenden Rinnen der Mundpartie. Mutter Sanguisorba packte den Füllfederhalter tiefer unten, setzte ihn auf den Schreibbogen. »...wünsche und begünstige.« Die braven runden Schriftzüge verschwammen vor ihren Augen zu einem dunkelblauen höhnischen Kringelmuster. Unter der aufgesetzten Feder entstand ein dicker, flüssiger Klecks, den sie gedankenlos ausweitete, mit kleinen Spitzen schmückte. Und da blitzte er plötzlich vor ihrem inneren Auge: der Lichtstern, stolz und scharfgezackt, der einmalige sechseckige Stern, den Schwester Centaureas Gnadenstunde hervorgebracht hatte, das leuchtende Symbol ihrer Gemeinschaft. Danke, flüsterte sie und richtete den Blick aus dem schmalen, ungeschmückten Fenster hinüber zum grünen, flachen Gebetszelt, in dem sie Schwester Iris wußte. Danke. Es hat geholfen.

Die Feder fuhr fort zu schreiben, emsig kurvige Buchstaben in gleichförmigen Ketten übers Papier zu kratzen. »Er half uns, weil wir Seine eigenen Gebäude in Seiner eigenen

Siedlung errichteten unter dem flammenden Symbol Seiner Kraft, unter jenem Stern, der einer unserer Schwestern durch die Macht der Fürbitte im Gebetszelt geschenkt wurde. Er sah Sein Werk gedeihen, und Er war mild mit uns und manchmal eifersüchtig…« Sie lächelte, stieß dazu leises, tiefes Gurgeln aus dem Hals, behaglich und gemein; kritzelte »lodernd« zwischen »Werk« und »gedeihen«. »…wenn wir bei Krankheiten uns an menschliche Hilfe wenden wollten. O ja, das war Er, und wir verstanden Ihn in der großen Suchzeit, verstanden, daß Er heilen wollte und es allein konnte.« Sie überlas die eiligen, aufrecht gereckten Wörter, strich langsam mit drei dicken Linien »konnte« aus. »…vermochte. Ja, wir mußten lernen, viel, viel lernen.«

Von der Tür her hörte sie ein scheues Klopfen, kurze, zaghafte Schläge vom zarten Knöchel der Schwester Potentilla. Ihr erster Impuls war, den Zutritt zu verweigern. Es war ungeheuerlich, sie in der Gnadenstunde ihrer literarischen Inspiration zu stören. Jede Schwester in »Palinpans geliebtem Land« wußte, daß sie nachmittags zwischen fünf und sieben Uhr schrieb, während die Gebetswache draußen im Zelt für sie Gnade erwirkte. Streng wurde ihre Ruhezeit eingehalten, so streng wie die von Mutter Viola, die zwischen drei und fünf Uhr, ebenfalls von Fürbitten unterstützt, ihre Gesänge komponierte: Weihe- und Dankeslieder, Siegeshymnen, Ernte- und Segenskantaten, psalmodierende, strophenlose Rhythmen der Wetterbeschwörung. Verärgert schrieb sie weiter. »Wir bauten unsere Häuser mit eigener Hand: Schwestern mauerten, zimmerten, legten Leitungen, während betend, beschwörend andere neben ihnen standen und dem Gedeihen des Werks durch den Geist halfen.«

– Sie hat Gnade, flüsterte Schwester Potentilla aus blassen, trockenen Lippen. Sonderbar, warum sah der Mann sie so nachdenklich an? Spott kannte sie: er traf sie aus den Blicken der Menschen, denen sie auf der Straße begegnete, traf sie lieblos und abweisend, nur die Neugier allein erwärmte ihn ein wenig.

– Was heißt das? fragte Beck. Er hatte eine angenehme Stimme. Sie klang ein bißchen nach Schnupfen, Schnupfen im ersten, flüssigen Stadium.

Mutter Sanguisorba hob die Hand mit dem Füllfederhalter hoch, lauschte. Sehr klein und wachsam lagen die blauen Augen unter dem speckigen Gewölbe der Stirn, lauerten mit einem Funken von List. Sie wartete auf ein neues Klopfzeichen, und als es nicht kam, räusperte sie sich sanft und langsam: ein in die Höhe gezogener Laut, schmerzlich verklärt.

– Das heißt, daß Er sie inspiriert zu Seinem eigenen Lobgesang, leierte Schwester Potentilla im Flüsterton. Beck wich einen halben Schritt zurück. Er wußte nicht, ob es ihr Atem war oder ihr Gerede, was ihn abstieß. Beides, entschied er. Er fühlte sich nicht so amüsiert, wie er erwartet hatte. Alles war ihm in nicht geringem Maße widerlich: die bunte Fahne mit der Inschrift »Diese Siedlung wurde allein durch Palinpans Hilfe erbaut«, die ihn munter flatternd am Eingang willkommen hieß, das Gebetsgemurmel aus dem Zelt, an dem die Besucherschwester ihn vorbeigeführt hatte, die seltsamen Mosaiken, Reliefs und Inschriften des Mutterhauses; das Schweigen hinter der zugesperrten Tür und das ehrfürchtige Flüstern von Gnade, die darin umtrieb. Und schließlich die kleine verängstigte Besucherschwester selbst, ihr eingeschüchterter säuerlicher Atem. Er fand jetzt heraus, als er neben dem devoten Mädchen vor der hellbraunen Holztür stand, daß ihm statt des Vergnügens, das er sich davon versprochen hatte, Gereiztheit und Unbehagen durch seine Reportage entstand.

– Klopfen Sie nochmals, gebot er. Seine Stimme war jetzt unfreundlich.

216

Er beobachtete ohne Mitleid den schwächlichen weißen Knöchel, der ihm vorkam wie eine Fleischwerdung der Angst, sein bebendes leises Pochen gegen das Holz. Er wollte über dem Anblick in Nachdenken versinken, aber ein hoher gedehnter Klageruf schreckte ihn auf, machte ihn jäh ganz wach und bereit, konzentriert.

– O ja, ja! kam es durch die Ritze zwischen Rahmen und Tür: die exaltierte Stimme einer Frau zwischen fünfzig und sechzig.

Ein Aufleuchten huschte durch die blassen Augen der kleinen Schwester an seiner Seite. Lautlos drückte ihre dünne Hand die Klinke hinunter und öffnete die Tür ein paar Zentimeter weit. Zu seinem Staunen sah er, daß sie mit dem weißbehaubten Kopf, den sie durch den Spalt steckte, zwei kurze, eifrige Diener machte.

– Rasa matta, rasa matta, Mutter Sanguisorba!

– Komm herein, meine Tochter, sagte die einstudierte, schmerzliche Stimme. Ich bin da für deine Anliegen.

Die kleine Schwester schlüpfte so geschwind durch die Tür, die sie sofort wieder schloß, daß er nicht Zeit hatte, ihr zu folgen. Ärgerlich stand er und hörte an- und abschwellendes Gemurmel. Er senkte die Hände in die Taschen seiner modischen, indezent gemusterten Jacke.

– Wer, sagst du, ist draußen? Die Stimme Mutter Sanguisorbas war reduziert, aber streng.

Schwester Potentilla zuckte wieder zusammen: sie sah nicht die Neugier, das forschende Interesse in den kleinen schnellen Augen, in deren Iris die Pupillen schwammen wie winzige Fischwesen im blauen Gewässer hinter vom Betasten der Finger beschmierten Scheiben eines Aquariums.

– Ein Reporter, sagst du? Und weißt du, daß es die Zeit der Gnade ist, daß deine Schwester im Zelt betet für das Gelingen des großen Werks? Das wirst du doch wissen?

Nickend ruckte das blasse Kinn Schwester Potentillas hoch

und nieder, flatterten auf den Schultern die weißen Schwalbenschwänze der Haube über dem schlammgrünen Stoff der Kutte.

– Na, so laß ihn in Seinem Namen herein, Tochter, sagte Mutter Sanguisorba.

Schwester Potentilla entging das erschöpfte Abfallen der plötzlich trägen Stimme ihr Verzicht auf die überspitzten Molltöne des Pathos; ihr weltliches Zurückweichen vor dem Gebot der Neugier. Dank leuchtete aus ihren Augen: für Güte hielt sie jetzt das gierige Interesse, wie sie vorher für echte Versunkenheit durch die Gnade des Großen die gefallsüchtige, krampfhafte Selbstentrückung ihrer Mutter gehalten hatte.

– Danke, Mutter Sanguisorba, sagte sie und zuckte zur Tür zurück, ohne sich umzudrehen, der Mutter Sanguisorba dabei den Rücken zu zeigen. Blind tastete ihre Hand nach der Klinke, drückte sie und ließ den Reporter ein – während sie gleich hinter ihm verschwand, geräuschlos und ängstlich.

Beck trat vor, musterte den kahlen Raum mit seinen ruhigen Augen. Er machte eine knappe Verbeugung.

– Ich muß Sie wegen der Störung um Verzeihung bitten, aber ich wußte nicht, daß zu einer Stunde wie dieser...

Die fleischige Hand der Oberin winkte leise, begütigend.

– Das konnten Sie nicht, sagte sie tief. Wir haben unsere Gesetze hier, von denen Außenstehende nichts wissen. Unser Tag kennt keine Stunde ohne eine bestimmte Regel, die Ausrichtung auf ein Ziel. Alles ist Arbeit, vom Gebet bis zur Besorgung der Küche oder des Viehs – nebenbei, es gibt bei uns keine Geringschätzung der prosaischen Tätigkeiten. Ja, Arbeit ist selbst die Hinnahme der Gnade, das große Geschenk, oder die Liebeshingabe, ja, sie auch, und ich möchte sagen, sie ist Schwerarbeit.

Er unterbrach sie, sagte höflich:

– Ich bin davon überzeugt, Frau Oberin.

Er sah die Kurve des Unmuts ihre Oberlippe ausbuchten.

Sie seufzte, überlegte fieberhaft, wie sie ihn lehren könne, ergebener ihrem Vortrag zu lauschen, nicht diesen konventionellen Ton ohne Respekt vor ihrer Berufung gegen sie zu gebrauchen. »Ich bin davon überzeugt.« Hatte sie nicht deutlich etwas wie Spott dem Tonfall und der Wortwahl, sogar seinem unbewegten Gesichtsausdruck entnommen?

– Darf ich nun wissen, wer Sie sind, wer Sie schickt oder...

Sie machte eine königliche Geste, der grünbekleidete Arm schwang weit aus.

– Natürlich, sagte er schnell. Er verhalf mit angehobenen Schultern, die er leicht wieder in sich zusammensacken ließ, seiner auffällig gemusterten Jacke zu bequemerem Sitz.

– Bitte. Die Hand der Frau, deren Gestalt unter der losen Kutte nicht zu enträtseln war, deutete auf einen geschnitzten Holzstuhl neben dem Schreibtisch.

Er setzte sich ohne Hast, zog die Hosenbeine an, verschränkte die Arme.

– Mein Name ist Beck: Reporter vom »Tageskurier«. Ein Anruf meines Chefs sollte mich hier anmelden, Sie quasi auf mich vorbereiten. Nun, das scheint nicht geschehen zu sein.

Er hielt inne, ohne die Stimme zu senken, versuchte, auf sein Lächeln eine Reaktion im fleischigen Gesicht ihm gegenüber zu erzwingen: es blieb reglos und mit sich selbst beschäftigt, Schweißtröpfchen glitzerten auf den großporigen Böschungen des breiten Nasenbeins. Er gab es auf, fuhr im geschäftsmäßigen Ton fort:

– Meine Zeitung wünscht einen Bericht über Ihre Sekte.

– Verzeihung! rief die Frau schneidend. Wir bezeichnen uns nicht als Sekte. Es mag für Sie und Ihresgleichen nur um Worte gehn, aber es scheint uns äußerst wichtig, darauf zu beharren, daß wir ein Orden sind, eine Gemeinschaft, die sich durch Gebet und anderen Dienst das Recht täglich neu erringt, in »Palinpans geliebtem Land« zu leben. – Aha! sagte er verständnislos. Er holte schnell Luft, um ihrem aufgeklappten Mund zuvorzukommen: – Um es kurz zu machen, ich möchte, wenn Sie Ihre wohlwollende Erlaubnis geben, ein paar Eindrücke hier gewinnen, nicht nur Daten und Statistik aufschreiben, sondern etwas, wie soll ich sagen, Leben, etwas von der Wirklichkeit des Betriebs hier...

– Darf ich nochmals eingreifen: die Bezeichnung »Betrieb« mißfällt mir. Betrieb! Wir sind fern davon. Nicht weltfern, aber betriebsfern, betriebsfremd, ja fremd, möcht' ich sagen. Nichts hier in »Palinpans geliebtem Land« hat den Charakter von Betrieb, auch nicht, wenn geradezu Kolonnen von Besucheromnibussen vor »Palinpans Eingangspforte« stehn, Menschen ihnen entströmen, fremde, verständnislose Menschen, in deren Seelen wir manchmal einen Funken werfen können, in deren Herzen hin und wieder Keime aufgehn, junge zarte Triebe werden zum Wachsen berufen.

Er nützte ihr Atemholen:

– Sagen wir also: Betriebsamkeit.

Sie nickte verstimmt, hätte weitersprechen wollen ohne seine rechthaberischen, sachlichen Einwürfe. Ein abwesendes Glitzern trat ins blaue Gewässer ihrer Augen, in denen die fischigen Pupillen hektischer umhertrieben, größer und kleiner wurden. Schwester Iris' Gebetsstunde ist immer so besonders produktiv, dachte sie, mein Palinpan, wie könnte ich schreiben jetzt, alles strömt mir nur so zu, ein breiter, reißender Fluß sind meine Gedanken, sie überfluten die Dämme des Gesetzes, drängen, verlangen.

Beck sprach leise, langsam weiter und wußte dabei, daß sie nicht zuhörte. Er überlegte seine Worte nicht, redete mechanisch und betrachtete unterdessen das von Hysterie verkrampfte, unbefriedigte Gesicht der alten Frau, das rotblonde krause Haar, durch das noch keine graue Strähne lief. Auf der Höhe des Scheitels saß die ungestärkte Haube, die an den Schläfen und vor den Ohren hinunter zum Kinn reichte, wo sie in einer schlaffen Schleife endete. Zwei schmale Streifen, gleich Flügeln, fielen latzartig übers Kleid und nahmen dem Grün, das in der Taille nur ein schwarzer geflochtener Strick mit lang herunterfallenden Enden unterbrach, die grämliche Eintönigkeit.

– Ich sähe mir also recht gern Ihre Gebäude an, spräche mit dieser und jener Schwester, schloß er seinen Monolog mit mehr Aufwand an Stimme und Betonung.

Mutter Sanguisorba riß sich los vom Anblick des Gebetszeltes, von dem eine Vision ihr gerade die murmelnden Lippen Schwester Iris' vorgespiegelt hatte, die gefalteten Hände, die sich manchmal wie in Rage lösten und in die Luft hoben: in die muffige Nacht hinter den Segeltuchwänden, die vom holzwollebelegten Boden her schwach nach Zirkus roch. Sie hatte den grünen, weitklaffenden Schoß der Betenden gesehen, sogar die eckigen Formen der Knie unter dem Stoff, die gekauerte Gestalt im Schneidersitz auf den kribbelnden Holzspänen, das unterdrückte Wesen, von dem nur die Haube als trübes Licht und das unstete, vom Geflüster bis zum Schreien sich steigernde Gelalle kündete, wenn die Wachablösung am Zelteingang in die Finsternis tappte. Sie sah in dieser Vision Iris' oder Potentillas oder Oenotheras Augen mit den von der Dunkelheit geweiteten, riesigen Pupillen: wahnsinnige Augen, in die man leicht die Schwärze von noch mehr Wahnsinn senken konnte, bis sie immer größer, riesenhafter wurden. Bevor dann der Schrei kam, der Schrei, animalisch, seelenlos, entsetzlich. Ja, sie würde bald, vielleicht heute noch, denn heute fühlte sie sich kräftig und berauscht, heute noch einer von ihnen die große Gnade der »persönlichen Teilhaftigwerdung« schenken, ins Zelt eindringen und in die Pupillen hineinmurmeln, mehr und mehr Wahnsinn, Gift, Worte ohne Sinn, und dabei die grünbespannten Knie festhalten, ihr Zucken spüren, ihre wechselnde Temperatur, sogar die winzigen harten Berge auf der Haut, wenn sie vor Frost erschauert, die Gänsehaut.

Sie mußte plötzlich lachen, gurgelnd und wollüstig, und damit kehrte sie zurück an ihren Schreibtisch, vor den

Sgraffitobaum mit den fingrigen Ästen und zu dem menschlichen Fremdkörper: dem Mann ihr gegenüber.

– Ja, sehn Sie sich's an.

Aus der Tiefe ihres unbestimmbar fließenden Körpers stieg, als sie so aus dem dämmrigen Tümpel der Vision in die wirkliche helle Welt ihres Arbeitszimmers auftauchte mit dem begehrlichen Bewußtsein dessen, was sie plante und in einer der nächsten Stunden schon realisieren könnte, aus dem schwer atmenden, schwitzenden Fleisch stieg Freude, die sie, ohne daß er es verdiente, bedenkenlos in Form von Wohlwollen dem jungen Zeitungsmann mitzuteilen gedachte. Sie lächelte ein langsames Lächeln. Ihre dicke rosa Zunge zeigte sich ohne Scham zwischen den Lippen, hockte da breit, nachdenklich, sanft vibrierend – ein wurmartiges Meertier. Sie straffte den Oberkörper, zog die Zunge ein, nachdem sie schnell die Lippen glänzend befeuchtet hatte.

– Bleiben Sie zur Vesper und zur Komplet, sagte sie hastig, sehen und hören Sie alles an, was Ihnen der Tag von sechs bis zehn Uhr hier bieten kann. Seien Sie Zeuge und behandeln Sie meinetwegen mit Spott, was Sie nicht verstehen. Wir kennen das. Wir achten es gering.

Sie sprach schnell, mit geübter Rezitationsstimme: Es berührt uns nicht etwa in unserer Selbstachtung, denn die verloren wir beim Zeitpunkt unserer Berufung. Wenn Spott und Unverständnis uns schmerzen, dann nur aus Mitleid mit den Menschen, die Seiner Gnade nicht teilhaftig sind, und aus Empörung darüber, daß Seine Ehre nicht geachtet wird. Aber Er lehrt uns, auch selbst für Ihn nicht eitel zu sein.

Sie lächelte bräutlich, kokett, zog die rötlichen Brauen hoch: gefurcht sah ihre Stirn den Rillen und Höhen von Wellblech ähnlich.

– Sollte Er, den Sie anbeten, Sie nicht mehr vor Überheblichkeit warnen? fragte Beck. Er diskutierte gern, dachte sich nicht viel bei seiner Frage. Als er sie aber dunkelrot werden sah, sich hochrecken, fügte er hinzu:

222

– Verzeihung, darf man »anbeten« sagen? Ich muß mich im voraus für größere oder kleinere Schnitzer entschuldigen, da ich die Terminologie nicht beherrsche.

Die Verwandlung ihres Gesichts fesselte ihn: der Zorn, den er nicht hatte deuten können, wurde zu Eifer, zu schwitzender, augenfunkelnder Redelust, die die Lippen im voraus kräuselte.

– Aber natürlich! rief sie hochmütig und glücklich. Wir sind richtige Anbeter, ganz große Anbeter, Anbeter im wahrsten Sinn des Wortes. Und das war auch Sein Ruf, der ganz klar an uns erging: Ihn anzubeten, nicht Krankenpflege auszuüben, nur anbeten, anbeten. Ich wurde eben ungeduldig, gewiß, und ich möchte mich dafür entschuldigen, denn es war unbesonnen von mir. Ich habe kein Recht dazu. Sie kommen von jenseits.

Er klappte den Mund zu, starrte sie an. Ihre Art verwirrte ihn mehr, als sie ihn ärgerte.

Mutter Sanguisorba erhob sich schwer und würdevoll, ordnete im Stehen die losen Bogen auf der Tischplatte und verharrte minutenlang schweigend, den Blick wie im Gebet gesenkt. Sie las. »... wir verstanden Ihn in der großen Suchzeit... heilen wollte und allein vermochte... durch den Geist halfen...« Es war gut, gut. Dank dir, kleine Iris, Dank deinen riesenhaften Pupillen in der dumpfen Gebetsnacht, die übel riecht vom fauligen Atem eurer heißen Kehlen, vom idiotischen Gurgeln und Röcheln eurer Schreckvorstellungen! Heut' noch, heut' noch. Die bebenden Knie, die sich wehren und doch wollen, daß er kommt: der schreckliche, wunderbare Schrei in der jäh noch mehr und ganz und gar verfinsterten Zeltnacht.

– Kommen Sie, sagte sie, unvermittelt auffahrend. Mit den Innenflächen ihrer großen Hände strich sie die massige Front ihrer Schenkel abwärts. Der rauhe Stoff kratzte leise gegen die Haut. Kommen Sie. Ich gebe Ihnen eine Schwester für die Führung.

Sie schritt voraus, öffnete die Tür selbst und betrat vor ihm den Gang, der ungeschmückt war bis auf Inschriften in kunstvoll gemalten Buchstaben, die, ein schmales schwarzes Band, über den Türrahmen an der weißen pickligen Kalkwand entlangliefen.

Beck war dicht hinter ihr.

– Da handelt es sich bei diesem Ruf, ich weiß nicht mehr genau, wie er lautete...

– Sie meinen »rasa matta«, sagte die Frau verächtlich, sah sich nicht um.

– Ja, ganz recht. Was bedeutet es? Eine Anbetungsformel? Aber Sie scheinen sie doch zur Begrüßung zu verwenden?

– Ein allgemeines Lautsymbol der Beschwörung, sagte Mutter Sanguisorba abweisend.

In Becks sachlichem Ton lag kein Gefühl für taktvolle Zurückhaltung.

– Wer erfand das Symbol?

– Erfinden? Sie drehte sich nach ihm um und blieb stehn, Erstaunen und Feindseligkeit in ihrem wachsamen, mißtrauischen Blick. Erfinden! Sie lachte kurz auf. Wenn Sie so wollen: Er. Er selber! Er gab mir die Laute ein, Silbe für Silbe all der sprachlichen Symbole, die der Dienst an Ihm mit sich bringt.

Bestürzt folgte er ihrem lauten Weiterhasten.

Vor einer Tür blieb sie stehn und las murmelnd die Zahlen vom Zettel, der mit einem Reißnagel an die Holzfüllung geheftet war. Er stellte sich hinter sie und las ebenfalls: »Gebet für den Segen der Zwiebelernte: 17 Uhr 35 bis 18 Uhr 10.«

Mutter Sanguisorba holte eine dicke Taschenuhr aus den Falten ihrer Kutte, sah aufs Zifferblatt.

– Noch vier Minuten, dann können wir sie holen. Ich glaube, das ist das günstigste. Mit so kurzem Warten kommen wir um diese bewegte Zeit sonst nicht weg.

Beck deutete auf das Schild.

– Darf ich fragen, was hier vorgeht?

– Schwester Antennaria hält die Gebetswache für das Gedeihen unseres Zwiebelfelds. Wir haben nicht genug Schwestern, um kleinere Gemüsesorten durchgehend zu segnen. Manche Obstsorten mußten wir sogar im Sommer in Gruppen fassen, wie sie in ihren Reife- und Erntezeiten zusammenpaßten. Da war wirklich Not am Mann, und Sie hätten sehn sollen, wie die Schwestern sich eingesetzt haben, freiwillige Stunden einlegten und nachts vor den Beeten und Bäumen Umzüge machten und pausenlos sangen.

– Und wie war die Ernte? fragte er und fühlte wieder Ekel und Neugier vor den Exzessen des eifrigen feuchten Mundes.

– Sie war groß, sagte Mutter Sanguisorba mit schlichter Emphase. So, und nun dürfen wir Antennaria stören. Begegnen Sie ihr bitte mit Zartgefühl und Takt: sie kam erst vor zwei Monaten und hat Schweres hinter sich. Eine von diesen ganz und gar verpatzten Liebesgeschichten. Sie krauste die fette Stirn und blickte abschätzig auf seine gutgebügelten Hosenbeine.

– Ja, selbstverständlich, sagte er und spähte mit regem Interesse durch den Türspalt, den Mutter Sanguisorbas Rücken halb zudeckte.

Im Innern eines ganz leeren, engen Raumes lag auf einer hellen Kokosmatte ein schmales, kaum vom Boden sich abhebendes Bündel schlammgrünen Stoffs, unbewegt.

– Schwester Antennaria! rief Mutter Sanguisorba zart, gedämpft. Beende dein Gebet!

Er sah Leben in die Stoffalten kommen, Aufwärtsbewegung; sah eine schlaffe, beschwanzte und beflügelte Haube auf der Höhe eines tiefschwarzen Scheitels, eine bräunliche Stirn. Er hörte einen Schrei und Wörter, die er nicht verstand.

– Palla assana, rasa matta, rasa matta!

Übergangslos folgte Stille dem wilden Rufen, Ruhe kam in den schlanken Körper. Er sah ein junges Mädchen, das sittsam und artig auf die Tür zuschritt. Keine Bewegung in dem hübschen, gesunden Gesicht deutete auf das unnatürliche Verhalten während der vergangenen Minuten.

– Ein Herr Beck, Reporter vom »Tageskurier« – Schwester Antennaria, stellte Mutter Sanguisorba vor. Führ ihn bitte herum, du weißt ja, was für Besucher von der Zeitung in Frage kommt. Er bleibt auch zur Vesper und zur Komplet. Wie lang hast du Zeit?

– Um neun Uhr dreißig löse ich die Gebetswache im Zelt ab. Sie hatte eine hohe, kindliche Stimme.

– Und deine »Stille Zeit«?

– Sie war um zwölf Uhr fünfundvierzig, Mutter Sanguisorba.

– Gut. Du stehst Herrn Beck bis zur Vesper zur Verfügung. Weißt du, ob eine Aufführung für den Abend geplant ist?

– Nein, Mutter Sanguisorba.

Die rosa Zunge ließ sich wieder breit und weich zwischen den Lippen sehn, leckte gemächlich. Mutter Sanguisorba schnalzte leise, als sie ihr Nachdenken abbrach.

– Dann führ ihn bei Mutter Viola vorbei und erkundige dich. Sie hielt wieder inne, leckte, hastig diesmal. Oder nein, ich werde selbst hingehn und es bestimmen. Es wäre schön und aufschlußreich, wenn Sie einen unserer Sing- und Spielabende miterleben könnten, sagte sie, an Beck gewandt.

Er dankte mit stummem leichtem Senken des Kopfes, ließ die kleine dunkelhaarige Schwester dabei nicht aus den Augen.

– Ich darf mich verabschieden, vorläufig. Bis später!

Wieder dienerte er kurz und desinteressiert. Mutter Sanguisorba lief mit großen Schritten den Gang hinunter. Er hörte ihre Nagelsohlen auf die Holzdielen hacken, schroff und männlich.

– Kommen Sie bitte, sagte die angenehme Kinderstimme sanft, aber unverängstigt.

– Sehr gern.

Er schritt neben ihrem kleinen Mädchengetrippel her, das sogar die plumpen Schuhe nicht ganz entzaubern konnten.

– Sie sind noch nicht lange hier? fragte er, um ein Gespräch zu beginnen.

– Zwei Monate am Palinpanstag.

– Was ist das für ein Tag?

– Es ist der Tag, an dem Er Mutter Sanguisorba erschien und klar den Auftrag erteilte, Ihm zu dienen.

– Liegt das schon lang zurück, oder wissen Sie nichts darüber?

Ihr Ton war fast empört:

– Aber jeder weiß das. Vor elf Jahren erhielt Mutter Sanguisorba den klaren Ruf, in derselben Nacht, in der Mutter Viola eine Art Vision hatte. Sie ist die zweite Oberin.

– Und wie feiern Sie hier den Palinpanstag?

Schwester Antennarias Stimme schrumpfte zusammen, wurde kühl und spitz:

– Ich habe noch keinen erlebt, wie Sie wissen. Bitte, sehn Sie den Werkraum.

Sie hatte die Tür zu einem großen Zimmer geöffnet, in dem an einem Tischhufeisen geisterhaft stumm grünkuttige Schwestern auf große weiße Bogen Sprüche mit Tusche zeichneten, Stoffbahnen bunt bemalten. Beck starrte auf die gesenkten weißen Hauben. Die Schwalbenschwänze standen ab von den gebeugten Schultern.

– Was tun sie? fragte er, als sie die Tür wieder schloß. Nicht eine der Schwestern hatte aufgesehn, keine hatte sich gerührt, die Tätigkeit unterbrochen.

– Sie zeichnen und fertigen die Erntespruchbänder an. Und die Fahnen.

Die kleine Schwester lief emsig voraus und bestieg am Ende des Flurs eine Holztreppe. Es fiel ihm auf, daß sie seinen Blick vermied, ihm stets nur ihr hübsches einfaches Profil zeigte.

– Was ist das: »Stille Zeit«? fragte er beim Aufwärtssteigen.

– Es ist die einstündige Zeit am Tag, die jeder Schwester zur Verfügung steht zum selbständigen Gebet: allein erglaubt und erbetet sie sich Segen für ihre geistige Durchrichtung, antwortete Schwester Antennaria.

– Und was bedeutet »Durchrichtung«?

Sie zögerte, blieb auf der vorletzten Stufe stehn und legte ihre kleine Hand aufs Treppengeländer. Er stand auch still, ein paar Zentimeter unter ihr; hatte Gelegenheit und Muße, ihr liebliches rundes Gesicht zu betrachten, die frischen Farben der Brünetten. In den dunklen Augen fand er keine Spuren von Hysterie. Ihre gesunden Wangen, der friedfertige Mund und der natürliche Blick, kohleschwarz und lustig, ließen ihn an den Kopf eines Bauernmädchens denken, dem er die unkleidsame Haube am liebsten abgerissen hätte. Sie war so vertieft in die Überlegungen, die zum Beantworten seiner Frage erforderlich waren, daß seine wohlwollend und gleichzeitig argwöhnisch prüfenden Blicke sie nicht verwirrten.

– Durchrichtung bedeutet Einstellung von Leib und Geist auf Ihn, stieß sie endlich hervor, seufzte leise und erleichtert.

– Versteh’ ich nicht, sagte er weniger aus Wissensdurst als aus Spaß daran, sie zu beobachten.

Ihr neuer Seufzer war schwerer, halbwegs verzweifelt.

– Es ist nicht einfach, es jemand zu erklären, der gerade eben erst hier hereinkommt. Vor allem für mich: ich bin vorläufig nur Tertiärschwester und habe erst drei Durchrichtungskurse unter Mutter Sanguisorba besucht.

– Was geschieht in diesen Kursen?

Schwester Antennarias Gesicht wurde eifrig und warm.

– Wir lesen gemeinsam die Glaubenssätze, und Mutter Sanguisorba erklärt uns alles.

– Wo wird das Zeug gedruckt, ich meine, die Glaubenssätze und das übrige?

Zu seiner Erleichterung schien Antennaria weder die abfällige Bezeichnung für Mutter Sanguisorbas Schriften noch den geringschätzigen Ton, in dem er sprach, gehört und interpretiert zu haben.

– Es gibt eine Druckerei hier in der Siedlung. Die Schwestern, die dort tätig sind, haben jenseits – sie gebrauchte den Ausdruck ohne Scheu – als Setzerlehrlinge gearbeitet und verstehn ihr Handwerk. Sie müßten mal sehn, wie nett die Bücher von Mutter Sanguisorba aufgemacht sind.

– Hm. Er schob die Unterlippe vor, kniff die Augen ein: ihre Arglosigkeit war ihm peinlich. Und dürfen Sie Fragen stellen in den Kursen? Ich meine, das alles zu kapieren ist nicht gerade einfach?

– Ja, wir dürfen fragen, obwohl das meiste ganz einfach erglaubt werden muß. Aber wir haben regelrechte Aussprachen. Alles gilt ja der Vorbereitung auf die Ekstase.

– Bitte?

– Nun, die Ekstase. Entweder die Gemeinschafts- oder die Selbstekstase. Die Gemeinschaftsekstase folgt dem Gemeinschaftssingen und Sammelgebet. Wir haben dann körperliche Empfindungen von Ihm, von Seiner leibhaftigen Anwesenheit.

– Von Palinpan?

– Ja.

Er sah nicht mehr so freundlich und vergnügt aus, vergrub die Hände in den Hosentaschen, während sie weiterliefen, über die Gänge im ersten Stock, hier und da in nüchtern ausgestattete Gebetszimmer schauten.

– Und die Selbstekstase? fragte er. Seine tiefe Schnupfenstimme klang beschämt, zurückhaltend.

Sie waren wieder bei der Treppe angekommen, und Schwester Antennaria blieb stehn. Mit der gleichen hilflos-mutigen Geste wie vorher legte sie ihre kindliche Hand, diesmal die rechte, aufs Geländer.

– Ich hab' sie noch nicht erlebt, sie kommt erst in der Primärzeit. Sie findet im Gebetszelt statt und ist ein mystischer Vorgang. Unerklärbar. Ich weiß nicht viel davon, aber die

Schwestern fürchten und ersehnen sie. Sie gelingt nicht immer.

– Was wissen Sie davon? fragte er, offenes Mißtrauen in seinem Ton und in dem Blick, mit dem er das gutmütige kleine Gesicht ausforschte.

Wieder veränderte sich ihre bereitwillige Stimme, stieß die Silben steif, abrupt heraus.

– Selbst wenn ich viel wüßte, dürfte ich Ihnen nichts sagen. Das Gebiet der Ekstase gehört in die Klausuren. Es ist nicht für die Öffentlichkeit.

Sie betrat die Treppe und stieg vor ihm hinunter. Sie verließen durch die Eingangstür das Mutterhaus und wandten sich einem andern flachen Gebäude zu, das im sauber angelegten Garten zwischen Birkengruppen stand.

– Das Haus, in dem wir Schwestern wohnen.

Auf einem Spruchband über der bescheidenen Tür verkündeten hohe unverzierte Buchstaben: »Palinpans Töchterhaus.«

Sie zeigte ihm ein paar Schlafkammern, auch das, in dem sie mit drei andern Tertiärschwestern schlief: enge schmucklose Schächte, übereinander die schmalen Betten. In jedem dieser Zimmer hing als einzige Zierde an einer Schnur von der Decke der sechszackige gelbe Stern, plastisch aus Pappe gefertigt, schaukelte sanft im schluchtartigen Zwischenraum der Hochbetten.

– Sie dürfen keine Photographien, Bücher oder so was behalten? fragte er.

– Wir geben alles ab.

– Selbst solang Sie noch nicht fest dazugehören?

– Ja, natürlich. Ihr Ton klang ein bißchen verächtlich, vielleicht auch nur überlegen: er konnte es nicht genau hören. Wie sonst sollten wir das Leben hier kennenlernen? Es ginge nicht, wenn sich die erste Zeit von der späteren unterschiede. Man muß gleich am Anfang kleine Bequemlichkeiten opfern und lernen, daß Besitz Sünde ist.

– Sünde? Sie sprechen von Sünde hier?

– Warum nicht? Jetzt war ohne Zweifel Verachtung in ihrem Ton.

Im unteren Stockwerk öffnete sie eine breite Flügeltür, die eine gelb- und rotgemalte Inschrift trug: »Palinpans Eßzimmer.« Beck sah die üblichen Kalkwände, die gewohnten Spruchbänder und ein Tischhufeisen, das viel größer war, von mehr geschnitzten geradlehnigen Stühlen umstanden als das in Palinpans Werkraum. Auf dem nackten Holz reihten sich die einfachen Steingutteller, die Becher und Löffel.

– Hier essen wir. Es gibt sehr einfache Gerichte, meist Suppe, weil Völlerei und Genußsucht besonders schwere Vergehen gegen Seinen Willen sind. Wir essen gerade nur so viel, wie nötig ist für die Ergebenheit in Seinen Dienst.

– Rasa matta, murmelte er so leise, daß sie es nicht hören konnte. Er sah sie mitleidig an: auch sie würde entweder mager werden oder aufschwemmen. Er dachte an Schwester Potentilla, an ihren zaghaften mageren Knöchel, hörte dessen eingeschüchtertes Pochen gegen die Holzfüllung der Tür.

– Und die beiden Mütter? Essen sie mit? fragte er im Weitergehn.

– Meistens, wenn nicht das Gebet sie fernhält. Sie bekommen oft extra Gerichte, weil sie mehr als die doppelte Kraft für Gebet und Segen benötigen. Wir sind nur Werkzeuge.

– Und die beiden? Sind die etwa mehr? Seid ihr nicht alle gleich vor Ihm?

»Ihm.« Er hatte den Vokal zu lang gedehnt, zu übertrieben Ehrfurcht geheuchelt. Er versuchte, ernst auszusehen, den Spott in einem ahnungslosen Blick zu verstecken.

Schwester Antennaria sprach gereizt und schnell.

– Doch doch, das ist es nicht, was ich meine. Die Mütter sind auch Seine Werkzeuge, aber sie bilden die direkte Verbindung von uns zu Ihm, sie sind die Mittler, die uns Seine Aufträge zutragen, das Glied zwischen Ihm und uns.

– Sie sind wahrhaftig eine gelehrige Schülerin. Soviel ich höre, sind das alles Sätze aus Ihren Lehrbüchern?

Sie schien das Lachen in seiner Stimme nicht zu bemerken oder weigerte sich doch, es zu beachten.

– Ja. Mutter Sanguisorba schreibt nicht nur Lehrbücher. Sie hat unendlich viele Schriften verfaßt, über die Natur allgemein und über Palinpan, wie man ihn verstehn soll und so. Das letzte Buch hieß: »Wege, die zu Ihm führen.« Ein guter Titel, nicht wahr? Selbst Kritiker, die sie anfeinden, nennen sie genial. Und jetzt beschäftigt sie sich mit dem großen Werk, einer Entstehungsgeschichte unseres Ordens.

– Wissen Sie was darüber?

Sie hatten die Kapelle betreten und in einer der hinteren Bankreihen Platz genommen. Er blickte zum Altar, der statt des Kruzifixes den stilisierten Fingerbaum trug, den er vom Sgraffito in Mutter Sanguisorbas Arbeitszimmer kannte. In seinem kahlen Wipfel stand der symbolische Stern, zwanzigmal so groß wie seine kleinen Kopien in den Schwesternschlafkammern.

Schwester Antennaria legte den Zeigefinger auf den naturroten Mund und sagte leise:

– Zuerst hatten Mutter Sanguisorba und Mutter Viola, unter ihren bürgerlichen Namen noch, eine Art Jugendgruppe. Sie wanderten viel, sangen und spielten. Mutter Viola komponierte damals schon, und Mutter Sanguisorba dichtete. Allmählich gingen sie zur Anbetung über, wandten sich ab von der Welt und ihren naturentfremdenden Einflüssen. Aber es dauerte lang, bis sie zu Ihm fanden. Mutter Sangusiorbas erstes Buch hieß »Mutter Erdes Schoß«. Heut darf man ihr nicht mehr davon sprechen, sie ließ alle Exemplare verbrennen.

– Warum?

– Weil sie auf einem falschen Weg war. »Mutter« wurde zu »Vater«, zu Ihm. Sie fand Ihn, Er erschien ihr eines Nachts, aber ich hab's Ihnen schon erzählt.

232

– Und wie gewann sie die Töchter dazu?

– Nun, die Mädchen aus der Jugendgruppe gehorchten dem Ruf. Aber es war hartes Ringen nicht nur im Geist, sondern auch in der Welt: Eltern wollten ihre Töchter nicht hergeben, die Stadt den Bau der Häuser und der Kapelle nicht genehmigen. Alles und jedes wurde erglaubt und erbetet. Die Schwestern haben unglaublich viel damals ertragen: andere Menschen wären verhungert und erfroren, aber sie segneten in den Nächten die Vorräte an Kohlen und Nahrungsmitteln, und siehe, sie reichten.

Er stand abrupt auf, Zorn funkelte in seinen Augen, drohte als steile Falte zwischen seinen Brauen.

– Hören Sie auf, auswendig gelerntes Zeug herzusagen! Dazu könnte ich mir eine von den komischen Fibeln Ihrer Oberin kaufen, nicht wahr?

Sie saß ganz versteinert in der Bank. Es kam ihm so vor, als würde sie sehr bald anfangen zu weinen. Weiche, milde Zärtlichkeit stieg in ihm auf beim Anblick ihrer dunkelgrünen Schultern, dem leisen Beben der Haubenschwänze. Sie überflutete ihn ganz. Er setzte sich wieder, legte seinen Arm um sie.

– Erlaubt?

Sie schüttelte den Kopf, die schlaffe Schleife der Haube raschelte übers Kleid, hin und her.

– Aber es ist ganz nett, was?

Das Rascheln hörte auf. Sie regte sich nicht. Er umfaßte sie kräftiger, definitiver.

– Ich möchte Sie überreden, hier wegzugehn, sagte er zu seiner eigenen Verwunderung. Er war nicht in sie verliebt, sie tat ihm einfach nur leid, sonst nichts. Es empörte ihn, sie willig und arglos ihrem Verderben, wilder Absurdität zutreiben zu sehn. Genauso gut sie wie eine andere, sagte er sich. Aber er wußte, daß die andere, die er auch hätte befreien wollen, nicht weniger hübsch als Antennaria sein dürfte.

– Warum? fragte sie matt.

Es fiel ihm auf, daß sie nicht zornig geworden war.

– Es ist nicht der Platz für ein normales junges Mädchen wie Sie.

Verblüfft hörte er ihr herbes, unlustiges Auflachen: es paßte nicht zu ihr, so wenig zu ihrem Kindergesicht wie zu den Litaneien.

– Es ist vielleicht nicht der idealste Platz, und doch ist es der einzige. Ich kann nirgends hin.

– Warum nicht?

– Ich habe niemanden.

– Sie können einen Beruf lernen und brauchen dann niemanden. Sie reagierte nicht.

– Sie hatten eine unglückliche Liebe? fragte er leise, in, wie er fand, neutralem, dezentem Tonfall.

Sie nickte, raschelnd; wehmütig wippten Flügel und Schwänze.

Bekamen Sie ein Kind oder fürchteten es?

– Um Gottes willen! rief sie, klappte gleich darauf die flache Hand vor den Mund. Ich meine: um Palinpans Willen! Dann hätte ich doch gar nicht hierher gekonnt.

Er unterdrückte Lachreiz.

– Bezeichnen die Oberinnen etwas als Sünde, was das Natürlichste in der Natur ist? Sozusagen Palinpans Wille?

Er sah, daß sie nichts verstand.

– Wir Schwestern müssen rein sein. Seine Töchter müssen jungfräulich Seiner Hingabe harren. Sie lächelte fremdartig, war ihm plötzlich wieder ganz entrückt, mehr als vorher. Ich freue mich darauf, es zu erleben. Ihn zu erleben. Ich bin gespannt. Es muß herrlich und schrecklich sein.

Er zog seinen Arm von ihrer Schulter.

– Das sind nur Phantastereien, Schwindel, Selbstsuggestion. Glaub mir, mit einem Mann erlebst du das alles hundertmal besser und leichter.

Sie sprang auf.

– Ich fürchte, ich muß Sie bitten, die Kapelle zu verlassen, sagte sie streng.

– Mit dem größten Vergnügen.

Stumm schlenderte er im Garten neben ihr her.

– Es tut mir leid, daß Sie so starrköpfig sind, sagte Schwester Antennaria zahm und lieb. Sie sollten nicht so drauf erpicht sein, andere Menschen zu verletzen.

Er sah sie nicht an, reagierte nicht. Sie blieb stehn und deutete auf eine mächtige alte Buche, die in einem ligustergesäumten Rasenrondell stand. Ihre breiten Äste streckte sie weit darüber hinaus, gespenstig: sie waren kahl bis auf ein paar zerrupfte einsame Blätter.

– Wir machen jedes Jahr die Blätter von den Fingern.

– Fingern?

– Seine Finger. Es ist unser mythischer Baum, Palinpans Baum, Seine Inkarnation.

– Holzgewordener Palinpan, murmelte Beck taktlos und tappte hinter ihr her auf ein villenartiges, zweistöckiges Haus zu.

– Das Mütterversenkungshaus, erklärte Schwester Antennaria. Es enthält die Privaträume der Mütter und die Beichtkammern.

– Sie beichten?

– Wir beichten zweimal pro Woche, manche öfter, ja, viele sogar jeden Tag. Das ist viel Last und Verantwortung für die Mütter.

– Und darum kriegen sie besser zu essen, schloß er.

Sie preßte die Lippen zusammen und wandte sich ab.

– Wollen Sie nun den Garten sehn? fragte sie steif.

– Ja. Zeigen Sie mir die Ihnen anvertrauten Zwiebelbeete. Er prüfte seine Armbanduhr.

– Man hört die Vorbereitungsglocke zur Vesper an jeder Stelle von »Palinpans geliebtem Land«, versicherte Schwester Antennaria schnell. Sie war wieder eifrig, hatte den kühlen Ton aufgegeben. Es war so eine große Auszeichnung Mutter

Sanguisorbas, Besucher durch »Palinpans geliebtes Land« zu führen, und sie hatte vor, die Aufgabe mit Würde zu bestehn.

Kommen Sie mit, Herr Beck. Hier herüber, bitte.

Aus dem grünen Gebetszelt, an dem sie vorbeigingen, trat bleichwangig und blind im grellen Tageslicht eine junge blonde Schwester.

– Schwester Iris, tuschelte Antennaria. Sagen Sie nichts zu ihr, man darf sie jetzt nicht anreden. Sie hat fünf Minuten Schweigezeit.

– Wie kommt ihr eigentlich zu diesen Namen? fragte er, schnickte mit der Schuhspitze ein Steinchen vor sich her. Warum habt ihr sie, und wer hat sie euch gegeben?

Die kleine Schwester holte hörbar Atem, füllte die schlanke Brust, die sich hob unter dem groben grünen Kuttenstoff: entzückt sah er zwei kleine Hügel vorstechen, sah zwei spitze runde Krönchen frech ihr Muster in das dicke Gewebe drücken. – Unsere bürgerlichen Namen ließen uns unfrei. Wir müssen ja alle familiären und weltlichen Gebundenheiten aufgeben, wenn wir uns in Seinen Dienst stellen. Und Er schenkte den Menschen Blumen zu ihrer Freude und damit sie Ihn darin erkennen sollten. Gleichnishaft sind wir Töchter Seine Blumen.

Er nickte ernsthaft, ließ den Blick nicht von den zwei grünbespannten Knospen.

– Und wer bestimmte die Namen? Wer war Täufer?

– Mutter Sanguisorba. Sie selbst mußte sich von Mutter Viola taufen lassen, die dafür besondere Weihen bekam. Am Tag vor der feierlichen Handlung haben die Schwestern durchgehend für Mutter Viola gebetet, damit die Taufe gelänge.

– Und für Mutter Sanguisorba? Brauchte sie auch so viele Gebete?

– Oh, die hat den speziellen Ruf von Ihm gehabt. Sie gab uns auch die Namen, die Er ihr sagte.

236

– Und Er sagte ihr für sich selbst den klangvollsten, spöttelte er, holte aus der Jackentasche eine Packung Zigaretten, steckte eins der weißen langen Stäbchen in Brand. Das Streichholz warf er nachlässig auf den Kiesweg.

– Eben nicht! rief Schwester Antennaria und bückte sich nach dem ausgeglühten Schandfleck in »Palinpans geliebtem Land«, hob ihn auf und drehte ihn zwischen ihren Fingern. Sie hat den bescheidensten Namen: Sanguisorba heißt Pimpinelle.

Beck lachte laut und anhaltend. Die schwere schwitzende Frau mit ihren aggressiven Augen und dem aufdringlichen Gehabe als einfaches Küchenkraut!

– Sie hat selbst ein Gleichnis darüber geschrieben, sagte Schwester Antennaria verletzt. »Und gleich dem Büschel am Wegsaum bin ich vor Dir arm und gering im weiten Lande.« Hören Sie, wie gut das klingt? »Arm und gering im weiten Lande.« Ihre Stimme war tief und weich beim Zitieren. Sie macht wirklich gute und große Sachen, ich meine auch sprachlich und so.

– Und das Gleichnis für dich?

Sie schrak zusammen. Sie blieb stehen.

– Sie haben mich schon wieder geduzt!

– Das tut ihr doch alle hier. Mir erscheint das auch ganz richtig, ganz im Sinne der Natur.

– Ja schon, aber Sie gehören nicht dazu.

– Ach so! Na gut, es kommt einfach so heraus. Vielleicht, weil du so ein spaßiges kleines Ding bist. Ich finde, wir bleiben dabei. Ja?

Amüsiert betrachtete er sie: sie war rot geworden.

– Er wird nichts dagegen haben, wie? Er deutete in die Richtung des kahlgerupften Symbolbaums.

Sie schüttelte unsicher den Kopf. Ihre bräunlichen Finger spielten an den herunterfallenden Enden des Gürtelstricks.

– Heißt das auf deutsch: Antennenblume, Antennaria?

Er hatte sie am Arm genommen und weitergezogen. Links

auf einem Feld schaufelten fünf Schwestern in stetigem gleichem Rhythmus: fünf grüne Kutten, fünf blasse Hauben mit flatternden Flügeln, abstehenden Schwänzen; die Enden der Stricke pendelten über der aufgewühlten Erde.

Antennaria ließ seine Hand los.

– Nein, sagte sie und wurde noch röter. Es heißt: Katzenpfötchen.

Mutter Sanguisorba schraubte das tintig beschmierte Unterteil des Füllfederhalters in seine Hülle und legte ihn auf die Bleistiftschale. Mit beiden heißen Händen griff sie die beschriebenen Papierbogen, schichtete sie sorgsam übereinander, klopfte ihre Ränder an der Tischplatte auf gleiche Höhe. Gut, gut. Ein guter Tag. Ganz in der Ordnung, ihn mit einer Teilhaftigwerdung zu beschließen.

Als sie auf den Gang hinaustrat, fiel ihr der Reporter wieder ein. Früher hatte sie sich vor Presseleuten gefürchtet, aber Palinpan hatte ihr das Gefühl der Angst genommen. Die Erinnerung an Beck war nur ein schwaches Flämmchen, außerstande, ihr Interesse zu erwärmen: es glomm ohne Strahlkraft neben dem mächtigen Feuer von Inspiration und Wollust. Und doch galt es, dieses Flämmchens wegen, das recht störend war, gewisse Richtlinien zu erteilen.

Die Nagelsohlen hackten wuchtig, als der schwere Körper von Mutter Sanguisorba den Gang hinuntereilte, das Haus verließ; sie knirschten über die Wege zu »Palinpans Küchenhaus«. Hier befanden sich auch Bügelstube, Wasch- und Trockenplatz. Mutter Sanguisorba warf im Vorbeigehen ihre geschäftigen Blicke in offenstehende Türen, sah einen schlaffen Wald von grünen Kutten, schwer und dunkel vor Nässe, an den Leinen hängen, müde tropfen, sie sah Schwestern im Bügelraum Hauben falten und Wäsche sortieren.

– Rasa matta, Mutter Sanguisorba! riefen sie ehrerbietig, als sie vorbeiging.

– Rasa matta, meine Töchter! rief sie munter zurück.

In der Küche traf sie Schwester Wulfenia. Einmal, vor Monaten, hatte sie die dicke kleine Bauernmagd in ihrem Zimmer erwischt, wo sie ihre »Stille Zeit« mit Strümpfestopfen und Gebäcknaschen nutzte. Unzählige Stunden hatte sie geopfert, um mit dem Mädchen zu beichten, zu bitten und zu sühnen: eine grandiose Zeit der Lustbefriedigung für sie selbst, Zeit der schrecklichsten und köstlichsten Ekstasen, die das rotwangige stumpfe Gesicht dicht vor dem ihren veränderten, zerstörten. Zugesehen hatte sie beim Verfallsprozeß der hartnäckigen Bauernvernunft, die sich wehren wollte. Angefeuert wurde die Auflösung von Seele und Körper durch ihr wildes, hektisches Drängen und Treiben, durch gewisse Wortwiederholungen, Peitschenhiebe aus Zurufen. Und die Schauer, die sie über die verfärbten Kugelbacken rieseln sah, wenn sie ihre große fette Hand ausstreckte und oben an der Schulter anfing, als Palinpans Werkzeug, als Palinpans Vermittlerin, die große Hingabe zu betreiben! Jetzt war Wulfenia ihr sklavenhaft ergeben, war eine der tüchtigsten Anbeterinnen, wie sie auch, dank ihrer kräftigen Konstitution, die unbeschädigt geblieben war, bei allen körperlichen Arbeiten Rekorde für sich buchte.

– Rasa matta, Mutter Sanguisorba! rief Schwester Wulfenia.

– Rasa matta, Wulfenia. Wie lang hast du Küchendienst?

– Bis zur Vesper.

– Schön. Mutter Viola und ich wollen heut' abend nichts extra haben. Ein Gast ist da, ein Herr von der Presse, und er könnte, da er nicht das geringste von uns versteht, einen falschen Eindruck gewinnen. Verstehst du?

– Ja, Mutter Sanguisorba.

Mutter Sanguisorba stand unschlüssig neben dem Herd, starrte in das kreisrunde rote Gesicht Wulfenias, und ihre Pupillenfische flitzten in ihrer milchglasigen Flüssigkeit hinter den trüben Aquariumsscheiben.

– Wann hast du Gebetswachablösung? fragte sie und bemühte sich, ihrem Ton eine neutrale Färbung zu geben:

Wulfenia den Schrei entlocken, Wulfenias feiste Knie, in deren Fleisch sich die Finger graben mußten, bis sie die Umrisse der Knochen spürten.

– Ich hatte früh um sechs Uhr Gebetswache. Nach der Vesper hab' ich »Stille Zeit«.

– So. Aha.

Mutter Sanguisorba konnte ihre Enttäuschung nicht verbergen. In die »Stille Zeit« pflegte sie sich nie einzuschalten. Das Zimmer war hell und prosaisch, keine Keimstätte für Wahnsinn. Die Pupillen der Beterinnen blieben klein. Sie kehrte um: etwas, das sie enttäuschte, veranlaßte bei ihr jedesmal Übellaunigkeit und Unwillen gegen den, der unschuldig die Enttäuschung bereitet oder auch nur wie jetzt Wulfenia die enttäuschenden äußeren Umstände mitgeteilt hatte. Grußlos verließ sie die Küche, grußlos ging sie an den faltenden und ordnenden Schwestern im Bügelzimmer vorbei.

– Sie kommt aus der Gnade, flüsterte Schwester Rosa.

– Wenn Iris für sie gebetet hat, ist sie immer besonders anhaltend inspiriert, sagte Schwester Reseda und beugte sich ein bißchen neidisch über die Schleife einer neuen Haube.

Im »Kleinen Anbetungssaal Nr. 3« war Mutter Viola Calcarata eben mit dem Durchrichtungskurs 4b für die allerjüngsten Tertiärschwestern fertig.

– Rasa matta! rief sie, hob beide Unterarme in Kopfhöhe: Rasa matta!

– Rasa matta, rasa matta, Mutter Viola Calcarata! Ein vielstimmiger Chor antwortete. Haubenflügelpaare senkten sich auf grüne, platte und runde Brüste, über den Schultern ragten die zwei Schwalbenschwänze steil in die Luft.

Mutter Viola gab ein Zeichen mit der rechten Hand, und die Mädchen schritten hinaus: stumm vollzog sich, in geduldiger Ordnung, ihr nagelklappernder Abmarsch.

Mutter Viola setzte sich wieder hinter ihr Podium, stützte die Ellenbogen auf und barg den Kopf in beiden Händen. Sie war kleiner und weniger imposant als Mutter Sanguisorba. Unter ihrer sehr hohen Stirn leuchtete der dunkelsanfte Blick einer vorchristlichen Madonna: zu geheimnisvoll, um zu erwärmen, zu verschwommen, um sich an ihm zu berauschen. Dieser Blick konnte auf gewisse Entfernung faszinieren – die jungen Schwestern brachten ihm devote Huldigung entgegen –, aber in der Nähe und als Begleitung zu ihren Worten entlarvte ein unvoreingenommener Beobachter ihn leicht als stupide.

Mutter Viola verehrte und liebte ihre Freundin Sanguisorba als die weit Klügere und in jeder Beziehung Überlegene von ihnen beiden. Glücklich folgte sie vor elf Jahren Seinem Ruf, ihrem speziellen Auftrag, den die große Sanguisorba ihr übermittelt hatte: Lobgesänge für Ihn zu komponieren, die sogenannten b-Kurse – die weniger wichtigen – der Tertiärschwestern zu leiten. Sie fand ihre rührseligen Tonassoziationen selbst sehr gut, ergreifend. Sie entdeckte in der Arbeit am Harmonium mit Notenpapier und Tintenstift ihre Lebenserfüllung.

Jetzt war sie müde und wie immer, wenn sie mit den Mädchen gesungen und gesprochen hatte, dankbar. Sie gedachte liebevoll der aufmerksamen jungen Gesichter, in die sie aus ehrlicher Überzeugung ihre von Mutter Sanguisorba entliehenen Sentenzen geredet hatte. Ihr eigenes Leben in »Palinpans geliebtem Land« war ausgefüllt und verlief zu ihrer vollkommenen Zufriedenheit. Es gab daher für sie keinen Grund, warum nicht für jedes Mädchen das gleiche gelten sollte. Sie ahnte, daß »Palinpans geliebtes Land« der einzige Platz auf der Welt war, an dem sie etwas wie Geltung besitzen konnte, Ansehen, ja sogar eine über andere erhobene Stellung. Still und bescheiden pries sie Palinpans Stellvertreterin in der Welt, Mutter Sanguisorba, dafür: ihrer Initiative und nichts anderem war der Entschluß zu danken, aus der fanatischen Mädchengruppe den Orden zu bilden, eine festgefügte Gemeinschaft.

In ihrer Stellung mit dem in die warmen weichen Handmuscheln vergrabenen Gesicht drückte sie den Kopf tiefer, richtete die Augen auf die schwarzen Zeilen im aufgeschlagenen Buch: »Liebe ist unser oberstes Gebot und unsere erste Pflicht. Die Liebe Palinpans ist unter uns gefallen und war zunächst ein Samenkorn, das wir Mütter in den Herzen unserer Töchter eifrig begossen. Und siehe da, das Korn wuchs, kam zur Reife, quoll auf, und ihm entbrach sich die kostbare Frucht – Liebe.« Mutter Viola verstand wenig von den Dingen der Natur, die sie anbetete, und sie bewunderte die biologische Exaktheit nicht weniger als den Stil ihrer Genossin, ihre Sprache, die sie sonderbar erregte, Worte, die tief an ihr Herz griffen. Sie las weiter und summte leise dazu, wiegte den aufgestützten Kopf sanft rhythmisch hin und her: »Satzung I der Aufnahmebedingungen: Diejenige Tochter, die sich dem Anbetungs- und Liebesdienst Unseres Einzigen Herrn, des Schöpfers allen Lebens, des Alleinigen Innewohners aller Wesen und Dinge, Unseres Herrn Palinpan weihen will...« Sie hob den Kopf ein wenig, Verehrung glänzte in ihrem Blick. Wie gut Mutter Sanguisorba sich auf den Bau so langer und schwieriger Sätze verstand!

O ja, Mutter Sanguisorba war die geborene Sprachschöpferin, das wußte Mutter Viola nur zu gut. »...muß unberührt und rein wie ein neugeboren Kindlein sein.« Ein gerührtes Lächeln huschte über ihre unbestimmten Züge, setzte sich in die freundlichen Kurven der Mundwinkel. »Ein neugeboren Kindlein.« Gewiß, das war sie. Kein Mann hatte sie je anrühren dürfen, keine Berührung hatte ihr Fleisch ertragen müssen außer der Palinpans in der dumpfen Nacht des Gebetszelts. Sie erschauerte genüßlich und rieb mit den Fingerkuppen zart über die glatten Schläfen, preßte unter der Kutte die bestrumpften Schenkel fest aneinander. Die Teilhaftigwerdung. Wahrhaftig, man sah sich belohnt für Reinheit.

Mutter Violas Gedanken glitten ab vom Text in dem

»Kleinen Lehrbuch für Seine Töchter«, erhaschten geschwind die jammervollen Stunden der vorletzten Nacht, da sie wach lag und auswendig gelernte Sätze aus Mutter Sanguisorbas Traktaten murmelte, um Sein Kommen zu erzwingen. Blut, Schamrötung stieg in ihre sanft von den Fingern geriebenen Schläfen, jetzt, da sie sich erinnerte, wie verzweifelt und kindisch sie sich über Seine Verweigerung empört, im Bett gewälzt und anschließend mit den Händen ihr mollig gedunsenes, weiches Fleisch geknetet hatte.

Mit einem tiefen Seufzer stand sie auf, schlug die kleine Broschüre zu und ging zum Harmonium. »Ihm ein Preislied anstimmen«, murmelte sie, schlug den Holzdeckel hoch, zog planlos die Register, berührte mit den kurzen, sehr gepflegten Fingern die vergilbte Tastatur: sie griffen einen Akkord, ohne die Tasten hinunterzudrücken. Schwer dehnte sich die Brust, der Kopf fiel in den Nacken, Lippen und Augen öffneten sich weit – dann traten die emsigen runden Beine, drückten die Füße die beiden Pedalklappen auf und nieder, regelmäßig. »Hoch west im Reich der fernen Lüfte/Ein Du, ein herrlich starkes Sein…« Leises asthmatisches Quietschen der Pedale, einfache, leichtfaßliche Durakkorde, die spitze, etwas hagere Stimme einer fünfzigjährigen Frau: Mutter Viola Calcarata empfing Gnade.

Auf einer Bank im Gemüsegarten hatten Schwester Antennaria und Beck Platz genommen. Vor ihnen lag das gutbestellte Zwiebelfeld, das er hatte betrachten wollen. Im Hintergrund sah er die hellen Gebäude durch die Blattspalten der Baumgruppen leuchten, er sah den kleinen Turm der Kapelle mit dem Symbolstern als Wetterzeichen. Der hohe kahle Wipfel des Palinpanbaums ragte aus dem Gewirr der schwankenden Birkenblätter.

Er blickte hinunter zu dem Mädchen, das still neben ihm saß; stumm und, wie er den Eindruck hatte, traurig. Auch er saß bekümmert da und ärgerte sich über die derben Nagelschuhe aus grobem schwarzem Leder, über die dicken schwarzen Wollstrümpfe, die jetzt, als Antennaria ein Bein übers andere schlug, unter dem schlaffen Saum der Kutte zum Vorschein kamen. Trotz der Geschmacklosigkeit ihrer Uniform verlor Antennaria, so stellte er fest, nicht ein angenehmes Fluidum von Weiblichkeit.

– Wirklich, du solltest hier weg, sagte er mehr zu sich selber als zu ihr. Seine Stimme war noch tiefer, schnupfiger als gewöhnlich.

– Und was sollte ich tun?

Er betrachtete sie erstaunt. Sie wies seinen Vorschlag nicht entrüstet ab, hatte es auch das erstemal nicht getan. Er begriff das nicht: war sie ehrlich gegen sich selbst, so empfand sie, daß sie sich unglücklich fühlte. Hielt sie jedoch die Augen geschlossen und ließ sich blind irgendwohin führen – und er verstand nicht, daß man so leben konnte –, dann war sie zufrieden hier, mehr sogar: beflissen und sehr aktiv darin, andern die Herrlichkeit des Lebens in »Palinpans geliebtem Land« zu offenbaren.

– Ich könnte was für dich suchen, sagte er ohne Eifer. Dürft ihr Post empfangen?

Sie schüttelte den Kopf.

– Keine Privatpost außer von Eltern.

– Hast du Eltern?

– Nein. Aber auch Elternbriefe werden vorher gelesen.

– Aber das ist doch unmöglich!

– Es ist nun einmal so, und wahrscheinlich ist es richtig. Richtig und schmerzlos für die, die ganz ehrlich sind.

– Hör mal zu, sagte er sanft und energisch mit seiner angenehmen Stimme. Ihr seid versklavt von einer alten Frau, deren Drüsen nicht richtig funktionieren...

Sie unterbrach ihn erregt, steigerte sich beim Sprechen in glühende Leidenschaft:

– Nein, nein, sagen Sie nichts mehr! Sie machen alles kaputt.

244

Ich wollte werden wie die andern, im Geist leben, Palinpans Eigentum zu sein lernen. Alles wollte ich lernen. Aber das heute, das wirft mich zurück. Ich habe schon zuviel gesagt und gehört, dürfte gar nichts mehr sagen und hören, müßte weglaufen. Sie nicht mehr sehn. Ich weiß, ich bin überzeugt davon, daß Sie schlecht sind, nicht schlechter als die übrigen Menschen, aber schlecht, schlecht, niedrig, und ich weiß, daß die Mütter und die Primärschwestern gut sind und daß ich zu ihnen gehören will. Aber ich bin schwach und sehne mich manchmal nach dem Schlechten, obwohl ich es hasse, ja ich hasse es, und ich will doch zurück, obwohl ich es verabscheue, das Leben jenseits, die Menschen, alles. Es ist, weil ich zuwenig Kraft habe, schwach im Geist bin, dumm und genußsüchtig und alles Schlechte. Oh, es war zu früh, ich war nicht weit genug, Ihnen zu begegnen, Sie zu führen, und ich werde beichten müssen und büßen...

Er nahm ihren Kopf fest in beide Hände und küßte vorsichtig ihren zitternden vollen Mund, schmeckte salzig ihre Tränen, die ihm in die Lippen flossen.

Mutter Sanguisorba war ins Musik- und Studierzimmer gekommen, hatte sich still, die Hände gefaltet, hinter das Harmonium mit der hin und her ruckenden, tretenden, aus voller Kehle singenden Frau gestellt. Als Mutter Viola endete, trat sie einen Schritt vor und umfaßte die molligen Schultern der Freundin mit Liebe.

Kokett drehte Mutter Viola den Kopf zur Seite, suchte Mutter Sanguisorbas Blick. Sie lächelten einander stumm an, im Einverständnis. Beide hatten Gnadenstunden hinter sich, aber während Viola sich nach ihrem Tun ruhig und ausgewogen fühlte, empfand Sanguisorba noch den Rausch und das Sehnen nach Ekstase. Sie waren gegensätzlich in allem.

– Wir haben einen Gast heute abend, begann Mutter Sanguisorba, als der Zeitpunkt gekommen war, da ihre Blicke sich nichts mehr zu sagen hatten. Von der Zeitung. Ich möchte ihm gern eins deiner Spiele vorführen lassen. Ist das möglich? Etwa »Die große Stunde«?

Viola war errötet; sie wehrte mit der rechen Patschhand heftig winkend, verschaffte sich endlich Gehör.

– Meine Spiele? rief sie und machte aus den kurzen Lippen eine kindlich empörte Schnute. Es sind ja ebensogut, nein, viel eher, deine!

– Laß, laß. Mutter Sanguisorba stand ihr an Großzügigkeit nicht nach. Ich könnte nie auch nur drei Töne ordentlich hintereinander komponieren. Und schreiben – nun, das fliegt mir so zu, es ist einfach wie Händewaschen. Also erscheint mir, weil sie mir rätselhaft ist, deine Leistung bei den Spielen größer. Sie lächelte bescheiden und überlegen.

Mutter Viola wandte sich ab vor Rührung. So schlicht und liebenswürdig und außerdem humorvoll konnte nur Mutter Sanguisorba ein Lob erteilen.

– Also, wie ist's damit? drängte Mutter Sanguisorba. Wir könnten auch »Segen der Säfte« oder »Im Reich« nehmen. Ich denke nur an kürzere Sachen. Oder »Die Wahl«.

– »Segen der Säfte«, sagte Mutter Viola langsam. Ja, ich glaube, das geht am besten. Für die meisten anderen Sachen brauchen wir Schwester Carlina, und die ist krank.

– Krank? Was hat sie?

– Ich hörte, sie habe hohes Fieber.

– Fieber? brauste Mutter Sanguisorba auf. Treibt denn immer noch so ein teuflisches Thermometer hier sein Unwesen? Dem muß ich auf die Spur.

– Ich weiß ja nicht, rief Mutter Viola ängstlich. Sie haben es wohl vermutet. Soviel mir bekannt ist, gibt es kein einziges Thermometer und kein einziges Medikament in der ganzen Siedlung.

– Na hoffentlich.

Mutter Sanguisorba beruhigte sich. Schmerz war Gnade, wenn auch Er dadurch bezeugte, daß man eine Schuld zu büßen hatte. Aber er kam von Ihm und daß Er einen nicht für zu gering hielt, Schmerz zu empfangen, war Gnade. Schmerz mußte ertragen werden, wollte man nicht den Sinn der Buße ad absurdum führen.

– War jemand bei ihr zum Handauflegen?

– Ich weiß nicht. Mutter Viola stand ziemlich verwirrt von der Harmoniumsbank auf, drückte die Register zurück, klappte den Deckel über die Tastatur.

– Dann seh ich selbst mal schnell hinauf.

Mutter Sanguisorba drehte sich um, ging großfüßig, hakkend, zur Tür. Der schwitzende Eifer wich den ganzen Tag nicht von ihrem Gesicht, er veränderte nur seine Formen: beständig wandelte sich das Objekt seiner Betätigung.

– Und mit dem »Segen der Säfte«, ich meine, es bleibt dabei? rief Mutter Viola und watschelte ebenfalls zum Ausgang. Sie war ziemlich klein und unproportioniert, wenn sie stand.

– Ja. Sag den Schwestern, die du brauchst, Bescheid, damit sie ihre Texte präparieren.

Schnaufend vor heiterer Erregung und von der Anstrengung, die Treppen ihrem Herzen seit einigen Jahren machten, hackte Mutter Sanguisorba über die Stufen in »Palinpans Töchterhaus«. Auf dem schmalen Gang des ersten Stocks schritt sie schwer und langsam von Tür zu Tür, las die Namen von den gemalten Visitenkarten. Da, Carlina. Die hübsche kleine Distel. Sie grinste, legte ihren fleischigen Handballen auf die Messingklinke. Die Falten ihres Gesichts ordnete sie, verzog die Lippen zu ihrem salbungsvollen Lächeln. Die Klinke gab dem Druck nach, die Tür klaffte; sie streckte ihren rötlichen heißen Kopf hinein.

– Kann man kommen? fragte sie schulmädchenscheu, diskret; sie machte unter hochgezogenen Brauen runde, besorgte Augen.

– Rasa matta, kam es schwach vom unteren Bett links her. Mutter Sanguisorba schloß die Tür und legte die zwei Schritte zum Bett zurück, setzte sich schwer, warm ans Fußende.

– Was fehlt meiner Tochter? fragte sie und blickte gutherzig auf das eingefallene Gesicht unter ihr, auf die blauroten Flecken, unregelmäßig verteilt über Stirn, Wangen und Hals: das schreckliche Sprenkelmuster des Fiebers. Die Augen des Mädchens waren gerötet und ölig feucht.

– Es ist hauptsächlich im Kopf und hier, auf der Brust. Es tut weh beim Atmen, sagte die leise klirrende Stimme, in der mehr Schwäche als Angst lag.

Angst – Schwester Carlina hatte sie verloren. Sie war eine von denen, die schon der Jugendgruppe angehörten, dem fruchtbaren Samenkorn. Nicht zum erstenmal lag sie jetzt krank im Bett, auf Gedeih und Verderb Mutter Sanguisorba ausgeliefert. Früher hatte sie Angst gehabt. Sie war zwei Tage nach einer Schwester erkrankt, die an einem perforierten Blinddarm sterben mußte. Mutter Sanguisorbas Wunderhände hatten versagt. Oh, wie hatte sie gefürchtet, das gleiche Schicksal zu erleiden, sterben zu müssen, nur weil Palinpan wollte, daß kein Arzt kam. In ihren Delirien hatte sie Palinpan beschimpft – sie erschauerte später, wenn sie daran dachte. Aber wie großzügig und überlegen war Er, der sie dennoch rettete! Ja, sie hatte Fatalismus gelernt in den elf Jahren. Mit ihrem glänzenden Fieberblick, der die Konturen verwischte, die Flächen undeutlich und verschwommen registrierte, sah sie Mutter Sanguisorbas Gesicht sich verwandeln, den palinpanwissenschaftlichen Ausdruck annehmen: beseelt, fanatisch. Carlina erkannte die Zeichen der Versenkung. Heiß und feucht legte sich eine Hand auf ihre heiße und feuchte Stirn, spendete keinerlei Wohltat. Die andere Hand landete schwer auf der Brust, vermittelte der Kranken vages Unbehagen.

Selbst jetzt brachte sie ein Lächeln zustande, ein gewohnheitsmäßiges, mechanisches Lächeln, das sie, so sehr hatte schlechtes Training ihr Unterscheidungsvermögen geschwächt, für ungefälscht hielt. Mutter Sanguisorba war inzwischen dazu übergegangen, leise ·nurmelnd die Hände auf den schmerzenden Feldern kreisen zu lassen, mehr Druck auszuüben.

– Es wird schon besser, sagte sie, wartete keine Antwort ab. Handauflegen gehörte zu den Tätigkeiten ihres hohen Berufs, die ihr am liebsten waren. Es kam fast unmittelbar nach der Teilhaftigwerdung und stand in der genauen Reihenfolge ihrer Vergnügen noch vor Schreiben und Beichteabnehmen. Ihre Hand preßte das Fleisch der fiebrigen kleinen Brust, die »unberührt und rein war wie die eines neugeborenen Kindleins...«. Aber sie war reif und unbefriedigt, eine Brust, die Lust ersehnte und abgeben konnte. Mutter Sanguisorba liebte starke physische Empfindungen.

– Aber wie soll das gehen, wie können Sie es möglich machen? Schwester Antennaria forschte verzweifelt, mit großen leuchtenden Kohleaugen in Becks Gesicht.

– Um neun Uhr dreißig bist du in Eurem widerlichen Zelt. Ich hol dich da ab, verstehst du? Sei nicht ängstlich. Wir werden dich schon rausschaffen. Er fühlte, daß ihre Schultern unter seinem Arm ruckartig sich hoben und senkten. Ich komme, sobald Frau Pimpinelle mich wegläßt. Eine Stunde lang bleibst du im Zelt? Gut, ich werde bestimmt vor halb elf bei dir sein. Willst du meine Taschenlampe mitnehmen, damit's dir nicht zu dunkel ist?

Aus ihrem gesenkten Köpfchen kam Schluchzen. Er verstand, daß sie zu aufgeregt war, um Witze über »Palinpans geliebtes Land« schon zu vertragen. Jetzt fühlte er sich, obwohl er im allgemeinen nicht besonders abenteuerlich veranlagt war, weitaus wohler. Er würde das kleine Mädchen befreien: das war sicher eine gute Tat. Die Natur, Palinpan höchstpersönlich, würde sich bei ihm dafür bedanken. Der Nachmittag in der Atmosphäre von Exaltation und Wahn hatte ihn wie unter den Einfluß eines starken Rauschgiftes gesetzt: er konnte sich nicht vorstellen, was morgen werden sollte – ein Gedanke, der ihm übrigens Unbehagen bereitete, da er nicht gedachte, sich an Antennaria oder sie an ihn zu fesseln –, sein ganzer guter Wille war darauf gerichtet, der netten Kleinen zu helfen. Und auf den Triumph, Mutter Sanguisorba überlistet zu haben, freute er sich unbeschreiblich. Zudem plante er eine Reportage, aus der Lächerlichkeiten und Anklagen höhnisch klingelnd herausspringen sollten wie Münzen aus einem Automaten.

Von den Gebäuden her kam helles, zweitöniges Rufen einer Glocke. Antennaria sprang auf.

– Vesper! rief sie so entsetzt, als hätte sie »Mörder« sagen wollen.

Er erhob sich gemächlich.

– Fein. Ich hab' Hunger. Ist eure Suppe wenigstens eßbar? Schwester Antennaria war zu keiner Unterhaltung zu gebrauchen. Eilig stolperte sie in ihren plumpen Schuhen voraus, trat zweimal auf den Saum ihrer langen Kutte, wäre zweimal gefallen, wenn Beck nicht ihre Arme sanft gepackt, ihre Hüften hochgehoben hätte.

– Sieh, da drüben! rief er und zeigte mit dem ausgestreckten Finger auf eine Gruppe von Schwestern, die auf dem Rasenplatz vor »Palinpans Küchenhaus« sonderbare gymnastische Übungen absolvierten. Wir haben noch Zeit. Diese da turnen sich gerade erst ihren Hunger an.

– Sie essen nicht mit, sagte Schwester Antennaria, mäßigte aber doch ihr gehetztes Tempo. Sie haben Reinigungszeit.

– Und dazu machen sie diesen komischen Sport?

– Er dient der Lockerung. Es ist ein Entspannungstraining.

– Wozu?

Schwester Antennaria seufzte.

– Am Ende dieser Übungen stehn die Reinigungsfeste. Ich sollte in drei Wochen mein zweites Reinigungsfest haben. Nach dem dritten wäre ich Sekundärschwester geworden.

Sie senkte den Kopf. Unter den abstehenden Schwalbenschwänzen das dunkle Haargekraus in ihrem schlanken bräunlichen Nacken. Er sah die weichen Linien des Halses zu den Schultern gleiten, sich unter den groben Bund des grünen Kuttenkleids verkriechen.

– Ich freu' mich drauf, dich ohne diese Kopfbedeckung zu sehn, sagte er. Er tippte mit dem Zeigefinger kurz und leicht auf das Stückchen Nacken, auf den hellen Fleck Weiblichkeit. Sie lief in einem wilden Satz davon: hinter ihr her wehten die Haubenflügel, die schwarze Gürtelschnur, flatterten die Falten aus derbem, schlickgrünem Leinen.

– Rasa matta!

    – Rasa matta, rasa matta!

Der Chor der Schwestern schmetterte freudig, hochstimmig Mutter Sanguisorbas Echo zurück. Grüne Ärmel, weiße Hände hoben sich beschwörend, fielen langsam, hoben sich wieder: schneller, fanatischer.

    – Rasa matta!

Diesmal war es ein Schrei, den eine einzige Kehle zu schleudern schien, mächtig geballt aus der Kraft von zwanzig Stimmen.

Jäh verflog die Ekstase; Mutter Sanguisorba nickte liebenswürdig im Hufeisen herum, die Lippen schnalzten zart.

    – Nun laßt uns essen zu Seiner Freude, sagte sie lieb. Setzt euch, meine Töchter.

Im unklaren Iristeich sah Beck, wie die beiden dicken schwarzen Fische ziellos flitzten, gierig hierhin und dorthin den Blitz ihrer Sehkraft warfen. Er sah, daß sie auf ihm haltmachten, ihre Flüssigkeit verspritzten und anschwollen: schwer und neugierig fühlte er sie auf seiner Person verweilen. Er setzte sich neben Mutter Viola, wartete ab, daß Mutter Sanguisorba vom Podium stiege und den Platz auf seiner andern Seite einnähme. Eine gesund aussehende, kurzgewachsene Schwester, der die dicken roten Backen aus dem schlaffen Umschlag der Haube quollen, ging reihum mit einem Eimer, den sie hinter jedem Stuhl abstellte. Sie schöpfte aus. Mit kräftiger, vom Spülwasser deformierter Hand packte sie Becks Teller, füllte ihn hoch voll mit brauner zäher Flüssigkeit, setzte ihn vor ihm ab: aus den Falten ihres Ärmels kam Geruch von rechtschaffenem Schweiß und von Zwiebeln.

– Schwester Wulfenia, sagte Mutter Sanguisorba leise, zu dicht an seinem Ohr. Sie macht die Küche, seit sie primär ist.

Er sah, daß um die geschwätzigen Lippen der Oberin ein gehässiger, eifersüchtig-verliebter Zug getreten war.

– Sie ist bestimmt eine gute Schwester? erkundigte er sich, weil er glaubte, etwas sagen zu müssen. Es war ihm unangenehm, dem starren Schweigen und den niedergeschlagenen Mädchenlidern hier in der Machtzone des Hufeisens ausgesetzt zu sein.

– Jaja, sagte Mutter Sanguisorba zerstreut, blickte nach dem stämmigen Rücken Wulfenias: die roten Backen, deren Fleisch fest ist wie das einer Frucht, die warmen vollen Knie, schenkelweich. Sie raffte sich auf, hob ihren Löffel und hielt ihn halb hoch.

Sofort taten die Schwestern das gleiche und riefen wieder aus der gemeinsamen Kehle:

– Palla karapalla!

Die beiden Mütterköpfe rechts und links von Beck senkten sich stumm, nickten.

Daraufhin fielen die erhobenen Arme herab, Löffel berührten sacht klirrend den Tellergrund. Noch führte keine das gefüllte Eßbesteck an die Lippen, die Augen blieben unbeweglich unter den niedergeklappten Lidern. Steif, unlebendig saß Schwester neben Schwester, vibrierte Haube neben Haube.

Beck verschränkte die Arme und verzog die Lippen. Ihm wäre es auch recht gewesen, wenn man schließlich die vollen Teller wieder abgetragen hätte. Unerfreulich war der heiße Geruch, der von der Flüssigkeit strähnig aufstieg, nicht einladend die unbestimmte Farbe. Seine Augen suchten unter den grünweißen Oberkörpern den Antennarias. Er prüfte die Scheitel und fand endlich den ihren: schwarz, lockig über der hellbraunen Stirn. Sie saß unten am Ende des linken Flügels, sah nicht auf, schien nicht einmal zu atmen. Er bemerkte erst jetzt, als ihm Antennarias sich bewegende Lippen auffielen, daß den Raum dumpfes, fast lautloses Murmeln erfüllt hatte, grummelnd, nicht differenziert durch Wörter und Zäsuren. Ein übellauniges, hartnäckiges Motorengesumme. Er löste die Arme aus der Verschränkung, legte die flachen Hände auf die Knie und lehnte sich im steifen geraden Stuhl zurück.

Das klanglose Brummen schwoll an, konsonantisch dunkel: eine gurgelnde Brandung. Jetzt schossen vereinzelte Vokale aus der kräftigen Gemeinschaftskehle, höhere Töne zuckten in die homophone Finsternis, gipfelten in einem spitzen, meteorgeschwinden Jauchzer.

Absolut war die Stille nach dem jähen Aufhören des Gebets: ein totales, unübertreffliches Schweigen.

– An die Arbeit zu Palinpans Freude! kommandierte Mutter Sanguisorba heiter.

– An die Arbeit! antwortete der Chor. Lustlos öffneten sich die blassen Lippen, ließen die Löffel mit dem ausgedampften Brei ein; Kehlen schluckten beherrscht, asketisch.

Beck aß rasch und angewidert. Rechts und links von ihm futterten stumm Mutter Sanguisorba und Mutter Viola. Nichts als ihr leises Schmatzen und das zurückhaltende Klappern des Alpakas im Steingutgeschirr, das feuchte Schlappen und Schlucken der Zungen und Zäpfchen. Es schien ihm, als ob jetzt die Tischgemeinde in Eile sei, die Teller zu leeren.

An seiner rechten Seite fiel das klingende Besteck laut auf den leeren Boden des Tellers: neunzehn Löffel folgten prompt, ein einziger kam Sekunden zu spät, klirrte jämmerlich, kleinlaut nach. In der Stille, die folgte, lauerte Empörung. Er durchforschte die Gesichter und bemerkte am unteren Ende des linken Flügels ein glutüberzogenes: Antennaria.

– Unaufmerksamkeit ist Ihm nicht wohlgefällig, dozierte Mutter Sanguisorba. Er verabscheut Zerstreutheit.
– Verabscheut Zerstreutheit, plapperte die Sammelkehle.

Beck räusperte sich hörbar und zog die Augenbrauen hoch. Hätte sie ihn wenigstens angesehen, sein Lächeln hätte sie versichert. Wie konnte ein denkender Mensch sich durch derartige Verrücktheiten einschüchtern lassen?

– Er verlangt Gehorsam von uns, und wir geben ihn willig, freudig.
– Willig, freudig.
– Wir essen durch Seine Gnade, ein Geschenk Seiner unverdienten Güte ist jedes Atom Seiner Nahrung. In Mutter Sanguisorbas Ton murrte Gereiztheit.

Beck atmete seufzend durch die Nase ein: spöttisches, verächtliches Schnaufen, ein kühler Lufthauch, der vor Mutter Sanguisorbas nassen Lippen stehenblieb. Aus der neuen Frische ihrer Stimme drang ein Vorwurf zu ihm, als sie rief:

– Wir lassen uns den schönen Tag nicht verderben: Palinpan selbst straft die, die Ihn nicht achten. Töchter, laßt uns unter Mutter Viola Calcaratas Leitung ein Lied zu Seiner Ehre anstimmen.

Sie beugte sich vor, tuschelte an ihm vorbei mit Mutter Viola. Dicht vor ihm die fettglänzende, schwitzende Wange, gerillt von verdrießlichen Fältchen, die feuchtbesprühte Schläfe mit dem schlechtgebändigten rotblonden Gekitzel, ein schaumiger eifriger Mundwinkel.

– »Er hat viel Liebe«, geht das? fragte sie.

Mutter Viola nickte, stand auf. Beck hob den Blick zu der kleinen Frau, in deren törichtem Gesicht Stolz schimmerte. Er betrachtete die weichen Patschhände; die kleinen Finger, abgespreizt, waren speckgeringelt, die Kuppen von Zeigefinger und Daumen berührten sich fein, musikalisch. Abrupt nach außen kreisend, gaben die gerundeten offenen Fäuste das Zeichen für den Auftakt. Sie fielen zurück in einer tiefen

254

Senkrechten und schwebten dann leise, gleichmäßig in kleinen Bogen durch die Luft:

– »Er hat viel Liebe, Palinpan/Verschenkt uns Seine Gnad'/

Drum singt, dann ist es wohlgetan/Drum singt von früh bis spat.«

Die volksliedhafte Melodie entstieg den weichen Kehlen. Artig sangen die Schwestern, öffneten weit die Lippen. Beck fand, daß Antennaria, immer noch sehr rot im Gesicht, lauter und eifriger als die andern mitsang. Was geht in ihr vor? fragte er sich. In seinem Herzen sammelte sich Wut und sie wollte sich auch gegen das verblendete Mädchen richten. Oder spielt sie nur gut? Will angeblich diesen lächerlichen Verstoß mit dem zu späten Löffel sühnen? Der Gesang fesselte ihn nicht mehr. Die tragikomische Gesellschaft, in die er sich eingesperrt fühlte, hatte ihm sogar die Lust zum Verhöhnen genommen.

– »Drum stimm ich an ein kräftig Lied/Den Sang zu Seiner Ehr'…«

Erregt, beinah geniert hörte er neben sich rechts falsche Töne, mutige schrille Halbtöne unter dem festgefügten hochkehligen Unisono der Melodie: Mutter Sanguisorba war unmusikalisch!

Hinter den hohen gotischen Fensterscheiben entfärbte sich der Tag. Schwarz schwankten am Symbolbaum die richtungweisenden Äste. An den schlanken Birkenzweigen schaukelten die Blattschichten.

– »Wo ich auch geh' und was ich tu'/Du bist mein Allbegleiter/

So hilf mir denn und mach mich, Du/Zu Deinem Gottesstreiter.«

Beck hatte nicht vermocht, den Lachreiz, der beim letzten Wort der fünfzehnten Strophe des inkonsequenten Lieds unerträglich geworden war, zu unterdrücken. Ein unvergnügtes, mißgünstiges Gurgeln kam aus seinem Hals. Er ließ es in künstliches Husten übergehen, klappte mit den gestreckten Fingern gegen seine zuckenden Lippen.

Mutter Sanguisorba kratzte nervös mit den kurzen Nägeln von Zeige- und Mittelfinger im Stoffgewebe unter der Achsel: dort waren die groben Leinenfäden vom Schweiß zerfressen, zerätzt. Ihre Struktur war weicher, weitmaschiger, das Grün heller, ausgeblichen.

Sie fühlte sich unsicher. Sie spürte keine Freudigkeit, die sich gewohnheitsmäßig nach dem Machtrausch der Komplet, nach dem Vorbeizug müd blickender Sklavinnen, die ihr »eine gnadenreiche Nacht unter Seinem Schutz« wünschten, einzustellen pflegte. Sie wußte genau, woran es lag, daß eine Verstimmtheit auf ihr lastete, daß nicht einmal der Vorsatz, hinüber ins Zelt zu schleichen und den teuflischen Vorgang der Teilhaftigwerdung zu inszenieren, ihr über die grämliche Laune dieses Abends hinweghelfen konnte. Schuld hatte das verächtliche kalte Gesicht des Reporters, dieses Eindringlings, dieses Trägers von Geschlechtsanlagen, die nach den Theorien ihrer »Lehrbücher für Palinpans Töchter« das Übel in die Welt gebracht hatten. Eine Welt, nur von Frauen bevölkert! Eine nur von weiblichen Organismen belebte Natur, nur von weiblichen Gedanken und Ideen inspirierte Lebensordnung! Sie seufzte tief auf vor schmerzlicher Resignation darüber, daß diese Idealvorstellung nur im beschränkten Raum von »Palinpans geliebtem Land« realisierbar war. Aber hier, hinter den hohen Buchsbaumhecken, die ihre Siedlung vor der Außenwelt versteckten, hier in den hellen flachen Frauenhäusern, hier war sie verwirklicht, und niemand anderes als sie selbst, Sanguisorba, beherrschte diese Welt, leitete die sanften weiblichen Körper, lehrte sie Schrecken und Lust: die weichen, gehorsamen, vom Irrsinn angefressenen Frauengehirne.

Sie legte die beiden Kratzfinger an die länglichen Öffnungen ihrer Nase: schnupperte, sog mit leichtem Ekel die süßlichen Duftschwaden ein, schwach, weiblich.

Mutter Violas Einstudierung ihres hymnischen Dramas »Segen der Säfte« hatte den kühlen Spott des jungen Mannes nicht getilgt. Frech hatte er sich erkundigt, ob bei keinem der Spiele die Schwestern auf die Haube verzichteten. Was ging ihn das schon an. Oder ob sie, Mutter Sanguisorba, eventuell plane, Haarlosigkeit und eine strengere, tief in die Stirn ragende Haube für die Töchter Palinpans einzuführen? Ja, und wie sie die Tatsache von Palinpans Polygamie – zwei Mütter und so viele Töchter – in der Welt zu verbreiten gedenke: diesen Teil Seiner Lehre würde man sicher zu akzeptieren bereit sein. Vieles mehr hatte er sie gefragt, taktlos ins Spiel hineinflüsternd. Ja, und von da datierte ihre Depression. Mit Recht hatte sie ihn nicht ohne einen Unterton von verärgertem Tadel aufs Ende des Spiels verwiesen und ihn in ihr Zimmer bestellt. Dort wollte sie ihm Aufschluß geben, mit ihm besprechen, was ihn interessierte. Sie liebte es, sich beim Reden zuzuhören. Sie sprach gern, holte mit einem Gefühl von Befriedigung die Worte aus der Tiefe ihres Fleisches, meißelte archaische Sentenzen. Derbfüßig, hackend schritt sie im Arbeitszimmer auf und ab, schob, wie sie beim Nachdenken zu tun gewohnt war, die Unterlippe vor und bewegte das zarte, glitschige Fleisch sacht, rieb es an der Oberlippe.

Er war ihr ins Arbeitszimmer gefolgt, hatte an der Tür auf seine Armbanduhr gesehen und sich entschuldigt. Er müsse dringend weg, sei schon länger als zuträglich der Redaktion ferngeblieben. »Aus Interesse an Ihrem wirklich anregenden Orden.« Sie lachte bitter auf. Er begegnete ihr nicht unhöflich, nein, aber er war kalt, kalt und hart wie ein Granitblock. Sie hatte ihn fortgehen lassen müssen, ohne Macht über ihn gewonnen zu haben, ohne ihm gezeigt zu haben, daß sie imponierende Kraft besaß, daß scharfe, exakt arbeitende Intelligenz ihr außer der Gnade des Glaubens geschenkt war. Sie hatte ihn nicht ängstlich gemacht, ihn nicht gebeugt, seinen sündigen brutalen Männerkörper. Neid, Neid. Sie fühlte ihn schwer, heiß in sich aufsteigen; den alten, vertrauten Neid, schneidend wie eine Messerklinge. Diese harten, unbeugsamen Männerkörper mit ihrer Verachtung, ihrer höhnischen Geringschätzung für das Weibliche, das sie ausbeuteten, für ihre widerlichen Freuden gebrauchten, gemein sich versklavten. Besser, als sie es konnte. Mit weniger Anstrengung und viel mehr Gewinn. Neid, spitz und silbrig: sie fühlte, wie er sie auffraß, wie er sich ihrer bemächtigte, sie in dunkle, gehässige Betäubung stürzte.

Blind floh sie aus dem Zimmer. Ihre nassen Lippen bewegten sich kauend: »Gnade, Gnade, gib mir Deine Gnade.« Hastige, unkontrollierte Stöße trieben sie über den dämmrigen Flur, hinaus aus der Eingangstür des Mutterhauses. Aus dem dunkelumstandenen Rondell wuchs breit der gewaltige Stamm des symbolischen Baums, schwarz vor der blaugrauen Nacht. Mutter Sanguisorba schauderte. »Gnade, Gnade.« Unter dem Baum mußte sie vorbei, mußte sein höhnisches Astknarren hören, sein drohendes Strafgericht. Sie eilte zitternd über die Kieswege, erschrak vor dem Scharren und Knirschen ihrer harten Sohlen. Schwarz das Filigranmuster der beblätterten Birkenzweige, schwarz, beweglich; böses schwarzes Blattgeflüster. Bleich die Front der Kapelle, verblaßt das Gelb des sechsmal gezackten Sterns. »Die rechte Stimmung, ganz die rechte. Wird gut werden wie nie. Beten, beten zuerst.« Murmelnd hastete der schwere Körper grazielos durch die Schatten, durch die dunkle Nachbarschaft der Pflanzengestalten. Sie fiel betend vor den Stufen der Kapelle auf die Knie und sackte in sich zusammen. Bebend, schluchzend, rachsüchtig.

– Nein, Sie täuschen sich keineswegs, Frau Oberin: tatsächlich hat zum erstenmal, seit es hier steht, das Zelt so etwas wie natürliche Teilhaftigwerdung erlebt. Ein Mann hat ein Mädchen geküßt. Es bedurfte nicht der geringsten Aufpeitschung, keiner Gewalt. Das Vergnügen, wenn Sie wollen, die Ekstase,

kam ganz von allein. Und wie mir schien, hatte Palinpan seine
Freude dran.

Becks Stimme war scharf und fröhlich. Er unterschied in der
stickigen Zeltnacht den schweren Körper der Frau, und er
roch ihren Schweiß.

– Wer hatte die Wache? fragte Mutter Sanguisorba mit
tobsüchtiger Stimme.

– Das Katzenpfötchen, sagte Beck lustig.

Schwester Antennaria hatte sich geduckt, als die Segeltuch-
tür aufgeklappt war, hatte reglos ein paar Sekunden am Boden
gelauert und war lautlos über die Holzwolle zum Ausgang
gekrochen.

– Tut mir leid, daß Sie heute abend leer ausgehen mußten,
fuhr Beck ruhig fort. Aber es bleiben Ihnen noch genug andere.
Im Vertrauen: Antennaria war nicht ganz geeignet für Sie. Ich
fürchte, sie hat Sie ein bißchen betrogen. Er lachte leise.

– Ruhe! schrie Mutter Sanguisorba. Entweihen Sie diesen
Raum nicht!

Sie hatte sich gefaßt. Es war eine zwar ungewohnte, jedoch
nicht unbeherrschbare Situation. Gewiß war sie ungeheuerlich – aber das ersetzte die entgangene Gefühlssensation: dieser
Mann war ihr geschickt, sie ahnte es, geschickt zu ihrer
eigenen Weiterentwicklung, ein Werkzeug, dessen Palinpan
sich bemächtigte, um sie, Mutter Sanguisorba, zu höherer
Reife zu bringen, zu endgültiger Läuterung.

– Verlassen wir also diesen Raum, da ich Ihnen weitere
Entweihungen nicht ersparen kann, sagte Beck. Ich möchte
Ihnen ein paar Erklärungen abgeben.

Stumm tappten sie über die Spankringel, berührten sich am
Ausgang mit dem Ellenbogen.

– Fangen Sie an, befahl Mutter Sanguisorba im Freien. Sie
gingen langsam über den Kiesweg, vorbei an den personifi-
zierten Schatten, die jetzt schreckenlos, unbeachtet aus der
Nacht ragten.

– Ja, sagte Beck. Er fühlte sich sehr ruhig, fast mitleidig

gegenüber der Frau, die er besiegt hatte. Ich bin natürlich schuld daran, daß Antennaria den Vorsatz hat, »Palinpans geliebtes Land« heute nacht mit mir zu verlassen. Sie hat mich hier herumgeführt, ich habe ihr Fragen gestellt, und sie hat mir alles erklärt, so gut sie es konnte. Und ich möchte sagen, deshalb ist gerade sie es, die heute nacht weggeht. Es mußte diejenige Ihrer Töchter sein, die den Nachmittag mit mir verbrachte.

Mutter Sanguisorba lachte auf: ein schrecklich verwundetes, gehässiges Lachen.

– Wie eingebildet und unverschämt Sie sind, sagte sie leise. Sie blieb stehen und heftete ihren Blick auf ihn. Die fischigen schwarzen Kleckse stachen starr aus der schwimmenden Creme der Augen.

– Sie bilden sich was drauf ein, sowohl auf Ihren Erfolg als Mann und Verführer als auch auf den angeblichen Beweis Ihrer Theorie, mit der Sie hierherkamen. Und Ihre Theorie lautet: Mutter Sanguisorba ist zu streng mit den armen Mädchen, gönnt ihnen nicht genug Freiheit und Vergnügen und verlangt zu viel an körperlicher und geistiger Kraft.

Beck sackte in sich zusammen: wie vorsichtig sie war und wie gerissen! Wie geschickt, ihm seine Gedanken selbst vorzutragen, damit er sie schließlich für so harmlos hielte wie ihre Interpretation!

– Diese Tertiärschwestern sind naiv und mannstoll wie alle andern Mädchen jenseits, trug Mutter Sanguisorba vor.

Er begriff, während sie weiterredete, daß sie sein Mitleid nicht mehr brauchte. Er unterbrach sie schroff:

– Das meine ich nicht. Meine Theorie hat tatsächlich ihren unumstößlichen Beweis. Was Sie hier treiben, ist Wahnsinn, wenn nicht Verbrechen. Das ist alles.

Er entfernte sich rasch von ihr. Hinter sich hörte er Mutter Sanguisorbas massiven Schritt eilig in eine andere Richtung streben.

Er ging langsamer, nachdenklich. Ob Antennaria glücklich »Palinpans Eingangspforte« erreicht und überwunden hatte? Sein Herz wurde träge beim Gedanken an sie, an ihre ängstliche, verzagende Begleitung. Was für ein ganz und gar verpfuschter Nachmittag. Er hatte keine Eile, Antennaria zu sehen. Unerfreulich trat ihm ins Bewußtsein, daß er in der Nacht noch schreiben müßte: einen unparteiischen Bericht über »Palinpans geliebtes Land«, dem freundlich-verlogenen Charakter des »Tageskurier« entsprechend. Wehmütig gedachte er der unternehmungslustigen Stimmung des Nachmittags: der Plan, einen anklägerischen Artikel zu verfassen, sackte in sich zusammen. Er verlangsamte seinen Schritt, sammelte Ausdrücke, Wortgruppen. »Die kleine Kapelle wurde wie alle andern Gebäude von den Schwestern selbst errichtet.« Nett und gefällig läse sich das, fände Bewunderung, Anerkennung. So ein tüchtiger kleiner Orden. Bißchen übergeschnappt, aber schließlich tun sie niemandem was zuleide. »Die Gottheit des Ordens, also die Natur selber, hat sich in dem mächtigen alten Baum, einer Buche, inkarniert. Ein Sgraffito dieses Baums befindet sich im Arbeitszimmer der Oberin. Hier sind die Formen stilisiert, symbolisiert. In den Ästen – deren Blätter jedes Jahr von den Schwestern entfernt werden – erkennt der Orden Finger, die Finger seiner Gottheit, die ihn in eine bestimmte Richtung weisen.«

In was für eine Richtung eigentlich? Beck blieb unter dem kahlen Astdach stehen und sah hinauf in die knorrigen Streben, in die gerupfte Fingrigkeit. Ob sie selbst weiß, wohin die Finger deuten? Er lachte kurz und leise, starrte in die düster übereinandergeschichteten Wegweiser. Etwas Kompaktes, lang Hängendes fiel ihm auf. Unsicher war sein Blick gegen den lichtlosen Nachthimmel. Er trat näher und wußte es sofort. Sein rechter Arm, den er in die Höhe hob, um den Körper zu fassen, war lahm und träge. Am Baum hing, erwürgt vom schweren Gürtelstrick, Antennaria.

Seine Hände griffen in die Falten der Kutte. Sie war feucht, kühl vom Nachttau. Er packte den leblosen Leib und riß ihn vom Ast. Wütend – und jetzt wurde sein erstarrter Körper zitternd, schüttelnd, lebendig – warf er die Tote ins geschorene Gras des Rondells.

Er richtete sich auf und schluckte. Dann ging er entschlossen auf das Licht hinter den Fensterscheiben von Mutter Sanguisorbas Arbeitszimmer zu.

Ohne anzuklopfen betrat er den asketischen Raum, stellte sich hinter dem feisten Rücken breitbeinig auf. Der gebündelte Lichtstrahl traf mitten in sein Gesicht.

– Meine Hochachtung, sagte er kalt. Sie haben Ihre Tertiärschwestern prima in Schuß.

Mutter Sanguisorba drehte sich wild um. Ihr Blick war wachsam, neugierig.

– Sie ist tot, sagte Beck. Hing am Baum. Ich hoffe, Sie haben nichts mit der Gerichtsbarkeit des Jenseits zu tun. Es wäre sonst peinlich zu entscheiden, wer der Mörder war, Sie oder ich.

Das heiße, feuchte Gesicht der Frau verzog sich breit; satt lächelte der geschäftige Mund.

– Sie sind ein gottloser Mensch, sagte sie tief, nicht unfreundlich. Kommen Sie mit, wir holen Sie herein. Armes Kind.

Er sah das Lächeln selbstgefällig, vergnügt werden. Sie murmelte in gekränktem Ton vor sich hin:

– Vor der Teilhaftigwerdung, ungereinigt. Nichts hat sie erlebt.

– Ja, es ist jammerschade, sagte er. Sie war recht reizend, wirklich.

Mutter Sanguisorba hob den Kopf, und ihr schweißnasses Gesicht hielt seinen Blick aus. Den unerbittlich abschätzenden Männerblick, vor dem sie alle, Töchter und Mütter, Frauen waren, nicht Palinpans Werkzeuge, nicht fleischgewordene Trägerinnen einer Idee – weibliche Körper, weibliche Gehirne.

262

– Sie war Seine Braut, murmelten ihre Lippen, leugneten die ungläubigen, mißtrauischen Augen.

– Und was geschieht jetzt mit ihr? fragte Beck.

Sie gingen nebeneinander her über den schwärzlichen Gang des ganz stillen Hauses, traten durch die Tür in die kühle, schweigsame Nacht. Vor dem leblosen Fleisch- und Stoffbündel blieben sie stehen. Sanft schimmerte aus dem Dunkel das blasse Licht der Haube, gespenstisch überzuckt von den Fingerschatten.

– Sie wird, was sie war, sagte Mutter Sanguisorba endlich. Bestandteil Seines umfassenden Wesens.

– Nicht schlecht. Werden Sie sie in die Erde einbuddeln oder verbrennen? Und wo? Man wird zweckmäßigerweise einen Friedhof hier anlegen müssen für den Fall einer bedauerlichen Wiederholung.

Er hörte das erregte Schnaufen ihrer Nasengänge. Seine Augen entzifferten ein genießerisches Grinsen, das sich in die unzufriedenen Rinnen der Mundwinkel gepreßt hatte.

– Es gibt keine Wiederholung, sagte sie. Ohne Tadel, sehr sanft war ihre Stimme: Triumph klang heraus. Ich werde dafür sorgen.

Er sah sie gemächlich neben dem dunklen, flachen Hügel am Boden niederknien. Er glaubte, ein Schmatzen zu hören, als habe sie die Lippen der Toten berührt. Eine Abart der Lust, die sie noch nicht kannte.

Er riß sie hoch, packte sie grob an den Oberarmen. Sie richtete sich auf, und ihr lastender Leib bebte: bebte zum erstenmal im Griff roher männlicher Hände. Sie versuchte nicht, sich zu befreien. Es war, als gefalle ihr der brutale Druck. Stumm und erregt hielten Mutter Sanguisorba und Beck die Totenwache.

Seit mehr als dreißig Jahren druckte und druckt die

EREMITEN-PRESSE

zeitgenössische Literatur in bibliophil gestalteten, von Künstlern illustrierten Erstausgaben, zum Beispiel:

GABRIELE WOHMANN

Mit einem Messer, 1958 (Neuauflage mit Graphiken von Günter Dimmer, 1972); *Die Bütows,* mit Graphiken von Walter Zimbrich, 1967; *Von guten Eltern,* Graphiken verschiedener Künstler, 1968; *Sonntag bei den Kreisands,* mit Graphiken von Heinz Balthes, 1970; *Der Fall Rufus,* mit Graphiken von Klaus Staeck, 1971; *Übersinnlich,* mit Graphiken von Klaus Endrikat, 1972; *Habgier,* mit Graphiken von Pierre Kröger, 1973; *So ist die Lage,* Gedichte, 1974; *Dorothea Wörth,* mit Graphiken von Heinrich Richter, 1975; *Ein Fall von Chemie,* mit Graphiken von Heinz Balthes, 1975; *Endlich allein – endlich zu zwein,* mit Graphiken von Anthony Canham, 1976; *Böse Streiche,* mit Graphiken von Hans Borchert, 1977; *Das dicke Wilhelmchen,* mit Graphiken von Maria Nandori, 1978; *Streit,* mit Graphiken von Kirsten Hammertröm, 1978; *Der Nachtigall fällt auch nichts Neues ein,* mit Graphiken von Volker Hilgert, 1978; *Feuer bitte!,* mit Graphiken von Klaus Endrikat, 1978; *Die Nächste, bitte!,* mit Graphiken von Bert Gerresheim, 1978; *Knoblauch am Kamin,* mit Graphiken von Anthony Canham, 1979; *Wanda Lords Gespenster,* mit Graphiken von Peter Kaczmarek, 1979; *Wir sind eine Familie,* mit Graphiken von Helmut Lander, 1980; *Guilty,* mit Graphiken von Günter Dimmer, 1980; *Violas Vorbilder,* mit Graphiken von Kirsten Hammerström, 1980; *Ein günstiger Tag,* 1981; *Nachkommenschaften,* 1981. Weitere Werke sind in Vorbereitung.

Ein Verzeichnis der lieferbaren Titel erhalten Sie vom
Verlag Eremiten-Presse
Postfach 170143, 4000 Düsseldorf 1